SKCT
SK그룹

종합역량검사

PREFACE

우리나라 기업들은 1960년대 이후 현재까지 비약적인 발전을 이루었다. 이렇게 급속한 성장을 이룰 수 있었던 배경에는 우리나라 국민들의 근면성 및 도전정신이 있었다. 그러나 빠르게 변화하는 세계 경제의 환경에 적응하기 위해서는 근면성과 도전정신 이외에 또 다른 성장 요인이 필요하다.

한국기업들이 지속가능한 성장을 하기 위해서는 혁신적인 제품 및 서비스 개발, 선도기술을 위한 R&D, 새로운 비즈니스 모델 개발, 효율적인 기업의 합병·인수, 신사업 진출 및 새로운 시장 개발 등 다양한 대안을 구축해 볼 수 있다. 하지만, 이러한 대안들 역시 훌륭한 인적자원을 바탕으로 할 때에 가능하다. 최근으로 올수록 기업체들은 자신의 기업에 적합한 인재를 선발하기 위해 기존의 학벌 위주의 채용을 탈피하고 기업 고유의 인·적성검사 제도를 도입하고 있는 추세이다.

SK그룹에서도 업무에 필요한 역량 및 책임감과 적응력 등을 구비한 인재를 선발하기 위하여 SK그룹 종합역량검사를 치르고 있다. 본서는 SK그룹 채용대비를 위한 필독서로 SK그룹 종합역량검사의 출제경향을 철저히 분석하여 응시자들이 보다 쉽게 시험유형을 파악하고 효율적으로 대비할 수 있도록 구성하였다.

신념을 가지고 도전하는 사람은 반드시 그 꿈을 이룰 수 있습니다. 처음에 품은 신념과 열정이 취업 성공의 그 날까지 빛바래지 않도록 서원각이 수험생 여러분을 응원합니다.

STRUCTURE

01 실행역량

※ 실행역량은 응시자의 실행능력을 파악하기 위한 영역이므로 정답이 존재하지 않습니다.

샘플문항

※ SK그룹 홈페이지에 공개된 샘플문항입니다. 실행역량은 문제/현상에 대한 원인을 파악하고, 대안을 모색하여, 목표를 세우고 추진하는 역량을 측정합니다.

Q
사원 A는 우연히 팀장 B와 단둘이 식사를 하게 되었다. B는 A에게 요새 우리 팀이 팀 업무가 바빠 개인시간이 없긴 하지만, 그래도 직원들이 자기개발에 신경을 쓰지 않는 것 같다고 불만을 털어놓았다. 장기적으로 업무 능력을 향상시키기 위해 자기개발은 꼭 필요하다고 역설하면서 혹시 A에게 팀원들의 자기개발을 격려할 만한 방법이나 아이디어가 있으면 생각해 보고 말해 달라고 부탁했다.

조직이 가장 좋은 결과를 얻으려면 다음 중 가장 바람직한 A의 행동은?

① 자기개발 관련된 도서 목록 및 활동 등을 작성해 사무실 곳곳에 붙여 놓는다.
② 팀 전체 회의가 있을 때 자기개발을 위한 사내 스터디 모임을 추진하자고 제안한다.
③ 자신의 자리에 자기개발 계획을 크게 붙여 놓고 이를 실천하는 모습을 보여준다.
④ 사내 자기개발 프로그램을 조사해 현재 조직 상황에 맞게 편성한 뒤 B에게 제안한다.
⑤ 여유 시간이 있을 때 자기개발을 위해 노력하고 기회가 될 때마다 팀원들에게 네가 한다.

샘플문항

※ SK그룹 홈페이지에 공개한 샘플문항입니다. 실행을 추진하는 역량을 측정합니다.

Q
사원 A는 우연히 팀장 B와 단둘이
이 바빠 개인시간이 없긴 하지만, 그래
고 불만을 털어놓았다. 장기적으로 업
고 역설하면서 혹시 A에게 팀원들의
면 생각해 보고 말해 달라고 하였다

조직이 가장 좋은 결과를 얻으려

01 면접의 기본

1 면접준비

(1) 면접의 기본 원칙

① 면접의 의미 … 면접이란 다양한 면접기법을 활용하여 지원한 직무에 필요한 능력을 지원자가 보유하고 있는지를 확인하는 절차라고 할 수 있다. 즉, 지원자의 입장에서는 채용 직무 수행에 필요한 요건들과 관련하여 자신의 환경, 경험, 관심사, 성취 등에 대해 기업에 직접 어필할 수 있는 기회를 제공받는 것이며, 기업의 입장에서는 서류전형만으로 알 수 없는 지원자에 대한 정보를 직접적으로 수집하고 평가하는 것이다.

② 면접의 특징 … 면접은 기업의 입장에서 서류전형이나 필기전형에서 드러나지 않는 지원자의 능력이나 성향을 볼 수 있는 기회로, 면대면으로 이루어지며 즉흥적인 질문들이 포함될 수 있기 때문에 지원자가 완벽하게 준비하기 어려운 부분이 있다. 하지만 지원자 입장에서도 서류전형이나 필기전형에서 모두 보여주지 못한 자신의 능력 등을 기업의 인사담당자에게 어필할 수 있는 추가적인 기회가 될 수도 있다.

[서류·필기전형과 차별화되는 면접의 특징]
• 직무수행과 관련된 다양한 지원자 행동에 대한 관찰이 가능하다.
• 명확하만 알고자 하는 정보를 심층적으로 파악할 수 있다.
• 서류상의 미비한 사항과 의심스러운 부분을 확인할 수 있다.
• 커뮤니케이션 능력, 대인관계 능력 등 행동·언어적 정보도 얻을 수 있다.

③ 면접의 유형
㉠ 구조화 면접: 구조화 면접은 사전에 계획을 세워 질문의 내용과 방법, 지원자의 답변 유형에 따른 추가 질문과 그에 대한 평가 역량이 정해져 있는 면접이라고도 한다.
• 표준화된 질문이나 평가요소가 면접 전 확정되며, 지원자는 편성된 조사을 받지 않고 동일한 질문과 시간을 부여받을 수 있다.

면접준비

(1) 면접의 기본 원칙

① 면접의 의미 … 면접이란 다양한 면접기법가 보유하고 있는지를 확인하는 절차라수행에 필요한 요건들과 관련하여 자신접 어필할 수 있는 기회를 제공받는 것는 지원자에 대한 정보를 직접적으로

② 면접의 특징 … 면접은 기업의 인능력이나 성향을 볼 수 있

출제예상문제	상세한 해설	면접
다양한 유형의 출제예상문제를 다수 수록하여 실전에 완벽하게 대비할 수 있습니다.	문제의 핵심을 꿰뚫는 명쾌하고 자세한 해설로 수험생들의 이해를 돕습니다.	성공취업을 위한 면접의 기본과 면접기출을 수록하여 취업의 마무리까지 깔끔하게 책임집니다.

CONTENTS

PART **I** **SK그룹 소개**

01 기업소개 ·· 8
02 채용정보 ·· 15
03 관련기사 ·· 17

PART **II** **출제예상문제**

01 실행역량 ·· 22
02 인지역량 – 수리 ······································ 38
03 인지역량 – 언어 ······································ 80
04 직무역량 ·· 134
05 심층역량 ·· 171

PART **III** **면접**

01 면접의 기본 ·· 200
02 계열사별 면접기출 ·································· 218

PART **IV** **부록 – 한국사**

한국사 상식용어 ·· 224

PART I

SK그룹 소개

01 기업소개
02 채용정보
03 관련기사

01 기업소개

1 소개

CHAIRMAN's VISION

① 지속 가능한 행복을 위한 변화와 도전…SK가 추구하는 변화와 혁신의 궁극적 목적은 더 큰 행복을 만들어 사회와 나누는 것이다. SK는 창립 이래 반세기가 넘는 시간 동안 수많은 위기와 도전 속에서도 의미 있는 성과를 창출하며 진화와 발전을 거듭해왔다. SK의 각 관계사들은 지속 성장을 위한 기반을 성공적으로 마련해왔으며, 글로벌 리딩 기업들과 파트너십을 확보하고, 현지 지역사회와 소통하며 글로벌 경쟁력을 갖춘 기업으로 성장해왔다.

② SKMS 실천을 통한 Deep Change…SK는 그간의 성과에 안주하지 않고 Deep Change를 통해 더 큰 도약을 이루고자 한다. 현재 인류는 그 어느 때보다 급격한 변화를 겪고 있으며, 기업은 이러한 변화에 발맞추어 새로운 가치를 창출하는 혁신을 추진해야만 생명력을 유지할 수 있다. 경제적 가치뿐만 아니라 고객과 사회가 필요로 하는 여러 가치를 창출해야만 지속적인 신뢰를 받고 성장할 수 있는 시대가 이미 도래한 것이다. 이에 SK는 경제적 가치와 사회적 가치를 동시에 추구하는 Deep Change를 통해 고객과 사회의 신뢰를 바탕으로 한 번 더 큰 성장을 실현해나가고자 한다.

2 경영철학-SKMS

SK는 구성원과 이해관계자의 지속 가능한 행복을 추구한다.

1979년 처음 제정된 SKMS는 SK의 경영철학과 이를 현실 경영에 구현하는 방법론으로 구성되어 있으며, SK 구성원 모두의 합의와 공유를 통해 SK 기업문화를 구축하는 기반이 되어왔다. SK가 지금까지 지속적인 성장과 발전을 거듭해온 데에는 SKMS를 토대로 한 경영활동과 기업문화의 정착이 매우 큰 역할을 했습니다. SK의 모든 구성원은 SKMS에 대한 확신과 열정을 가지고 자발적·의욕적으로 이를 실천하고 있습니다. 이를 통해 스스로의 행복과 이해관계자의 행복을 동시에 추구해나간다.

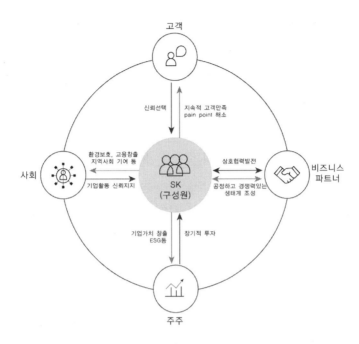

① **구성원의 행복**(Happiness of SK People) ⋯ 구성원은 스스로의 선택으로 SK에 모인 사람들이며, 경영의 주체이자 회사 그 자체이다. SK를 구성하고 있는 구성원들은 SK라는 공동체와 함께할 때 더 큰 행복을 이룰 수 있다는 믿음과 신뢰를 가지고 스스로 행복을 창출해 행복의 파이를 키워나간다.

② **사회적 가치**(Social Value) ⋯ 다양한 이해관계자의 더 큰 행복을 창출하는 것도 SK의 역할이라고 생각한다. SK는 이해관계자 행복을 위해 회사가 창출하는 모든 가치를 사회적 가치라 정의하고 적극적으로 창출해나가고 있다. 우리를 둘러싼 사람들을 행복하게 함으로써 SK도 행복해지는 것, 이것이 SK가 추구하는 가치이다.

③ **SUPEX 추구**(SUPEX Company) ⋯ 더 행복한 회사가 되기 위해 SK는 인간의 능력으로 도달할 수 있는 최고 수준인 SUPEX, 즉 SUPER Excellent 수준을 목표로 정하고 이를 달성하기 위해 노력하고 있다. 경제적 가치와 사회적 가치 그리고 우리의 행복을 모두 높은 수준으로 창출해내는 SUPEX Company를 만들어 행복 세상을 만들어간다.

④ **자발적 · 의욕적 두뇌활동**(VWBE* Culture) ⋯ SK는 구성원이 행복 추구의 주체이며, SUPEX 추구도 구성원이 최고의 역량을 발휘해야만 가능하다는 것을 잘 알고 있습니다. 우리는 최고의 역량이 발휘되는 자발적 · 의욕적 두뇌활용이 이루어진 모습을 '패기'로 정의하고, 패기 있는 구성원을 육성해나갑니다.

* VWBE : Voluntarily Willingly Brain Engagement

3 SUPEX추구협의회

SUPEX추구협의회는 관계사 간의 참여와 협력을 통해 SK의 지속적인 안정·성장을 이끌어 간다. SUPEX추구협의회는 '따로 또 같이'의 효과적인 실행을 위하여 주요 관계사들이 체결한 상호협력방안 실행을 위한 '협약에 기반하여, SK그룹 경영의 공식적인 최고 협의 기구로서의 역할을 하고 있다.

① **전략위원회** ··· 그룹 차원의 전략 수립 및 실행을 지원하고, 성장 기회를 발굴해 투자 협력 및 실행 방안을 논의한다.

② **에너지·화학위원회** ··· 에너지·화학 사업의 신규 성장동력 발굴을 지원하고, 그룹 차원의 연구개발 역량을 응집하며, 관계사의 성장·발전을 촉진한다.

③ **ICT위원회** ··· ICT 사업의 신규 성장동력을 발굴하고 실행하기 위해 ICT 연구개발의 핵심 어젠다 논의와 기술 인재 확보·육성을 지원한다.

④ **글로벌성장위원회** ··· 그룹 차원의 글로벌 성장 전략 및 사업 기회를 검토하고 지원하며, 글로벌 비즈니스 파트너들과 우호적 협력 관계를 만들어간다.

⑤ **커뮤니케이션위원회** ··· 대내외 다양한 이해관계자들과의 원활한 커뮤니케이션 업무를 수행한다.

⑥ **인재육성위원회** ··· SK 기업문화의 근간인 SKMS를 바탕으로 그룹 미래 경영자 발굴·육성을 지원한다.

⑦ **SV(Social Value)위원회** ··· 지속 가능한 행복을 만들고 나누기 위해 그룹 차원의 사회적 가치 창출 기반을 구축하고, 사회적 기업 및 비즈니스 파트너와의 동반성장에 힘쓴다.

4 사회적 가치

(1) 사회적 가치

사회 구성원 모두의 공존과 행복을 위해 사회적 가치를 추구한다.

SK는 '사회적 책임'이라는 수동적 방식을 넘어 사회적 가치 창출이라는 적극적 방식으로 기업과 사회의 지속 성장에 기여한다. 제품과 서비스를 생산·제공하는 모든 과정에 사회적 가치를 담아 이해관계자의 신뢰를 얻도록 노력하고, 사회 구성원 모두의 공존과 행복을 약속하는 비즈니스 혁신을 이루어가고 있다.

① Double Bottom Line … SK는 경제적 가치와 사회적 가치를 동시에 측정하고 관리하는 'DBL(Double Bottom Line)' 경영을 실행한다. DBL 경영이란 기업의 경영활동 전반에서 사회적 가치와 경제적 가치 두 가지를 동시에 추구하는 것을 의미한다. 이를 위해서 사회적 가치를 측정하고, 사회적 가치 기반의 비즈니스 모델을 개발하고 있다.

② 공유 인프라 … 오랫동안 기업들은 경제적 가치 창출을 위해 자산을 배타적으로 사용하는 것을 당연한 일로 여겨왔다. 하지만 SK는 사회적 가치 창출을 고민하는 과정에서 200조 원이 넘는 유무형의 기업 자산을 사회 구성원들과 함께 사용할 수 있는 공유 인프라로 전환할 수 있는 방법을 모색하고 있다. SK의 자산을 사회와 공유함으로써 더욱 큰 가치를 만들어내고, 그 과정에서 혁신적인 비즈니스 모델을 만들 수 있다.

③ Social Value Community 조성 … SK는 사회 주체들이 자원과 역량을 결집하여 사회문제를 해결할 수 있도록 2016년부터 결식 우려 아동 문제 해결을 위한 국내 최대 사회공헌 플랫폼 행복얼라이언스를 운영하고 있으며, 2019년부터는 사회적 가치 관련 한국 최초, 최대 규모 민간 행사인 SOVAC(Social Value Connect)를 개최하는 등 Social Value Community 활성화에 힘쓰고 있다.

④ 사회적 기업 생태계 조성 … SK는 사회적 가치 창출 전문가와 함께 협력하는 방식을 모색하고 있다. 사회적 기업은 사회문제도 해결하면서 돈도 버는 기업이다. SK는 사회적 기업 생태계에 인재와 자본이 지속적으로 유입될 수 있도록 사회혁신 인재 육성, 사회적 기업 투자 펀드를 조성하고 있다. 또한 행복나래를 통해 사회적 기업 생태계 활성화 및 사회적 가치 확산을 위해 노력하고 있다.

(2) 사회적 기업 생태계 조성

① 사회적 기업가 육성 … SK는 2013년부터 KAIST와 함께 사회가 요구하는 새로운 '기업가상(像)'에 맞는 인재를 양성하는 2년 과정의 '사회적 기업가 MBA' 프로그램을 만들어 운영하고 있다. 매년 예비 사회적 기업가 20명을 선발해 사회문제 해결 능력을 함양하고, 기업가로서 경영 능력을 제고하는 것은 물론, 사회적 소명감을 고취시키고 있다.

② 사회적 기업 투자 펀드 조성 … SK는 2017년 IBK투자증권과 함께 자본시장법상 최초로 110억 원 규모의 사회적 기업 전문 사모 투자신탁 1호 펀드를 출시했다. 민간기업, 시중은행, 정책 금융기관이 결합해 결성된 이 펀드는 'SPC(Social Progress Credit, 사회성과인센티브)' 참여 기업 및 사회적 가치와 경제적 가치의 성장성이 검증된 기업을 투자 대상으로 한다. 2018년 신한금융그룹과 200억 원 규모로 2호 펀드를 출시한 데 이어 2019년에는 KDB산업은행 등과 430억 원 규모로 국내 최대 사회적 기업 투자 펀드를 조성했다.

③ 행복나래 … SK가 설립한 '행복나래'는 '사회적 기업을 위한 사회적 기업'이다. 상품 경쟁력을 강화하고 판로를 제공하는 등 사회적 기업의 경쟁력을 제고하기 위해 다양한 프로그램을 운영하고 있으며, 이익금 전액을 사회적 기업 생태계 활성화를 위해 환원하고 있다.

④ SPC(사회성과인센티브) … 사회적 기업 생태계가 활성화되기 위해서는 사회적 기업이 창출한 사회적 가치가 시장에서 제대로 인정받고, 주류 자본시장의 신뢰와 보상, 투자로 이어지는 선순환 체계 구축이 중요하다. SPC는 사회적 기업이 창출한 가치를 화폐가치로 측정하고, 그 가치에 비례해 현금 '인센티브'를 제공하는 프로젝트이다. 지난 5년간 222개의 사회적 기업이 참여해 누적 1,682억 원의 사회성과를 창출했고, 이를 경제적 가치로 환산해 총 339억 원의 인센티브를 지급했다.

5 SK 계열사

(1) SK HOLDINGS

① SK 주식회사 … 이해관계자의 행복을 추구하는 투자형 지주 회사이다.

(2) 에너지 · 화학 계열

① SK이노베이션 … 대한민국 산업을 최선두에서 이끌며 경제발전의 견인차 역할을 해 온 SK이노베이션은 ESG 경영을 기반으로 모두가 행복한 미래, 지속가능한 세상을 만들기 위해 세계 곳곳의 현장에서 오늘도 쉼없이 한 걸음 한 걸음을 내딛고 있다.

② SK에너지 … 지난 50여년간 대한민국의 정유산업을 선도해 온 SK에너지, 원유 도입처 다변화를 통해 원가 경쟁력을 확보하고 꾸준한 기술혁신으로 생산시설 운영 최적화를 이루어 세계와 경쟁하고 있다.

③ SK종합화학 … 최고의 화학 Portfolio 구축을 위해 끊임없이 Transformation하는 Global Chemical Company SK종합화학은 고객과 시장을 향해 새로운 미래를 창조해 간다.

④ SK루브리컨츠 … 대한민국 윤활유 산업을 이끌어 온 SK루브리컨츠, 변화와 혁신으로 지속가능한 미래를 열어 나가는 기업이 될 수 있도록 노력한다.

⑤ SK인천석유화학 … SK인천석유화학은 사업 경쟁력을 강화하고 고객감동을 실천하여 미래를 개척해 나가고자 한다.

⑥ SK트레이딩인터네셔널 ··· 국내 유일의 에너지 Trading Company 에서 차별적인 경쟁력을 갖춘 일류 Global Trading Company로 거듭나겠다.

⑦ SK아이이테크놀로지 ··· SK아이이테크놀로지는 차별적 기술경쟁력을 바탕으로 글로벌 Top-tier 소재 솔루션 기업이 되도록 노력한다.

⑧ SKE&S ··· 「Global Clean Energy & Solution Provider」로 도약하기 위해 기존의 도시가스 사업 및 LNG Value Chain 완성 뿐 아니라, 신재생에너지 및 수소사업까지 그 영역을 넓히고 있다.

⑨ SK디스커버리 ··· 우리는 새로운 시선으로 더 나은 세상을 만들어 나간다.

⑩ SK케미칼 ··· 친환경 소재와 Total Healthcare Solution을 제공하는 Global Leading Company

⑪ SK가스 ··· 우리는 에너지의 미래를 만든다.

⑫ SKC ··· Market Insight와 기술을 창의적으로 결합하는 Global Specialty MARKETER

(3) ICT

① SK텔레콤 ··· 고객, 구성원, 이해관계자의 행복을 최고의 가치로 추구하는 ICT 복합 기업이다.

② SK브로드밴드 ··· 새로운 가치를 만들어 내는 미디어 세상의 Leader로서 행복한 고객 경험 제공을 최우선으로 하는 No.1 미디어 기업 SK브로드밴드는 고객님의 행복을 위해 최선을 다한다.

③ SK플래닛 ··· 데이터 인프라를 기반으로 ICT Solution, Marketing Platform, 데이터 사업 영역에서 전문성을 보유하고 있다

④ SK텔링크 ··· SK텔링크는 고객에게 가치 있는 서비스를 제공하고 새로운 기술을 활용하여 더 나은 세상을 만들기 위해 노력한다.

⑤ 11번가 주식회사 ··· 11번가는 쇼핑과 관련된 모든 것을 제공하는 최고의 커머스 포털로의 진화를 꿈꾼다. 고객으로부터 신뢰받는 쇼핑의 관문으로서, 11번가가 대한민국 e커머스의 미래를 열어 간다.

⑥ ADT캡스 ··· 첨단 ICT 기술과 보안 서비스를 결합해 캡스홈, T맵 주차, 캡스 스마트 빌리지, 사이버 가드 프로페셔널 등 안전하고 편리한 라이프스타일 구축을 위한 서비스를 출시하는 등 SK ICT Family 간 협업으로 융합 보안 시장 또한 주도해나가고 있다.

(4) 반도체 · 소재 계열

① SK 하이닉스 … SK하이닉스는 이천, 청주의 국내 사업장을 포함하여 중국 우시(无锡), 충칭 (重庆) 4곳에 생산기지와 전세계 4개의 연구개발법인, 10개의 판매법인을 운영하는 글로벌 기업이다.

② SK 실트론 … SK실트론은 세계 최고 수준의 기술력을 기반으로 차세대 반도체 기술혁신을 이끌어 갑니다.

③ SK머티리얼즈 … 모두에게 가치있는 최고의 파트너

(5) 물류 · 서비스 · 바이오 계열

① SK네트웍스 … 1953년 SK그룹의 모태인 선경직물로 출범한 SK 네트웍스는 국내외 네트워크와 우량 거래선, 우수한 물류 능력, 자동차 · 환경 가전 렌털, 호텔앤리조트 등 라이프스타일 사업 경쟁력을 바탕으로 다양한 사업을 전개하고 있다.

③ SK렌터카 … SK렌터카는 1988년 150여 대의 차량으로 사업을 시작한 이래 타사와 차별화된 'Total Car Life 서비스', '디지털 기술을 접목한 비즈니스 모델' 등을 통해 연평균 23%에 이르는 성장을 이어왔다.

④ SK건설 … 우리는 인류의 행복한 삶과 더 나은 세상을 만듭니다.

⑤ SK바이오팜 … 환자들의 행복과 삶의 질 개선을 위한 혁신 신약을 연구합니다.

⑥ SKpharmteco … SK팜테코는 글로벌 CMO(Contract Manufac turing Organization) 기업이다.

채용정보

1 인재상

SK가 바라는 인재상은 경영철학에 대한 확신을 바탕으로 일과 싸워서 이기는 패기를 실천하는 인재입니다.

① **경영철학에 대한 확신**…경영 철학에 대한 확신과 VWBE를 통한 SUPEX 추구 문화로 이해관계자 행복 구현
  ㉠ VWBE : 자발적이고(Voluntarily) 의욕적으로(Willingly) 두뇌활용(Brain Engagement)
  ㉡ SUPEX : 인간의 능력으로 도달 할 수 있는 최고의 수준인 Super Excellent 수준

② **패기**
  ㉠ 과감한 실행의 패기, 일과 싸워서 이기는 패기를 실천하는 인재
  ㉡ 스스로 동기 부여하여 높은 목표에 도전하고 기존의 틀을 깨는 과감한 실행, 그 과정에서 필요한 역량을 개발하기 위해 노력하며, 팀워크를 발휘

2 채용제도

(1) 채용절차

미래를 위한 젊은 인재들에게 열린 기회의 장

① **서류심사**…지원자 개개인의 가치관이 SK가 지향하는 가치관과 얼마나 부합하는가 면밀히 검증한다.

② **필기전형**…인지역량(Critical Thinking), 실행역량 (Situational Judgment), 심층역량 (Work Personality)을 측정하는 SKCT 검사를 실시한다.

③ **면접전형**…SK는 지원자의 가치관, 성격특성, 보유 역량의 수준 등을 종합적으로 검증하기 위하여 다양한 면접방식을 활용한다.

(2) 평가 및 보상

공정한 평가를 통해 구성원을 육성하고 성과에 기반한 보상을 제공한다.

① 평가 … 보다 객관적이고 공정한 평가로 행동변화에 대한 동기부여

② 보상 … 역량과 업적에 따른 성과지향적 급여체계 운영

(3) 복리후생

① 주택 및 경제적 지원
   ㉠ 재산형성 : 저축장려, 우리사주조합 등
   ㉡ 주택지원 : 주택구입, 전세자금 지원
   ㉢ 학비보조 : 자녀학자금(중,고,대학생)

② 생활편리
   ㉠ 경조사 지원 : 경조금 등
   ㉡ QML / 여가지원 : 주5일 근무제, 휴양지 운영 취미, 레저생활 지원

③ 건강 및 기타
   ㉠ 건강관리 : 건강진단, 의료보험 등
   ㉡ 보험제도 : 의료보험, 개인연금 등
   ㉢ 기타복리후생 : 퇴직관리 지원, 구내식당 운영 등

03 관련기사

"SK하이닉스 미래 성장동력" M16 팹 준공

이천에서 M16 준공식 언택트 행사로 개최
EUV 도입 등 최첨단 인프라로 미세공정 기술 리더십 강화
최태원 회장 "더 큰 미래의 꿈, 경제적 가치는 물론 ESG 가능성 모색"

SK하이닉스가 1일 경기도 이천 본사에서 M16 준공식을 개최했다. 'We Do Technology 행복을 열다'라는 주제로 열린 이날 준공식은 코로나19 방역 수칙을 준수하기 위해 그룹 내 행사로 간소하게 진행됐다.

최태원 SK그룹 회장, 최재원 수석부회장, 조대식 SK수펙스추구협의회 의장, 박정호 SK하이닉스 부회장, 장동현 SK㈜ 사장, 이석희 SK하이닉스 CEO, 하영구 SK하이닉스 선임사외이사 등 16명은 현장에서 참석하고, 구성원과 협력회사 직원들은 화상연결을 통해 언택트로 행사에 참여했다. 최태원 회장은 이날 "반도체 경기가 하락세를 그리던 2년 전 우리가 M16을 짓는다고 했을 때 우려의 목소리가 많았다"며 "하지만 이제 반도체 업사이클 얘기가 나오고 있는 만큼, 어려운 시기에 내린 과감한 결단이 더 큰 미래를 꿈꿀 수 있게 해주었다"고 소회를 밝혔다. 최회장은 이어 "M16은 그동안 회사가 그려온 큰 계획의 완성이자 앞으로 용인 클러스터로 이어지는 출발점으로서 중요한 상징으로 남을 것"이라고 의미를 전했다.

M16 준공은 SK하이닉스가 2015년 이천 M14 준공식에서 밝힌 '미래비전'의 조기 달성이라는 점에서도 의미가 있다. 당시 SK하이닉스는 지속적인 반도체 산업 리더십 확보를 위해 2014년부터 10년 내 M14를 포함해 국내에 3개의 신규 팹을 구축하겠다는 계획을 발표한 바 있다. 이후 2018년 청주 M15에 이어 이번에 M16을 준공해 미래비전을 3년 앞당겨 완성했다.

이석희 CEO는 "M16은 EUV 전용 공간, 첨단 공해 저감 시설 등 최첨단 인프라가 집결된 복합 제조 시설"이라면서 "향후 경제적 가치 창출은 물론, ESG 경영에도 기여하는 한 단계 높은 차원의 생산기지가 될 것"이라고 말했다.

SK하이닉스는 M16이 '파이낸셜 스토리(Financial Story)'를 실행해 나갈 첨병 역할을 해줄 것으로 기대하고 있다. SK하이닉스는 D램과 낸드를 양 날개로 메모리반도체 산업 전반의 경쟁력을 키우고, 동시에 SV(사회적 가치) 창출과 ESG(Environmental, Social, Governance) 경영에 주력하겠다는 파이낸셜 스토리 비전을 지난해 10월 발표한 바 있다. 그 실행을 올해부터 본격화하기로 했고, M16 준공은 그 출발점이 될 것이라 보고 있다.

– 2021. 2. 1.

면접질문	• M16의 준공을 통해 어떠한 사회적 가치를 추구할 수 있을 지 말해보시오. • ESG 경영의 미래적 가치에 대해 말해보시오.

SK㈜ 전기차용 전력 반도체 시장 진출…미래차 소재 시장 선점 나선다.

국내 유일 SiC 전력반도체 생산기업 '예스파워테크닉스' 투자…33.6% 지분 확보
전기차 급성장 따라 전력 반도체 부족 심화…SiC 전력반도체 '30년 100억 달러 시장
미래차, 신재생에너지 발전, 5G 등 4차 산업혁명 이끄는 친환경 핵심기술로도 각광

투자전문회사 SK㈜(대표이사 장동현)가 첨단소재 분야 핵심 영역이자 전자기기, 전기차, 수소차 등의 필수 부품으로 시장 수요가 폭증하고 있는 실리콘카바이드(SiC·탄화규소) 전력 반도체 시장에 본격 진출한다. SK㈜는 차세대 핵심 부품·소재인 SiC 전력반도체 분야의 국내 생태계를 육성한다는 목표 아래 예스파워테크닉스에 268억 원을 투자해 지분 33.6%를 인수했다고 28일 밝혔다.

2017년 설립된 예스파워테크닉스는 SiC 전력반도체 생산 체제를 갖추고 있는 유일한 국내 기업이다. 전력반도체는 전력이 필요한 전자제품, 전기차, 수소차, 5G 통신망 등의 전류 방향을 조절하고 전력 변환을 제어하는 필수 반도체다. 특히 SiC 전력반도체는 고온과 고전압의 극한 환경에서도 98% 이상의 전력변환효율을 유지하는 등 내구성과 안정성, 범용성을 고루 갖춰 차세대 핵심 기술로 각광받고 있으며, 기존 실리콘(Si) 전력반도체 시장을 빠르게 대체하고 있다.

2018년 세계 최대 전기차 메이커인 테슬라의 '모델3'에 SiC 전력반도체가 최초 양산 적용된 이후 수요는 급증하는데 반해 기술 장벽이 높고 양산 능력을 갖춘 업체가 많지 않아 세계적으로 공급 부족이 지속되고 있다. 국내 전기차, 가전, 5G 업체들의 수요도 급증하고 있지만 미국, 유럽의 소수 대형 반도체 업체들이 공급 시장을 과점하고 있어 SiC 전력반도체의 국산화가 시급하다는 지적이 이어져 왔다.

유럽 시장조사기관 IHS마킷(IHS Markit) 및 욜 디벨롭먼트(Yole Development)에 따르면, 전기자동차 등의 폭발적 성장에 힘입어 SiC 전력반도체 시장은 2020년 약 7억 달러에서 2030년 약 100억 달러 규모로 연평균 32%의 높은 성장률을 나타낼 것으로 전망된다. SiC 전력반도체는 전력이 필요한 전기차, 수소차 뿐만 아니라 신재생에너지발전 등 친환경 산업의 근간을 이루는 첨단 소재이자, 5G 통신 중계기 전원 등 디지털 기반의 4차산업을 이끄는 핵심 기술로 평가받고 있다.

SK㈜는 첨단소재, 그린(Green), 바이오(Bio), 디지털(Digital) 등 4대 핵심사업을 중점 추진하는 가운데, 이번 투자를 통해 국내 SiC 전력반도체 생태계를 육성한다는 방침이다.

SK㈜가 투자한 예스파워테크닉스는 기술력과 생산성 측면에서 국내에서 차별적인 경쟁력을 보유하고 있다. 10년 이상 SiC 전력반도체 개발 경력을 갖고 있는 R&D 전문가를 주축으로 설립되었으며, 지속적인 연구개발을 통해 자체 특허 23건을 확보하는 등 독보적인 기술력을 확보하고 있다.

– 2021. 1. 28.

면접질문	• 최근 예스파워테크닉스의 투자를 통해 당사가 추구할 수 있는 미래가치는 어떤 것이 있을지 말해보시오. • SiC 전력반도체를 이용해 어떠한 사업을 기획할 수 있을 지 말해보시오.

새해 첫 SOVAC, '지속가능한 플라스틱 생태계' 주제로 열려

코로나 상황 감안해 27일 유튜브로 공개…12월까지 매월 1회 비대면 개최
전문가들 출연해 플라스틱 폐기물 감소 및 재활용 위한 다양한 활동 등
최태원 회장 제안으로 출범 후, 다양한 사회주체들의 사회적 가치 플랫폼으로 성장

국내 최대 민간 사회적 가치 플랫폼인 소셜밸류커넥트(Social Value Connect, 이하 SOVAC)가 27일 막을 올린다. 올해 SOVAC은 코로나19 장기화로 인해 매월 1회 유튜브 등을 활용해 비대면으로 열리며, 이번이 새해 첫 행사다.

SK그룹은 27일 오전 10시부터 1시간 동안 '유퀴즈 온 더 플라스틱, 지속가능한 플라스틱 생태계를 위하여'를 주제로 한 SOVAC 1월 행사를 유튜브 등을 통해 방송한다고 26일 밝혔다. 올해 SOVAC의 전체 주제는 '넥스트노멀(Next Normal) 시대 위기극복을 위한 도전: 연결에서 임팩트(Impact)로'이다. 학계, 일반 기업, 사회적 기업 생태계, 일반인 등 사회 각계에서 실천에 옮기고 있는 환경 등 ESG 영역의 문제해결 노력을 소개하고 동참을 유도할 계획이다.

27일 공개되는 1월 SOVAC은 신아영 아나운서와 홍수열 자원순환사회경제연구소장이 환경 전문가와 기업인들을 초대해 플라스틱 문제의 해결 방안을 모색하는 내용이다. 인기 예능 프로그램인 '유퀴즈온더블록' 형식을 빌려 흥미 요소를 더한다. 초대 인사 중 환경교육 단체인 에코맘코리아 하지원 대표는 폐플라스틱으로 인한 환경 오염의 심각성을, 친환경 소재 개발 업체인 테코플러스 유수연 대표와 폐페트병 재활용 가방 브랜드인 플리츠마마 서강희 이사는 지속가능한 플라스틱 사용을 위한 노력들을 설명할 예정이다. SK종합화학 그린비즈(Green Biz.) 추진그룹의 이종혁 담당도 출연해 플라스틱 사용량 저감 및 재활용을 돕기 위한 기술개발 노력들을 소개하고, 올바른 분리 배출의 중요성을 강조할 예정이다.

SOVAC 영상은 홈페이지에 접속하거나 유튜브에서 'SOVAC'을 검색하면 실시간 시청이 가능하며, 본 방송 시간 이후에도 시청할 수 있다. 일반인들이 영상 말미의 '분리배출 가이드'를 따라 실천하는 모습을 SNS에 올리는 '참여 인증 캠페인'도 3주간 진행한다.

SOVAC 사무국 측은 "코로나19로 배달 음식과 택배가 늘면서 국내 폐플라스틱량이 급증하고 있다"며 "기후위기 등 환경문제 해결을 위해 플라스틱과 공존할 방법을 찾자는 의미에서 이번 행사를 기획하게 됐다"고 밝혔다.

최태원 SK 회장의 제안으로 2019년 출범한 SOVAC은 각종 사회문제를 해결하고, 사회적 가치를 만들려는 전문가와 시민들이 한데 모여 서로의 경험과 지혜를 나누는 소통과 연결의 장이다. 2019년 5월 서울 워커힐 호텔에서 열린 첫번째 행사에는 일반 기업, 사회적 기업, 투자기관, 공공 기관, 대학 등 80여개 기관이 파트너로 참여하고, 시민 등 5,000여명의 인파가 몰려 큰 화제가 됐다. 지난해에는 코로나19로 인해 9월 본 행사는 물론, 사전·사후 행사 모두 비대면으로 진행했음에도 국내·외에서 117개 기업·단체가 참여하고 유튜브 등 조회수가 130만 회에 달하는 등 성황을 이뤘다.

− 2021. 1. 26.

| 면접질문 | • 지원자가 생각하는 넥스트노멀 시대의 가장 큰 위기는 무엇인가?
• 최근 비대면으로 진행되는 행사들을 볼 때 과거보다 장점이라고 생각하는 것은 무엇인가? |

PART

II

출제예상문제

01 실행역량

02 인지역량 – 수리

03 인지역량 – 언어

04 직무역량

05 심층역량

01 실행역량

※ 실행역량은 응시자의 실행능력을 파악하기 위한 영역이므로 정답이 존재하지 않습니다.

샘플문항

※ SK그룹 홈페이지에서 공개한 샘플문항입니다. 실행역량은 문제/현상에 대한 원인을 파악하고, 대안을 모색하며, 목표를 세우고 추진하는 역량을 측정합니다.

Q

> 사원 A는 우연히 팀장 B와 단둘이 식사를 하게 되었다. B는 A에게 요새 우리 팀이 많이 바빠 개인시간이 없긴 하지만, 그래도 사원들이 자기개발에 신경을 쓰지 않는 것 같다고 불만을 털어놓았다. 장기적으로 업무 능력을 향상시키기 위해 자기개발은 꼭 필요하다고 역설하면서 혹시 A에게 팀원들의 자기개발을 격려할 만한 방법이나 아이디어가 있으면 생각해 보고 말해 달라고 하였다.

조직이 가장 좋은 결과를 얻으려면 다음 중 가장 바람직한 A의 행동은?

① 자기개발 관련된 도서 목록 및 활동 등을 작성해 사무실 곳곳에 붙여 놓는다.
② 팀 전체 회의가 있을 때 자기개발을 위한 사내 스터디 모임을 추진하자고 제안한다.
③ A 자신의 자리에 자기개발 계획을 크게 붙여 놓고 이를 실천하는 모습을 보여준다.
④ 다양한 자기개발 프로그램을 조사해 현재 조직 상황에 맞게 변경한 뒤 B에게 제안한다.
⑤ 평소 여유 있을 때 자기개발을 위해 노력하자고 기회가 될 때마다 팀원들에게 얘기한다.

▌1~30▌ 제시된 상황을 바탕으로 물음에 답하시오.

1

> 원하던 회사의 원하는 부서에 입사하게 된 사원 A는 최선을 다하자는 마음으로 첫 출근을 하였다. 업무를 지시받아 처리하던 중 너무 긴장한 탓인지 모르는 것이 생겨 일 처리에 애를 먹고 있다. 게다가 그 내용이 사원 A가 전공한 전공지식과 관련된 사항이다.

조직이 가장 좋은 결과를 얻으려면 다음 중 가장 바람직한 A의 행동은?

① 전공지식도 모를 경우 무시할 수도 있으므로 혼자 힘으로 해결할 수 있도록 노력해 본다.
② 솔직하게 말한 후 부서의 선배들에게 질문하여 빠르게 해결한다.
③ 도움을 받을 수 있는 주위의 선·후배 또는 친구들에게 미리 연락해 둔다.
④ 일단 모르는 부분을 제외하고 업무를 처리한 후 상사의 언급이 있을 때 다시 처리한다.
⑤ 인터넷 등을 통하여 전공지식을 검색하여 처리한다.

2

> 새로운 프로젝트를 맡은 기획부 사원 A는 바로 위의 상사인 B와 함께 프로젝트를 수행하고 있다. 그런데 B가 자신의 의견만을 고집하며 잘못된 방향으로 프로젝트를 이끌어 가면서 수정을 요청하여도 막무가내로 프로젝트를 마무리하려고 하고 있다. 같은 프로젝트에 참여한 신입사원 C는 선배인 A에게 어떻게 해야 하는 거 아니냐며 말을 건넨다.

조직이 가장 좋은 결과를 얻으려면 다음 중 가장 바람직한 A의 행동은?

① 상사의 방향대로 그대로 진행한다.
② 다른 동료들을 설득시켜 상사의 잘못된 점에 대한 의견을 모은다.
③ 상사와 의견을 대치하여 끝까지 설득한다.
④ 부서의 장에게 보고한다.
⑤ 프로젝트를 수정하지 않으면 부서의 장에게 보고하겠다고 협박한다.

3

팀장 A는 새로운 기획 프로젝트를 맡아 팀을 이끌어 가고 있다. 팀원들을 모아 아이디어 회의를 하는 도중 부하 직원 B가 모호한 말과 표현으로 일관하며 회의 분위기를 흐트러뜨리고 있다. 회의 시간은 정해져 있고, 이대로 회의를 진행하다가는 구체적인 결과 없이 시간만 낭비한 셈이 된다.

조직이 가장 좋은 결과를 얻으려면 다음 중 가장 바람직한 A의 행동은?

① 구체적인 아이디어 주제로 회의 방향을 전환한다.
② B에게 회의 분위기를 흐리지 말고 구체적인 아이디어를 제시하라고 지적한다.
③ 회의 후 팀원들에게 자신의 구체적인 생각을 서면으로 제출하라고 한다.
④ 회의 후 팀원들을 개인적으로 불러 정확한 아이디어 내용을 듣는다.
⑤ 질의응답을 통해 보다 구체적인 내용을 끌어내려고 노력한다.

4

구매과 과장인 A는 어느 날 친한 친구인 B로부터 물품납품을 청탁받았다. A의 회사는 예전부터 계속적으로 거래를 하고 있는 거래처가 있는 상황이지만, B가 제시한 조건이 기존 거래처의 조건보다 좋은 것으로 판단된다.

조직이 가장 좋은 결과를 얻으려면 다음 중 가장 바람직한 A의 행동은?

① 아무리 친한 친구라도 청탁은 단호하게 거절한다.
② 친한 친구의 요청이므로 받아들인다.
③ 공정한 가격입찰에 참여시킨다.
④ 친구와 연락을 두절한다.
⑤ 대략적인 입찰가격 등에 대한 정보를 제공한다.

5

유통회사에 입사한 A는 현장 경험을 쌓기 위해 일정기간 동안 마트에서 근무하게 되었다. 다양한 업무를 통해 마트의 돌아가는 상황을 익히던 중 클레임 고객을 접하게 되었는데, 고객은 A를 아르바이트 생으로 취급하며 심하게 무시한다.

조직이 가장 좋은 결과를 얻으려면 다음 중 가장 바람직한 A의 행동은?

① 고객에게 화를 내며 고객보다 훨씬 많이 안다는 것을 알린다.
② 고객이 잘못 알고 있는 사실에 대해 설득시키려고 노력한다.
③ 일단 화가 많이 나 있는 고객이므로 자리를 피한다.
④ 먼저 고객의 화를 진정시킨 후 상사에게 보고하여 원만하게 해결할 수 있도록 한다.
⑤ 자신의 신분을 밝히고 고객의 클레임을 해결하도록 노력한다.

6

사원 A는 자기계발을 위해 자격시험 공부를 열심히 하고 있다. 이 자격시험은 평소 A의 상사인 B가 업무에 도움이 된다며 강조한 자격시험이다. 이번 주 일요일이 자격시험을 보는 날인데, 갑자기 회사에 일이 생겨 출근을 해야 하는 처지에 놓였다.

조직이 가장 좋은 결과를 얻으려면 다음 중 가장 바람직한 A의 행동은?

① 상사에게 나의 사정을 말한 후 시험을 보러 간다.
② 시험을 친 후 회사에 가서 일을 한다.
③ 시험을 포기하고 회사로 출근한다.
④ 친한 동료에게 사정을 말한 후 나의 업무를 부탁하고 시험장에 간다.
⑤ 시험을 친 후 회사에 나가 사정을 설명한다.

7

신입사원인 A는 입사 후 한 달 동안 거의 매일 복사만 하고 있다. 복사할 양이 너무 많아 동료 사원들이 '복사맨'이라고 부를 지경이다. 그런데 같이 입사한 친구 B는 복사는 커녕 항상 컴퓨터 앞에 앉아 중요 업무를 처리하고 있다. A는 자신이 B보다 스펙도 좋고 사교성도 뛰어나다고 생각하는데 복사만 하고 있는 자신이 너무 속상하다.

조직이 가장 좋은 결과를 얻으려면 다음 중 가장 바람직한 A의 행동은?

① 상사에게 불만을 토로한 후 적절한 조치를 부탁한다.

② 퇴근 후 B와 술자리를 통해 자신의 단점을 물어본다.

③ 복사만 하려고 입사한 것이 아니므로 회사를 그만 둔다.

④ 상사에게 자신이 B보다 못한 것이 뭐가 있냐며 단호하게 따진다.

⑤ 동료들에게 상담한다.

8

새로 신설된 상품개발팀에 팀장으로 발령을 받은 A는 회사에서 유능한 인재이다. 여자 친구와의 결혼을 세 달 앞으로 두고 있는데, 같은 부서에 대리로 있는 사장 딸 B가 A에게 상당히 관심을 보이고 있다. 사장의 딸은 예쁘고 똑똑한데다가 재산도 많고 A의 이상형에 가깝다. 어느 날 A가 여자 친구를 만나러 가려고 퇴근 준비를 하고 있는데 B가 몸이 아프다며 집까지 바래다달라고 부탁을 했다.

조직이 가장 좋은 결과를 얻으려면 다음 중 가장 바람직한 A의 행동은?

① 여자 친구와의 약속을 말하고 여자 친구에게 간다.

② 동료에게 대신 바래다줄 것을 부탁한다.

③ 여자 친구에게 조금 늦을 거 같다고 연락을 한 후 B를 데려다 주고 약속장소에 간다.

④ 여자 친구를 회사 앞으로 불러 여자 친구와 함께 B를 바래다준다.

⑤ 회사에 급한 일이 생겼다며 여자 친구와의 약속을 취소한다.

9

A는 기획부의 신입사원이자 막내이다. 퇴근 시간이 가까워졌을 무렵 갑자기 여자 친구가 몸이 아파 혼자 퇴근하기 힘드니 데리러 와 달라는 연락이 왔다. 그런데 A는 어제 돌아가신 상사의 아버지 장례식장에 가기로 동료들과 약속이 된 상황이다. 여자 친구의 성격상 바로 가지 않으면 크게 싸울 것 같고, 혼자만 상사 아버지의 장례식장에 안 가면 앞으로 회사 생활이 고달파 질 것 같다.

조직이 가장 좋은 결과를 얻으려면 다음 중 가장 바람직한 A의 행동은?

① 여자 친구에게 전화를 걸어 사정을 이야기한 후 장례식장에 간다.
② 상사에게 사정을 이야기한 후 여자 친구에게 간다.
③ 여자 친구에게 잠깐 들렸다가 장례식장으로 간다.
④ 장례식장에 잠깐 들렸다가 여자친구에게 간다.
⑤ 여자 친구에게 사정을 얘기하고 장례식장에 갔다가 여자 친구에게 간다.

10

어제 동창들과의 모임에서 오랜만에 과음을 하고 출근한 A는 해장으로 뜨거운 국물이 간절한 상황이다. 힘든 몸을 이끌고 점심시간까지 겨우겨우 버티고 있는데, 갑자기 상사인 B가 오늘 점심시간에 모든 팀원들과 함께 자신의 친구가 회사 앞에 개업한 피자집에서 점심을 먹자고 한다.

조직이 가장 좋은 결과를 얻으려면 다음 중 가장 바람직한 A의 행동은?

① 그냥 상사의 말에 따른다.
② 상사에게 자신의 사정을 이야기하고 혼자 해장국집으로 간다.
③ 상사에게 오늘은 약속이 있어서 안 되므로 다음에 가자고 한다.
④ 동료에게 말하고 몰래 해장하러 간다.
⑤ 몸이 좋지 않아 병원을 다녀와야 할 것 같다고 얘기한 후 해장을 하러 간다.

11

A는 이제 갓 일주일이 된 신입사원이다. 이 회사에 들어오기 위해 열심히 공부하였지만 영어만큼은 잘 되지 않아 주변의 도움으로 간신히 평균을 넘어서 입사를 하게 되었다. 그런데 갑자기 상사인 B가 영어로 된 보고서를 주며 내일까지 정리해 오라고 하였다. 여기서 못한다고 한다면 영어실력이 허위인 것이 발각되어 입사가 취소될지도 모를 상황이다.

조직이 가장 좋은 결과를 얻으려면 다음 중 가장 바람직한 A의 행동은?

① 솔직히 영어를 못한다고 말한다.
② 동료에게 도움을 요청하여 일을 하도록 한다.
③ 아르바이트를 고용하여 보고서를 정리하도록 한다.
④ 이번 일은 다른 사람의 도움을 받고, 영어공부를 시작한다.
⑤ 회사를 그만둔다.

12

A는 서울 본사에서 10년째 근무를 하고 있다. 그런데 이번 인사에서 전혀 연고가 없는 지방으로 발령이 났다. 이번 발령은 좌천식 발령이 아니라 회사에서 A의 능력을 인정하여 그 지방의 새로운 시장 확보를 위한 것이다. 그러나 가족 및 친구들과 떨어져 생활한다는 것이 쉽지 않고, 가족 전체가 지방으로 가는 것도 아이들의 학교 때문에 만만치가 않다.

조직이 가장 좋은 결과를 얻으려면 다음 중 가장 바람직한 A의 행동은?

① 가족들과 모두 지방으로 이사 간다.
② 가족들의 양해를 구하고 힘들더라도 지방으로 혼자 옮겨 생활한다.
③ 회사 측에 사정을 이야기하고 인사발령의 취소를 권유한다.
④ 현재의 회사를 그만두고 계속 서울에서 근무할 수 있는 다른 회사를 찾아본다.
⑤ 가족들의 의견을 먼저 묻고 그에 따른다.

13

A와 B는 같은 부서에서 일하는 동료이다. A는 B가 업무를 소홀히 하는 바람에 주어진 업무보다 더 많은 양의 일을 한다고 느끼고 있다. A는 자신에게만 주어진 일정량의 업무만 충실히 하면서 B와의 관계도 원만하게 유지하고자 한다.

조직이 가장 좋은 결과를 얻으려면 다음 중 가장 바람직한 A의 행동은?

① 원래 주어진 일만 하고 B의 일은 하지 않는다.

② 상사에게 이야기하여 적절한 조치를 취하도록 한다.

③ 자신도 업무를 태만히 한다.

④ 회사의 업무를 위해서는 모든 것을 희생해서라도 부서의 업무를 충실히 해야 하기 때문에 B를 위해서가 아닌 회사를 위해 과중한 업무라도 열심히 한다.

⑤ 퇴근 후 B와 술자리 등을 가지면서 허심탄회하게 얘기한다.

14

한 부서에서 약 2년간 근무한 A는 이번 인사를 통하여 기획실로 발령이 났다. 그런데 기획실은 지금까지 일해오던 부서와는 달리 부서원들이 아주 공격적이며 타인에게 무관심하고 부서원들 간 인간적 교류도 거의 없다. 또한 새로운 사람들에게 대단히 배타적이라 A가 새로운 부서에 적응하는 것을 어렵게 하고 있다.

조직이 가장 좋은 결과를 얻으려면 다음 중 가장 바람직한 A의 행동은?

① 기획실의 분위기를 바꾸기 위해 노력한다.

② 다소 힘이 들더라도 기획실의 분위기에 적응하도록 노력한다.

③ 회사를 그만 둔다.

④ 다른 부서로 바꿔 줄 것을 강력하게 상사에게 요구한다.

⑤ 이전 부서 동료 및 상사에게 상담한다.

15

A는 현재 공장에서 근무를 하고 있다. 오랜 기간 동안 일을 하면서 생산비를 절감할 수 있는 좋은 아이디어 몇 가지를 생각하게 되었다. 그러나 이 공장에는 제안제도라는 것이 없고 A의 직속상관은 A의 제안을 하찮게 생각하고 있다. A는 막연히 회사의 발전을 위하여 여러 제안들을 생각한 것이지만 아무도 A의 진심을 알지 못한다.

조직이 가장 좋은 결과를 얻으려면 다음 중 가장 바람직한 A의 행동은?

① 제안을 알아주는 사람도 없고 이 제안을 알리기 위해 이리저리 뛰어 다녀봤자 심신만 피곤할 뿐이니 그냥 앞으로 제안을 생각하지도 않는다.

② 제안제도를 만들 것을 회사에 건의한다.

③ 좋은 제안을 받아들일 줄 모르는 회사는 발전 가능성이 없으므로 이번 기회에 회사를 그만 둔다.

④ 제안이 받아들여지지 않더라도 A가 할 수 있는 한도 내에서 제안할 내용을 일에 적용한다.

⑤ 회사 게시판 등을 이용하여 자신의 제안을 작성하여 게시한다.

16

A는 입사한 지 일주일도 안 된 신입사원이다. A가 속해 있는 팀과 팀원들은 현재 진행 중인 프로젝트의 마무리로 인하여 매우 바쁜 상태에 있다. 신입사원인 A는 자신이 해야 할 업무가 불명확하여 무엇을 해야 할지 모르고, 자신만 아무 일을 하지 않는 것 같아 다른 사람들에게 미안함을 느끼고 있다.

조직이 가장 좋은 결과를 얻으려면 다음 중 가장 바람직한 A의 행동은?

① 명확한 업무가 책정될 때까지 기다린다.

② 내가 해야 할 일이 무엇인지 스스로 찾아 한다.

③ 현재의 팀에는 내가 할 일이 없으므로 다른 부서로 옮겨줄 것을 요구한다.

④ 팀장에게 요구하여 빠른 시간 내에 자신의 역할이 할당되도록 한다.

⑤ 팀장 또는 팀원에게 도와드릴 일이 없는지 물어본다.

17

재무처에 근무하고 있는 A는 홀로 남아 야근을 하고 있다. 그러던 중 평소 A가 롤 모델로 삼고 존경하던 선배 B가 찾아와 회사를 위한 일이라며 회계장부의 조작을 요구하였다. A가 망설이듯 대답을 하지 않자 사례를 하겠다며 꼭 좀 부탁한다고 제안한다.

조직이 가장 좋은 결과를 얻으려면 다음 중 가장 바람직한 A의 행동은?

① 회사를 위한 것이므로 따르도록 한다.
② 일 자체가 불법적이므로 할 수 없다고 한다.
③ 불법적 행위에 대하여 경찰에 고소하고 회사를 그만 둔다.
④ 존경하는 상사의 지시이므로 일단 하고 대가를 요구한다.
⑤ 다른 상사 및 동료에게 상의한다.

18

A가 근무하고 있는 회사는 새로운 경영전략으로 해외시장 진출을 목표로 하고 있다. 이러한 해외시장 진출 목표의 일환으로 중국 회사와의 합작사업 추진을 위한 프로젝트팀을 구성하게 되었다. A는 이 팀의 리더로 선발 되었으며, 2년 이상 중국에서 근무를 해야만 한다. 그러나 A는 집안 사정 및 자신의 경력 계획 실현을 위하여 중국 발령을 원하지 않지만, A의 상사는 A가 꼭 가야만 한다고 밤낮으로 설득하고 있다.

조직이 가장 좋은 결과를 얻으려면 다음 중 가장 바람직한 A의 행동은?

① 중국에 가고 싶지 않은 이유를 설명한 후 발령을 취소해 줄 것을 끝까지 요구한다.
② 회사를 그만둔다.
③ 해외발령을 가는 대신 그에 상응하는 대가를 요구한다.
④ 가기 싫지만 회사를 위해 받아들이고 간다.
⑤ 시간을 좀 달라고 한 후 가족들과 상의한다.

19

A와 B는 입사 동기이다. B가 업무 중 약간의 실수를 저질러 정해져 있던 일정에 맞출 수 없게 돼 버렸다. 이에 대하여 상사인 C가 B를 인격적으로 모독하며 혼내는 것을 보았다. A는 C가 하는 말이 B의 실수에 비하여 과하다는 생각이 들었다.

조직이 가장 좋은 결과를 얻으려면 다음 중 가장 바람직한 A의 행동은?

① B와 함께 C를 욕하며 위로해 준다.
② 퇴근 후 스트레스가 풀리도록 B와 함께 신나게 놀아준다.
③ 내 일이 아니므로 신경 쓰지 않는다.
④ C의 인격적 모독에 대한 내용을 상세하게 회사 게시판에 올려놓는다.
⑤ 그 자리에서 C에게 인격을 모독하는 발언은 심하신 것 같다고 말한다.

20

A는 최근 상사인 부장에게서 동료 B의 권고사직 사실을 알게 되었다. B는 A와 입사 동기로 A와 가장 친한 직원이다. 아직 다른 동료들은 이 사실을 모르고 있는 분위기이며, B 역시 모르고 있는 듯하다.

조직이 가장 좋은 결과를 얻으려면 다음 중 가장 바람직한 A의 행동은?

① 다른 동료에게 사실을 알린다.
② B에게 권고사직 사실을 알리며 다른 직장을 알아보라고 한다.
③ 부장에게 B의 선처를 부탁한다.
④ 회사에 부당함을 사내 게시판에 올린다.
⑤ 안타깝지만 모르는 척 한다.

21

A는 이번 달에 잦은 야근으로 인해 안구건조증이 매우 심해졌다. 일찍 퇴근을 하고 병원에 가서 진료를 받고 싶지만, 다른 팀원들은 모두 오늘도 야근이 예정되어 있다. 오늘은 금요일이고 내일은 지방에서 동료 B의 결혼식이 있어 병원에 갈 시간이 나지 않는다.

조직이 가장 좋은 결과를 얻으려면 다음 중 가장 바람직한 A의 행동은?

① 눈 건강을 위해 일찍 퇴근하여 병원에 들른다.
② 병원에서 진료를 받고 회사로 복귀한다.
③ 오늘은 야근을 하고 내일 B의 결혼식을 가지 않고 병원에 간다.
④ B에게 상황을 설명하고 상담한다.
⑤ 부장에게 이 상황에 대해 설명한다.

22

A의 후임으로 들어온 신입사원 B는 한시도 스마트폰을 놓지 않는 직원이다. 동료들끼리 밥을 먹는 점심시간은 물론, 업무 중에도 틈만 나면 스마트폰을 만지작거려 굉장히 신경이 쓰인다. 하물며 자리까지 A의 옆 자리라 A의 업무 수행에도 차질이 생기기 시작했다.

조직이 가장 좋은 결과를 얻으려면 다음 중 가장 바람직한 A의 행동은?

① B에게 업무를 더 몰아준다.
② 다른 동료들에게 B가 업무 중에도 스마트폰을 손에서 놓지 않는 사실을 알린다.
③ 팀장에게 이 상황을 보고한다.
④ 팀장에게 자리를 바꿔줄 것을 요구한다.
⑤ B를 따로 불러내 스마트폰 사용을 자제하라고 꾸짖는다.

23

최근에 지나친 야근으로 피곤함을 느낀 A는 급기야 업무 중에도 잠이 쏟아져 휴게실에서 잠시 눈을 붙이기로 하였다. 20분 후에 알람이 울리도록 휴대폰을 설정해 놓고 막 잠이 들려는 찰라 휴게실에 들어온 팀장 B가 이를 보고 불같이 화를 내며 꾸짖었다. 휴게실에 있는 다른 직원들이 보는 앞에서 꾸지람은 20분이 넘도록 끝나지 않는다.

조직이 가장 좋은 결과를 얻으려면 다음 중 가장 바람직한 A의 행동은?

① 내 잘못이니 조용히 꾸지람을 듣는다.
② 다른 생각을 하며 딴청 피운다.
③ 휴게실에 있던 다른 직원들에게 도움을 구한다.
④ 화를 참지 못하고 야근이 너무 많다며 따진다.
⑤ 회사의 부당한 야근과 휴게시간 미보장을 방송국에 제보한다.

24

오늘은 A 부장의 결혼기념일이다. A는 30년째 결혼기념을 당일에는 모든 약속을 취소하고 가족끼리 외식을 즐긴다. 그런데 오늘 중요한 클라이언트가 일정에 없던 면담을 급히 요구했다. 이미 거금을 들여 최고급 레스토랑을 예약해 놓은 상황이며, 가족들 모두가 기대하고 있다.

조직이 가장 좋은 결과를 얻으려면 다음 중 가장 바람직한 A의 행동은?

① 일정에 없던 면담이므로 이유를 설명하고 면담을 미룬다.
② 다른 동료에게 면담을 부탁한다.
③ 클라이언트와의 면담을 빠르게 끝내고 기념일을 즐긴다.
④ 외식을 빠르게 마치고 늦은 시간이라도 면담을 진행한다.
⑤ 이번 년도 결혼기념일은 넘어간다.

25

A는 종가의 종손이다. 오늘은 작년에 돌아가신 할아버지의 제사를 지내기 위해 A의 일가친척들이 모두 모이는 날이다. 그러나 밀린 업무로 인해 A의 상사인 B 부장은 전원 야근을 지시하였다. A는 B의 눈치를 보고 있는 상황이다.

조직이 가장 좋은 결과를 얻으려면 다음 중 가장 바람직한 A의 행동은?

① 눈치를 보다 적당히 퇴근한다.
② 동료에게 사정을 말하고 방법을 궁리한다.
③ 집에 전화하여 제사에 참여하지 못한다고 알린다.
④ B에게 사정을 말하고 퇴근한다.
⑤ 아무런 조치를 취하지 않는다.

26

A는 일주일 앞으로 다가온 새 플랫폼 오픈 마무리 작업으로 눈코 뜰 새 없이 바쁘다. 이런 상황에서 해당 플랫폼에 대한 보고서를 올리라는 상부의 지시가 내려왔다. 그러나 A는 일정에 맞춰 플랫폼을 오픈하기 위한 업무만으로도 정신이 없으며, 보고서를 작성했다가는 오픈 일정을 맞출 수 없을 것 같았다.

조직이 가장 좋은 결과를 얻으려면 다음 중 가장 바람직한 A의 행동은?

① 현재 상황을 상부에 구두로 보고한다.
② 부하 직원에게 보고서 작성을 지시한다.
③ 플랫폼 오픈 이후로 보고서 작성을 미룬다.
④ 보고서를 대충이라도 작성하여 제출한다.
⑤ 밤을 새워서라도 보고서를 작성하여 제출한다.

27

A는 홍보부에서 근무를 하고 있다. 담당 부장 B는 직원들 모두에게 개인의 SNS에 회사 홍보 글을 올릴 것을 강요한다. 평상 시 SNS를 이용하지 않는 당신은 부장에게 사정을 말했지만, SNS 계정을 만들거나 다른 사람 SNS를 빌려서라도 글을 올리라는 지시를 받았다.

조직이 가장 좋은 결과를 얻으려면 다음 중 가장 바람직한 A의 행동은?

① 홍보를 위해 SNS를 가입한다.
② SNS를 이용하지 않는 직원들을 모아 항의한다.
③ 가족이나 친구의 SNS를 빌려 글을 올린다.
④ 부서 이동을 고려한다.
⑤ 다시 부장에게 찾아가 설득한다.

28

A는 이제 막 입사한 신입사원이다. 직원 전체가 참여하는 벽화 그리기 봉사활동에서 그림은 그리지 않고 수다만 떨고 있는 선배들을 목격하였다. 하루 동안에 완성해야 하는 작업이어서 할당된 작업량은 많고 인력은 턱없이 부족하다. A와 입사 동기인 신입사원들은 쉬지도 못하고 그림을 그리고 있다.

조직이 가장 좋은 결과를 얻으려면 다음 중 가장 바람직한 A의 행동은?

① 봉사활동에 적극 참여하기를 권하며 선배들을 직접 설득한다.
② 팀장님께 이 사실을 보고해 선배들을 작업에 참여시킨다.
③ 사내 게시판에 이 날의 일을 올려 선배들이 반성하게 한다.
④ 신입사원들을 모아 선배들 욕을 한다.
⑤ 못 본 척 무시하고 할당된 부분만 작업한다.

29

A는 부서 내 막내 직원이다. 어느 날 내일까 사무실 비품 보관함을 만들라는 상사 B의 지시가 떨어졌다. 비품 보관함을 만들기 위해서는 예산이 필요하지만, B는 예산에 관해서는 따로 언급이 없었다.

조직이 가장 좋은 결과를 얻으려면 다음 중 가장 바람직한 A의 행동은?

① 비품 보관함을 만들기 전 B에게 예산에 관해 물어본다.
② 다른 직원들에게 상황을 설명한 후 갹출한다.
③ 예산에 대한 별다른 언급이 없으므로 하는 수 없이 사비로 물품 보관함을 만든다.
④ 구체적인 계획을 세운 후 예산에 대한 보고를 한다.
⑤ 돈을 들이지 않고 비품 보관함을 만들 수 있는 방법을 강구한다.

30

팀장인 A는 회식 도중 갑자기 여직원 B가 소리를 지르는 것을 들었다. B에게 이유를 물었더니 남자동료인 C가 자신의 허벅지와 등을 더듬었다고 한다. 다른 직원들은 아닐 거라고 하면서 그냥 없던 일처럼 덮으려고 한다.

조직이 가장 좋은 결과를 얻으려면 다음 중 가장 바람직한 A의 행동은?

① C는 그런 사람이 아니라고, B가 오해한 것이라며 B를 설득한다.
② 그 자리에서 B에게 사과하도록 C를 강하게 비판한다.
③ 일이 커질 수도 있으므로, 그냥 넘어갈 수 있도록 B를 다독인다.
④ B와 C를 데리고 경찰서로 가 사건에 대해 진술하도록 한다.
⑤ 회식 후 C를 따로 불러 사과를 하도록 요구한다.

인지역량 – 수리

샘플문항 ●

※ SK그룹 홈페이지에서 공개한 샘플문항입니다. 인지역량 – 수리는 수/도형 등으로 구성된 자료를 활용하여, 수리적으로 사고하고 논리적으로 유추하는 능력을 측정합니다.

Q 아래 표에는 ○○반도체의 올해 3분기까지의 판매 실적이 나와 있다. ○○반도체는 표에 나온 4가지 제품만을 취급한다고 할 때, 다음 중 옳지 않은 설명을 고르면?

실적 제품	분기별 판매량(단위 : 만 개)			분기별 판매액(단위 : 억 원)		
	1분기	2분기	3분기	1분기	2분기	3분기
A	70	100	140	65	120	160
B	55	50	80	70	60	130
C	85	80	110	75	120	130
D	40	70	70	65	60	100
합계	250	300	400	275	360	520

① 1분기부터 3분기까지 판매액 합계 상위 2개 제품은 A와 C이다.

② 2분기에 전 분기 대비 판매량, 판매액 모두 증가한 제품은 A뿐이다.

③ 1분기보다 2분기, 2분기보다 3분기에 제품의 평균 판매 단가가 높았다.

④ 3분기 A제품의 판매량과 판매액 모두 전체의 1/3을 넘었다.

⑤ B 제품은 2분기에 판매량과 판매액이 일시 감소했으나 3분기에 회복되었다.

분기별 판매량과 판매액의 합을 구하면 다음과 같다.

실적 / 제품	분기별 판매량(단위 : 만 개)				분기별 판매액(단위 : 억 원)			
	1분기	2분기	3분기	합계	1분기	2분기	3분기	합계
A	70	100	140	310	65	120	160	345
B	55	50	80	185	70	60	130	260
C	85	80	110	275	75	120	130	325
D	40	70	70	180	65	60	100	225
합계	250	300	400	950	275	360	520	1,155

④ 3분기 A제품의 판매량은 3분기 전체의 판매량 중 $\frac{140}{400} \times 100 = 35\%$를 차지하며, 3분기

A제품의 판매액은 3분기 전체의 판매액 중 $\frac{160}{520} \times 100 =$ 약 31%를 차지한다. 따라서 3

분기 A제품의 판매액은 3분기 전체 판매액의 1/3을 넘지 못했다.

① 1분기부터 3분기까지 판매액 합계 상위 2개 제품은 345억 원의 A와 325억 원의 C이다.
② 제품 A는 1분기 대비 2분기에 판매량과 판매액 모두가 증가하였다.
③ 판매 단가는 전체 분기별 판매액을 분기별 판매량으로 나누어 구할 수 있다. 분기별
   평균 판매 단가는 1분기 11,000원, 2분기 12,000원, 3분기 13,000원이다.
⑤ B 제품은 2분기에 1분기 대비 판매량 5만 개, 판매액 10억 원이 감소했으나 3분기에
   다시 회복되었다.

답 ④

1 오후 1시 36분에 사무실을 나와 분속 70m의 일정한 속도로 서울역까지 걸어가서 20분간 내일 부산 출장을 위한 승차권 예매를 한 뒤, 다시 분속 50m의 일정한 속도로 걸어서 사무실에 돌아와 시계를 보니 2시 32분이었다. 이때 걸은 거리는 모두 얼마인가?

① 1,050m   ② 1,500m

③ 1,900m   ④ 2,100m

⑤ 2,400m

 서울역에서 승차권 예매를 한 20분의 시간을 제외하면 걸은 시간은 총 36분이 된다.
갈 때 걸린 시간을 x분이라고 하면 올 때 걸린 시간은 $36-x$분
갈 때와 올 때의 거리는 같으므로
$70 \times x = 50 \times (36-x)$
$120x = 1,800 \rightarrow x = 15$분
사무실에서 서울역까지의 거리는 $70 \times 15 = 1,050$m
왕복거리를 구해야 하므로 $1,050 \times 2 = 2,100$m가 된다.

2 둘레가 6km인 공원을 영수와 성수가 같은 장소에서 동시에 출발하여 같은 방향으로 돌면 1시간 후에 만나고, 반대 방향으로 돌면 30분 후에 처음으로 만난다고 한다. 영수가 성수보다 걷는 속도가 빠르다고 할 때, 영수가 걷는 속도는?

① 5km/h   ② 6km/h

③ 7km/h   ④ 8km/h

⑤ 9km/h

 영수가 걷는 속도를 x, 성수가 걷는 속도는 y라 하면
㉠ 같은 방향으로 돌 경우 : 영수가 걷는 거리 − 성수가 걷는 거리 = 공원 둘레 → $x-y=6$
㉡ 반대 방향으로 돌 경우 : 영수가 간 거리 + 성수가 간 거리 = 공원 둘레 → $\frac{1}{2}x + \frac{1}{2}y = 6$
  → $x+y=12$
$x=9,\ y=3$

3 어느 인기 그룹의 공연을 준비하고 있는 기획사는 다음과 같은 조건으로 총 1,500장의 티켓을 판매하려고 한다. 티켓 1,500장을 모두 판매한 금액이 6,000만 원이 되도록 하기 위해 판매해야 할 S석 티켓의 수를 구하면?

> ㈎ 티켓의 종류는 R석, S석, A석 세 가지이다.
> ㈏ R석, S석, A석 티켓의 가격은 각각 10만 원, 5만 원, 2만 원이고, A석 티켓의 수는 R석과 S석 티켓의 수의 합과 같다.

① 450장

② 600장

③ 750장

④ 900장

⑤ 1,050장

 조건 ㈎에서 R석의 티켓의 수를 a, S석의 티켓의 수를 b, A석의 티켓의 수를 c라 놓으면
$a+b+c=1,500$ …… ㉠
조건 ㈏에서 R석, S석, A석 티켓의 가격은 각각 10만 원, 5만 원, 2만 원이므로
$10a+5b+2c=6,000$ …… ㉡
A석의 티켓의 수는 R석과 S석 티켓의 수의 합과 같으므로
$a+b=c$ …… ㉢
세 방정식 ㉠, ㉡, ㉢을 연립하여 풀면
㉠, ㉢에서 $2c=1,500$이므로 $c=750$
㉠, ㉡에서 연립방정식
$$\begin{cases} a+b=750 \\ 2a+b=900 \end{cases}$$
을 풀면 $a=150$, $b=600$이다.
따라서 구하는 S석의 티켓의 수는 600장이다.

4 두 기업 서원각, 소정의 작년 상반기 매출액의 합계는 91억 원이었다. 올해 상반기 두 기업 서원각, 소정의 매출액은 작년 상반기에 비해 각각 10%, 20% 증가하였고, 두 기업 서원각, 소정의 매출액 증가량의 비가 2 : 3이라고 할 때, 올해 상반기 두 기업 서원각, 소정의 매출액의 합계는?

① 96억 원   ② 100억 원

③ 104억 원   ④ 108억 원

⑤ 112억 원

 서원각의 매출액의 합계를 x, 소정의 매출액의 합계를 y로 놓으면

$x + y = 91$

$0.1x : 0.2y = 2 : 3 \longrightarrow 0.3x = 0.4y$

$x + y = 91 \longrightarrow y = 91 - x$

$0.3x = 0.4 \times (91 - x)$

$0.3x = 36.4 - 0.4x$

$0.7x = 36.4$

$\therefore x = 52$

$0.3 \times 52 = 0.4y \longrightarrow y = 39$

x는 10% 증가하였으므로 $52 \times 1.1 = 57.2$

y는 20% 증가하였으므로 39×46.8

두 기업의 매출액의 합은 $57.2 + 46.8 = 104$

5 한 학년에 세 반이 있는 학교가 있다. 학생수가 A반은 20명, B반은 30명, C반은 50명이다. 수학 점수 평균이 A반은 70점, B반은 80점, C반은 60점일 때, 이 세 반의 평균은 얼마인가?

① 62점   ② 64점

③ 66점   ④ 68점

⑤ 70점

 평균 $= \dfrac{\text{자료 값의 합}}{\text{자료의 수}}$ 이므로

$A = \dfrac{x}{20} = 70 \rightarrow x = 1,400$

$B = \dfrac{y}{30} = 80 \rightarrow y = 2,400$

$C = \dfrac{z}{50} = 60 \rightarrow z = 3,000$

세 반의 평균은 $\dfrac{1,400 + 2,400 + 3,000}{20 + 30 + 50} = 68$점

6 3개월의 인턴기간 동안 업무평가 점수가 가장 높았던 甲, 乙, 丙, 丁 네 명의 인턴에게 성과급을 지급했다. 제시된 조건에 따라 성과급은 甲 인턴부터 丁 인턴까지 차례로 지급되었다고 할 때, 네 인턴에게 지급된 성과급 총액은 얼마인가?

- 甲 인턴은 성과급 총액의 1/3보다 20만 원 더 받았다.
- 乙 인턴은 甲 인턴이 받고 남은 성과급의 1/2보다 10만 원을 더 받았다.
- 丙 인턴은 乙 인턴이 받고 남은 성과급의 1/3보다 60만 원을 더 받았다.
- 丁 인턴은 丙 인턴이 받고 남은 성과급의 1/2보다 70만 원을 더 받았다.

---

① 860만 원   ② 900만 원

③ 940만 원   ④ 960만 원

⑤ 1,020만 원

 丁 인턴은 甲, 乙, 丙 인턴에게 주고 남은 성과급의 1/2보다 70만 원을 더 받았다고 하였으므로, 전체 성과급에서 甲, 乙, 丙 인턴에게 주고 남은 성과급을 x라고 하면

丁 인턴이 받은 성과급은 $\frac{1}{2}x + 70 = x$ (∵ 마지막에 받은 丁 인턴에게 남은 성과급을 모두 주는 것이 되므로), ∴ $x = 140$이다.

丙 인턴은 甲, 乙 인턴에게 주고 남은 성과급의 1/3보다 60만 원을 더 받았다고 하였는데, 여기서 甲, 乙 인턴에게 주고 남은 성과급의 2/3는 丁 인턴이 받은 140만 원 + 丙 인턴이 더 받을 60만 원이 되므로, 丙 인턴이 받은 성과급은 160만 원이다.

乙 인턴은 甲 인턴에게 주고 남은 성과급의 1/2보다 10만 원을 더 받았다고 하였는데, 여기서 甲 인턴에게 주고 남은 성과급의 1/2은 丙, 丁 인턴이 받은 300만 원 + 乙 인턴이 더 받을 10만 원이 되므로, 乙 인턴이 받은 성과급은 320만 원이다.

甲 인턴은 성과급 총액의 1/3보다 20만 원 더 받았다고 하였는데, 여기서 성과급 총액의 2/3은 乙, 丙, 丁 인턴이 받은 620만 원 + 甲 인턴이 더 받을 20만 원이 되므로, 甲 인턴이 받은 성과급은 340만 원이다.

따라서 네 인턴에게 지급된 성과급 총액은 340 + 320 + 160 + 140 = 960만 원이다.

7 5%의 소금물과 15%의 소금물로 12%의 소금물 200g을 만들고 싶다. 각각 몇 g씩 섞으면 되는 가?

	5% 소금물	15% 소금물
①	40g	160g
②	50g	150g
③	60g	140g
④	70g	130g
⑤	80g	120g

 200g에 들어 있는 소금의 양은 섞기 전 5%의 소금의 양과 12% 소금이 양을 합친 양과 같아야 한다.

5% 소금물의 필요한 양을 x라 하면 녹아 있는 소금의 양은 $0.05x$

15% 소금물의 소금의 양은 $0.15(200-x)$

$0.05x + 0.15(200-x) = 0.12 \times 200$

$5x + 3000 - 15x = 2400$

$10x = 600$

$x = 60(\text{g})$

∴ 5%의 소금물 60g, 15%의 소금물 140g

8 SK그룹의 필기시험에서 응시자 10,000명의 득점 분포가 100점 만점에 평균이 70점, 표준편차가 10점인 정규분포를 따른다고 한다. 이때, 상위 10%에 속하기 위해서는 몇 점 이상을 받아야 하는가? (단, $P(0 \leq Z \leq 1.28 = 0.40$, $P(0 \leq Z \leq 1.64 = 0.45$, $P(0 \leq Z \leq 2.5 = 0.49$)

① 82.8   ② 85

③ 86.4   ④ 95

⑤ 94.6

 표준정규분포는 종 모양으로 그려지며 면적이 확률이 되며 그 값은 1(100%)이 된다. 표준정규분포는 평균이 0이고, 표준편차가 1인 $N(0,\ 1^2)$로 표시한다.

평균이 70점이고 표준편차가 10인 정규분포$[N(70,\ 10^2)]$에서 상위 10%를 뽑을 때 커트라인 점수를 k라고 하면 k 위쪽의 면적은 0.1이 된다.

$P(X \geq k) = 0.1$

$P(X \geq k) = P(\dfrac{X-\mu}{\sigma} \geq \dfrac{k-\mu}{\sigma}) = P(Z \geq \dfrac{k-70}{10}) = 0.1$

정규분포에 따른다고 하였으므로 표준화를 시키면 평균이 0, 분산이 1인 표준정규분포에서 평균 0을 기준으로 좌우 대칭으로 면적이 각각 0.5가 되므로 $0.5 - 0.1 = 0.4$가 된다.

문제에서 $P(0 \leq Z \leq 1.28 = 0.40$이므로 $P(Z > 1.28) = 0.1$이 되며, 상위 10%에 속하기 위해서는 $Z \geq 1.28$이어야 한다.

$Z = \dfrac{k-70}{10}$ 이므로, $\dfrac{k-70}{10} \geq 1.28 \rightarrow k = (1.28 \times 10) + 70 = 82.8$

$\therefore\ k \geq 82.8$

9 어떤 이동 통신 회사에서는 휴대폰의 사용 시간에 따라 매월 다음과 같은 요금 체계를 적용한다고 한다.

요금제	기본 요금	무료 통화	사용 시간(1분)당 요금
A	10,000원	0분	150원
B	20,200원	60분	120원
C	28,900원	120분	90원

예를 들어, B요금제를 사용하여 한 달 동안의 통화 시간이 80분인 경우 사용 요금은 다음과 같이 계산한다.

$$20,200 + 120 \times (80 - 60) = 22,600$$

B요금제를 사용하는 사람이 A요금제와 C요금제를 사용할 때 보다 저렴한 요금을 내기 위한 한 달 동안의 통화 시간은 a분 초과 b분 미만이다. 이때, $b - a$의 최댓값은? (단, 매월 총 사용 시간은 분 단위로 계산한다.)

① 70

② 80

③ 90

④ 100

⑤ 110

 한 달 동안의 통화 시간 t $(t = 0, 1, 2, \cdots)$에 따른
요금제 A의 요금
$y = 10,000 + 150t$ $(t = 0, 1, 2, \cdots)$
요금제 B의 요금
$\begin{cases} y = 20,200 & (t = 0, 1, 2, \cdots, 60) \\ y = 20,200 + 120(t - 60) & (t = 61, 62, 63, \cdots) \end{cases}$
요금제 C의 요금
$\begin{cases} y = 28,900 & (t = 0, 1, 2, \cdots, 120) \\ y = 28,900 + 90(t - 120) & (t = 121, 122, 123, \cdots) \end{cases}$
㉠ B의 요금이 A의 요금보다 저렴한 시간 t의 구간은
$20,200 + 120(t - 60) < 10,000 + 150t$ 이므로 $t > 100$
㉡ B의 요금이 C의 요금보다 저렴한 시간 t의 구간은
$20,200 + 120(t - 60) < 28,900 + 90(t - 120)$ 이므로 $t < 170$
따라서 $100 < t < 170$ 이다.
∴ $b - a$ 의 최댓값은 70

10 K은행 고객인 S씨는 작년에 300만 원을 투자하여 3년 만기, 연리 2.3% 적금 상품(비과세, 단리 이율)에 가입하였다. 올 해 추가로 여유 자금이 생긴 S씨는 200만 원을 투자하여 신규 적금 상품에 가입하려 한다. 신규 적금 상품은 복리가 적용되는 이율 방식이며, 2년 만기라 기존 적금 상품과 동시에 만기가 도래하게 된다. 만기 시 두 적금 상품의 원리금의 총 합계가 530만 원 이상이 되기 위해서는 올 해 추가로 가입하는 적금 상품의 연리가 적어도 몇 %여야 하는가? (모든 금액은 절삭하여 원 단위로 표시하며, 이자율은 소수 첫째 자리까지만 계산함)

① 2.2%　　　　　　　　　　② 2.3%

③ 2.4%　　　　　　　　　　④ 2.5%

⑤ 2.6%

 단리 이율 계산 방식은 원금에만 이자가 붙는 방식으로 원금은 변동이 없으므로 매년 이자액이 동일하다. 반면, 복리 이율 방식은 '원금 + 이자'에 이자가 붙는 방식으로 매년 이자가 붙어야 할 금액이 불어나 갈수록 원리금이 커지게 된다.

작년에 가입한 상품의 만기 시 원리금은 $3,000,000 + (3,000,000 \times 0.023 \times 3) = 3,000,000 + 207,000 = 3,207,000$원이 된다.

따라서 올 해 추가로 가입하는 적금 상품의 만기 시 원리금이 2,093,000원 이상이어야 한다. 이것은 곧 다음과 같은 공식이 성립하게 됨을 알 수 있다.

추가 적금 상품의 이자율을 A%, 이를 100으로 나눈 값을 x라 하면,
$2,000,000 \times (1+x)^2 \geqq 2,093,000$이 된다.

주어진 보기의 값을 대입해 보면, 이자율이 2.3%일 때 x가 0.023이 되어 $2,000,000 \times 1.023 \times 1.023 = 2,093,058$이 된다.

따라서 올 해 추가로 가입하는 적금 상품의 이자율(연리)은 적어도 2.3%가 되어야 만기 시 두 상품의 원리금 합계가 530만 원 이상이 될 수 있다.

Answer→ 9.① 10.②

| 11~12 | 다음 표는 8개 기관의 장애인 고용 현황이다. 각 물음에 답하시오.

기관별 장애인 고용 현황

(단위 : 명, %)

기관	전체 고용인원	장애인 고용의무인원	장애인 고용인원	장애인 고용률
남동청	4,013	121	58	1.45
서부청	2,818	85	30	1.06
동부청	22,323	670	301	1.35
북동청	92,385	2,772	1,422	1.54
남부청	22,509	676	361	1.60
북부청	19,927	598	332	1.67
남서청	53,401	1,603	947	1.77
북서청	19,989	600	357	1.79

※ 장애인 고용률(%) = $\dfrac{\text{장애인 고용인원}}{\text{전체 고용인원}} \times 100$

11 다음 중 남동청의 장애인 고용률로 옳은 것은?

① 1.12%
② 1.34%
③ 1.45%
④ 1.52%
⑤ 1.63%

 $\dfrac{58}{4013} \times 100 \fallingdotseq 1.45\%$

12 다음 중 옳지 않은 것은?

① 동부청의 장애인 고용의무인원은 서부청보다 많고, 남부청보다 적다.
② 장애인 고용률은 서부청이 가장 낮다.
③ 장애인 고용의무인원은 북부청이 남부청보다 적다.
④ 동부청은 남동청보다 장애인 고용인원은 많으나, 장애인 고용률은 낮다.
⑤ 북동청은 전체 고용인원이 가장 많으며, 장애인 고용률도 가장 높다.

 ⑤ 북서청의 장애인 고용률은 약 1.8%로 가장 높다.

┃13~14┃ 다음은 미국이 환율조작국을 지정하기 위해 만든 요건별 판단기준과 '가~'카'국의 2015년 자료이다. 각 물음에 답하시오.

[표 1] 요건별 판단기준

요건	A	B	C
	현저한 대미무역수지 흑자	상당한 경상수지 흑자	지속적 환율시장 개입
판단기준	대미무역수지 200억 달러 초과	GDP 대비 경상수지 비중 3% 초과	GDP 대비 외화자산 순매수액 비중 2% 초과

※ 요건 중 세 가지를 모두 충족하면 환율조작국으로 지정됨.

※ 요건 중 두 가지만을 충족하면 관찰대상국으로 지정됨.

[표 2] 환율조작국 지정 관련 자료(2015년)

(단위 : 10억 달러, %)

국가 \ 항목	대미무역수지	GDP 대비 경상수지 비중	GDP 대비 외화자산 순매수액 비중
가	365.7	3.1	−3.9
나	74.2	8.5	0.0
다	68.6	3.3	2.1
라	58.4	−2.8	−1.8
마	28.3	7.7	0.2
바	27.8	2.2	1.1
사	23.2	−1.1	1.8
아	17.6	−0.2	0.2
자	14.9	−3.3	0.0
차	14.9	14.6	2.4
카	−4.3	−3.3	0.1

13 다음 중 환율조작국으로 지정된 나라는?

① 가   ② 나
③ 다   ④ 마
⑤ 차

국가	A	B	C	비고
가	○	○		관찰대상국
나	○	○		관찰대상국
다	○	○	○	환율조작국
마	○	○		관찰대상국
차		○	○	관찰대상국

14 다음 중 관찰대상국으로 지정된 나라는 몇 개 국가인가?

① 1개   ② 2개
③ 3개   ④ 4개
⑤ 5개

국가	A	B	C	비고
가	○	○		관찰대상국
나	○	○		관찰대상국
다	○	○	○	환율조작국
라	○			
마	○	○		관찰대상국
바	○			
사	○			
아				
자				
차		○	○	관찰대상국
카				

┃15~16┃ 다음 표는 6개 광종의 위험도와 경제성 점수에 관한 자료이다. 표와 〈분류기준〉을 이용하여 광종을 분류한다고 한다. 각 물음에 답하시오.

6개 광종의 위험도와 경제성 점수

(단위 : 점)

항목＼＼광종	금광	은광	동광	연광	아연광	철광
위험도	2.5	4.0	2.5	2.7	3.0	3.5
경제성	3.0	3.5	2.5	2.7	3.5	4.0

〈분류기준〉

위험도와 경제성 점수가 모두 3.0점을 초과하는 경우에는 '비축필요광종'으로 분류하고, 위험도와 경제성 점수 중 하나는 3.0점 초과, 다른 하나는 2.5점 초과 3.0점 이하인 경우에는 '주시광종'으로 분류하며, 그 외는 '비축제외광종'으로 분류한다.

15 다음 중 '주시광종'으로 분류되는 광종은 무엇인가?

① 금광　　　　　　　　　　② 은광
③ 동광　　　　　　　　　　④ 연광
⑤ 아연광

 '주시광종'으로 분류되기 위해서는 위험도와 경제성 점수 중 하나는 3.0점 초과, 다른 하나는 2.5점 초과 3.0점 이하이어야 한다. 따라서 아연광만이 해당된다.

16 모든 광종의 위험도와 경제성 점수가 현재보다 각가 20% 증가했을 때, '비축필요광종'으로 분류되지 않는 광종은 무엇인가?

① 은광　　　　　　　　　　② 동광
③ 연광　　　　　　　　　　④ 아연광
⑤ 철광

 모든 광종의 위험도와 경제성 점수가 현재보다 20% 증가했을 때, 3.0점을 넘기 위해서는 현재 수치가 2.5점을 초과해야 한다. 따라서 동광은 해당되지 않는다.

Answer ➔ 13.③　14.④　15.⑤　16.②

17 다음 표는 둘씩 짝지은 A~F 대학 현황 자료이다. 〈보기〉를 토대로 A-B, C-D, E-F 대학을 순서대로 바르게 짝지어 나열한 것은?

(단위 : %, 명, 달러)

	A-B		C-D		E-F	
	A	B	C	D	E	F
입학허가율	7	12	7	7	9	7
졸업률	96	96	96	97	95	94
학생 수	7,000	24,600	12,300	28,800	9,270	27,600
교수 1인당 학생 수	7	6	6	8	9	6
연간 학비	43,500	49,500	47,600	45,300	49,300	53,000

〈보기〉
- 짝지어진 두 대학끼리만 비교한다.
- 졸업률은 야누스가 플로라보다 높다.
- 로키와 토르의 학생 수 차이는 18,000명 이상이다.
- 교수 수는 이시스가 오시리스보다 많다.
- 입학허가율은 토르가 로키보다 높다.

	A-B	C-D	E-F
①	오시리스-이시스	플로라-야누스	토르-로키
②	이시스-오시리스	플로라-야누스	로키-토르
③	로키-토르	이시스-오시리스	야누스-플로라
④	로키-토르	플로라-야누스	오시리스-이시스
⑤	야누스-플로라	이시스-오시리스	토르-로키

- 야누스가 될 수 있는 것은 D, E, 플로라가 될 수 있는 것은 C, F이다.
- A-B는 17,600명, C-D는 16,500명, E-F는 18,330명이다.
- E가 토르, F가 로키가 된다. 따라서 C는 플로라, D는 야누스가 된다.
- 교수 수 = $\dfrac{학생 수}{교수 1인당 학생 수}$

$A = \dfrac{7000}{7} = 1000$, $B = \dfrac{24600}{6} = 4100$

따라서 A가 오시리스, B가 이시스가 된다.

┃18~19┃ 다음 표는 2016년 1~6월 월말종가기준 A, B사의 주가와 주가지수에 대한 자료이다. 각 물음에 답하시오.

구분		1월	2월	3월	4월	5월	6월
주가(원)	A사	5,000	4,000	5,700	4,500	3,900	5,600
	B사	6,000	6,000	6,300	5,900	6,200	5,400
주가지수		100.00	㉠	109.09	㉡	91.82	100.00

※ 주가지수 $= \dfrac{\text{해당 월 }A\text{사의 주가}+\text{해당 월 }B\text{사의 주가}}{1\text{월 }A\text{사의 주가}+1\text{월 }B\text{사의 주가}} \times 100$

※ 해당 월의 주가 수익률(%) $= \dfrac{\text{해당 월의 주가}-\text{전월의 주가}}{\text{전월의 주가}} \times 100$

18 다음 중 ㉠에 들어갈 숫자로 옳은 것은?

① 90.9   ② 91.3

③ 92.1   ④ 93.4

⑤ 94.5

 $\dfrac{4000+6000}{5000+6000} \times 100 ≒ 90.9$

19 다음 중 ㉡에 들어갈 숫자로 옳은 것은?

① 90.9   ② 91.3

③ 92.1   ④ 93.4

⑤ 94.5

 $\dfrac{4500+5900}{5000+6000} \times 100 ≒ 94.5$

Answer → 17.①   18.①   19.⑤

20 다음 표는 축구팀 '가'~'다' 사이의 경기 결과이다. 이에 대한 〈보기〉의 설명 중 옳은 것만을 모두 고르면?

팀＼기록	승리 경기 수	패배 경기 수	무승부 경기 수	총 득점	총 실점
가	2			9	2
나				4	5
다			1	2	8

※ 각 팀이 나머지 두 팀과 각각 한 번씩만 경기를 한 결과임.

〈보기〉
㉠ '가'의 총득점은 8점이다.
㉡ '나'와 '다'의 경기 결과는 무승부이다.
㉢ '가'는 '나'와의 경기에서 승리했다.
㉣ '가'는 '다'와의 경기에서 5:0으로 승리했다.

① ㉠㉢
② ㉠㉣
③ ㉡㉢
④ ㉡㉣
⑤ ㉡㉢㉣

팀＼기록	승리 경기 수	패배 경기 수	무승부 경기 수	총 득점	총 실점
가	2	0	0	9	2
나	0	1	1	4	5
다	0	1	1	2	8

21 다음은 A카페의 커피 판매정보에 대한 자료이다. 한 잔만을 더 판매하고 영업을 종료한다고 할 때, 총이익이 정확히 64,000원이 되기 위해서 판매해야 하는 메뉴는?

(단위 : 원, 잔)

구분 메뉴	판매가격 (1잔)	현재까지 판매량	한 잔당 재료				
			원두 (200)	우유 (300)	바닐라 (100)	초코 (150)	캐러멜 (250)
아메리카노	3,000	5	○	×	×	×	×
카페라떼	3,500	3	○	○	×	×	×
바닐라라떼	4,000	3	○	○	○	×	×
카페모카	4,000	2	○	○	×	○	×
캐러멜라떼	4,300	6	○	○	○	×	○

※ 메뉴별 이익=(메뉴별 판매가격−메뉴별 재료비) × 메뉴별 판매량
※ 총이익은 메뉴별 이익의 합이며, 다른 비용은 고려하지 않음.
※ A카페는 5가지 메뉴만을 판매하며, 메뉴별 1잔 판매가격과 재료비는 변동 없음.
※ ○ : 해당 재료 한 번 사용, × : 해당 재료 사용하지 않음.

① 아메리카노
② 카페라떼
③ 바닐라라떼
④ 카페모카
⑤ 캐러멜라떼

 메뉴별 이익을 계산해보면 다음과 같으므로, 현재 총이익은 60,600원이다. 한 잔만 더 판매하고 영업을 종료했을 때 총이익이 64,000원이 되려면 한 잔의 이익이 3,400원이어야 하므로 바닐라라떼를 판매해야 한다.

구분	메뉴별 이익	1잔당 이익
아메리카노	$(3,000-200) \times 5 = 14,000$원	2,800원
카페라떼	$\{3,500-(200+300)\} \times 3 = 9,000$원	3,000원
바닐라라떼	$\{4,000-(200+300+100)\} \times 3 = 10,200$원	3,400원
카페모카	$\{4,000-(200+300+150)\} \times 2 = 6,700$원	3,350원
캐러멜라떼	$\{4,300-(200+300+100+250)\} \times 6 = 20,700$원	3,450원

22 다음은 조선시대 한양의 조사시기별 가구수 및 인구수와 가구 구성비에 대한 자료이다. 이에 대한 설명 중 옳은 것만을 모두 고르면?

〈조사시기별 가구수 및 인구수〉

(단위 : 호, 명)

조사시기	가구수	인구수
1729년	1,480	11,790
1765년	7,210	57,330
1804년	8,670	68,930
1867년	27,360	144,140

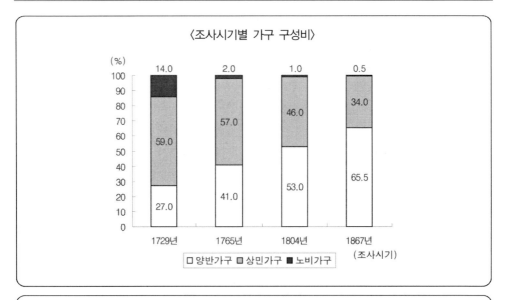

〈조사시기별 가구 구성비〉

㉠ 1804년 대비 1867년의 가구당 인구수는 증가하였다.
㉡ 1765년 상민가구 수는 1804년 양반가구 수보다 적다.
㉢ 노비가구 수는 1804년이 1765년보다는 적고 1867년보다는 많다.
㉣ 1729년 대비 1765년에 상민가구 구성비는 감소하였고 상민가구 수는 증가하였다.

① ㉠, ㉡
② ㉠, ㉢
③ ㉡, ㉣
④ ㉠, ㉢, ㉣
⑤ ㉡, ㉢, ㉣

⊙ 1804년 가구당 인구수는 $\frac{68,930}{8,670}=$ 약 7.95이고, 1867년 가구당 인구수는 $\frac{144,140}{27,360}=$ 약 5.26

이므로 1804년 대비 1867의 가구당 인구수는 감소하였다.

ⓒ 1765년 상민가구 수는 $7,210 \times 0.57 = 4109.7$이고, 1804년 양반가구 수는 $8,670 \times 0.53$ $=4595.1$로, 1765년 상민가구 수는 1804년 양반가구 수보다 적다.

ⓒ 1804년의 노비가구 수는 $8,670 \times 0.01 = 86.7$로 1765년의 노비가구 수인 $7,210 \times 0.02$ $=144.2$보다 적고, 1867년의 노비가구 수인 $27,360 \times 0.005 = 136.8$보다도 적다.

ⓔ 1729년 대비 1765년에 상민가구 구성비는 59.0%에서 57.0%로 감소하였고, 상민가구 수 는 $1,480 \times 0.59 = 873.2$에서 $7,210 \times 0.57 = 4109.7$로 증가하였다.

23 다음 〈표〉는 지역별 건축 및 대체에너지 설비투자 현황에 관한 자료이다. 다음 중 건축 건수 1건 당 건축공사비가 가장 많은 곳은?

〈표〉 지역별 건축 및 대체에너지 설비투자 현황

(단위 : 건, 억 원, %)

지역	건축건수	건축공사비	대체에너지 설비투자액			
			태양열	태양광	지열	합
가	12	8,409	27	140	336	503
나	14	12,851	23	265	390	678
다	15	10,127	15	300	210	525
라	17	11,000	20	300	280	600
마	21	20,100	30	600	450	1,080

* 건축공사비 내에 대체에너지 설비투자액은 포함되지 않음

① 가 ② 나
③ 다 ④ 라
⑤ 마

 ① 가 : $\frac{8,409}{12} ≒ 701$ ② 나 : $\frac{12,851}{14} ≒ 918$

③ 다 : $\frac{10,127}{15} ≒ 675$ ④ 라 : $\frac{11,000}{17} ≒ 647$

⑤ 마 : $\frac{20,100}{21} ≒ 957$

Answer → 22.③ 23.⑤

24 다음은 2010년 갑 회사 5개 품목(A~E)별 매출액, 시장점유율 및 이익률을 나타내는 그래프이다. 다음 중 이익이 가장 큰 품목은?

〈그림〉 2010년 A~E의 매출액, 시장점유율, 이익률

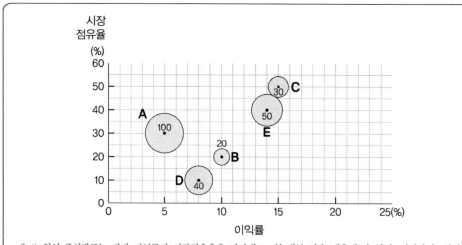

* 1) 원의 중심좌표는 각각 이익률과 시장점유율을 나타내고, 원 내부 값은 매출액(억 원)을 의미하며, 원의 면적은 매출액에 비례함.

2) 이익률(%) = $\dfrac{이익}{매출액} \times 100$

① A   ② B

③ C   ④ D

⑤ E

A : $100 \times 0.05 = 5$

B : $20 \times 0.1 = 2$

C : $30 \times 0.15 = 4.5$

D : $40 \times 0.08 = 3.2$

E : $50 \times 0.14 = 7$

| 25~26 | 다음은 문화예술 보급 추이와 청소년의 공연시설 이용에 대한 자료이다. 물음에 답하시오.

<표1> 연도별 문화예술 보급 추이

구분	2008년	2009년	2010년	2011년	2012년	2013년
등록 공연장(개)	786	821	830	960	1,037	1,101
공연 횟수(회)	52,780	56,771	95,332	94,564	76,882	78,455
교육 프로그램(건)	21,475	26,244	7,868	7,453	9,200	10,936

* 교육 프로그램 : 문화관광부의 문화예술 지원사업이며, 학교 및 사회취약계층 등을 대상으로 실시한 문화예술 교육 프로그램 건수임

<표2> 2014년 청소년의 공연시설 이용 여부 및 횟수

(단위 : 천 명, 회)

구분	없다	있다	평균 이용 횟수	합계
만 9~12세	238	1,660	7.5	1,898
만 13~24세	1,353	6,638	8.6	7,991
남성	1,028	4,184	7.6	5,212
여성	563	4,114	9.3	4,677
전체 청소년	1,591	8,298	8.4	9,889

* 평균 이용 횟수 : 공연시설을 이용해본 적이 있는 청소년의 평균 이용 횟수임
* 청소년 : 청소년 기본법에 의거한 만 9세 이상 24세 이하의 사람임

Answer┌→ 24.⑤

25 다음 중 자료에 대한 설명으로 옳지 않은 것은?

① 문화예술 교육 프로그램의 건수가 가장 많은 해의 교육 프로그램 건수는 가장 적은 해의 3배 이상이다.

② 2014년 여성 청소년 중 공연시설을 이용해본 적이 있는 청소년의 비율은 남성 청소년 중 공연시설을 이용 해본 적이 있는 청소년의 비율보다 더 높다.

③ 2010년 문화예술 공연 횟수는 전년 대비 38,561회 증가하였다.

④ 2008년부터 2013년까지 문화예술 등록 공연장 수는 꾸준히 증가하였다.

⑤ 2014년 전체 청소년 중 공연시설을 이용해본 적이 없는 청소년의 비율은 19% 이상이다.

⑤ $\dfrac{1,591}{1,591+8,298} \times 100 ≒ 16.09(\%)$

26 2009~2013년 중에서 문화예술 등록 공연장 수 대비 교육 프로그램 건수가 세 번째로 적은 해는 몇 년도인가?

① 2009년   ② 2010년

③ 2011년   ④ 2012년

⑤ 2013년

① 2009년 : $\dfrac{26,244}{821} ≒ 31.97$

② 2010년 : $\dfrac{7,868}{830} ≒ 9.5$

③ 2011년 : $\dfrac{7,453}{960} ≒ 7.76$

④ 2012년 : $\dfrac{9,200}{1,037} ≒ 8.87$

⑤ 2013년 : $\dfrac{10,936}{1,101} ≒ 9.93$

27 다음 그림에 대한 옳은 분석을 〈보기〉에서 모두 고른 것은?

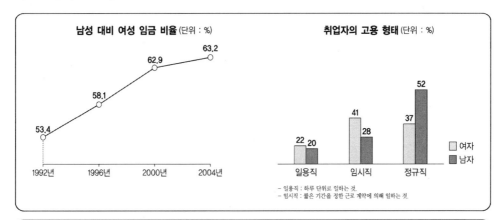

〈보기〉
㉠ 남성 취업자는 정규직의 비율이 가장 높다.
㉡ 남녀 간 임금 수준의 불평등이 완화되고 있다.
㉢ 고용 형태에서 남성의 지위가 여성보다 불안하다.
㉣ 경제 활동에 참여하는 여성들이 점차 줄어들고 있다.

① ㉠, ㉡   ② ㉠, ㉢
③ ㉡, ㉢   ④ ㉡, ㉣
⑤ ㉢, ㉣

 ㉢ 일용직이나 임시직에서 여자의 비율이 높고, 정규직에서 남자의 비율이 높은 것으로 보아 고용 형태에서 여성의 지위가 남성보다 불안하다.
㉣ 제시된 자료로는 알 수 없다.

Answer → 25.⑤ 26.② 27.①

28 다음은 갑국에서 실시한 취약 계층의 스마트폰 이용 현황과 주된 비(非)이용 이유에 대한 설문 조사 결과이다. 이에 대한 옳은 분석을 〈보기〉에서 고른 것은?

(단위 : %)

구분	전체 국민 대비 수준*	스마트폰을 이용하지 않는 주된 이유				
		스마트폰으로 무엇을 할 수 있는지 모름	구입비 및 이용비 부담	이용 필요성 부재	사용 방법의 어려움	기타
장애인	10.3	33.1	31.5	14.4	13.4	7.6
장노년층	6.4	40.1	26.3	16.5	12.4	4.7
저소득층	12.2	28.7	47.6	11.0	9.3	3.4
농어민	6.4	39.6	26.3	14.7	13.9	5.5

$$* \ 전체국민대비수준 = \frac{취약\ 계층의\ 스마트폰\ 이용률}{전체\ 국민의\ 스마트폰\ 이용률} \times 100$$

〈보기〉
ㄱ 응답자 중 장노년층과 농어민의 스마트폰 이용자 수는 동일하다.
ㄴ 응답자 중 각 취약 계층별 스마트폰 이용률이 상대적으로 가장 높은 취약 계층은 저소득층이다.
ㄷ 전체 취약 계층의 스마트폰 이용 활성화를 위한 대책으로는 경제적 지원이 가장 효과적일 것이다.
ㄹ 스마트폰을 이용하지 않는다고 응답한 장노년층 중 스마트폰으로 무엇을 할 수 있는지 모르거나 사용 방법이 어려워서 이용하지 않는다고 응답한 사람의 합은 과반수이다.

① ㄱ, ㄴ   ② ㄱ, ㄷ
③ ㄴ, ㄷ   ④ ㄴ, ㄹ
⑤ ㄷ, ㄹ

 ㄱ 설문 조사에 참여한 장노년층과 농어민의 수가 제시되어 있지 않으므로 이용자 수는 알 수 없다.
ㄷ 스마트폰 이용 활성화를 위한 대책으로 경제적 지원이 가장 효과적인 취약 계층은 저소득층이다.

29 다음은 어느 회사의 직종별 직원 비율을 나타낸 것이다. 2010년에 직원 수가 1,800명이었다면 재무부서의 직원은 몇 명인가?

(단위 : %)

직종	2006년	2007년	2008년	2009년	2010년
판매·마케팅	19.0	27.0	25.0	30.0	20.0
고객서비스	20.0	16.0	12.5	21.5	25.0
생산	40.5	38.0	30.0	25.0	22.0
재무	7.5	8.0	5.0	6.0	8.0
기타	13.0	11.0	27.5	17.5	25.0
계	100	100	100	100	100

① 119명 ② 123명

③ 144명 ④ 150명

⑤ 155명

(Tip) $1,800 \times 0.08 = 144$(명)

30 다음 자료는 맞벌이 가구에 관한 통계 자료이다. 유(有)배우가구가 1,200만 가구라 할 때, 아래 ㉠, ㉡을 구하면? (필요한 경우 소수점 첫째자리에서 반올림)

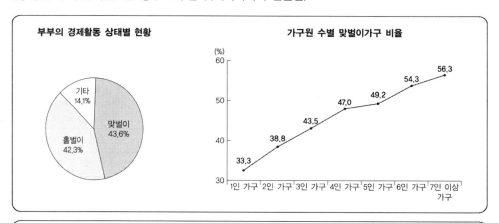

부부의 경제활동 상태별 현황

기타 14.1%
맞벌이 43.6%
홑벌이 42.3%

가구원 수별 맞벌이가구 비율

(%)
60
50
40
30

33.3 (1인 가구)
38.8 (2인 가구)
43.5 (3인 가구)
47.0 (4인 가구)
49.2 (5인 가구)
54.3 (6인 가구)
56.3 (7인 이상 가구)

㉠ 홑벌이 가구 수는 얼마인가?
㉡ 유(有)배우가구 중 3인 가구 비율이 25%일 때, 3인 가구의 맞벌이 가구 수는 얼마인가?

① ㉠ : 505만 가구, ㉡ : 132만 가구
② ㉠ : 507만 가구, ㉡ : 128만 가구
③ ㉠ : 508만 가구, ㉡ : 131만 가구
④ ㉠ : 509만 가구, ㉡ : 132만 가구
⑤ ㉠ : 510만 가구, ㉡ : 133만 가구

 Tip ㉠ $1,200 \times 0.423 = 507.6$(만)
㉡ $1,200 \times 0.25 \times 0.435 = 130.5$(만)

|31~33| 다음은 호텔 4곳을 경영하는 다이스에서 2015년 VIP 회원의 직업별 구성 비율을 각 지점별로 조사한 자료이다. 물음에 답하시오. (단, 표의 가장 오른쪽 수치는 각 지점의 회원 수가 전 지점의 회원 총수에서 차지하는 비율이다.)

구분	공무원	기업인	자영업	외국인	각 지점/전 지점
A	30%	20%	10%	40%	20%
B	10%	40%	20%	30%	30%
C	10%	30%	20%	40%	40%
D	10%	40%	30%	20%	10%
전 지점	( )	32%	( )	35%	100%

31 다이스 각 지점에서 자영업자의 수는 회원 총수의 몇 %인가?

① 16% ② 17%

③ 18% ④ 19%

⑤ 20%

 A : 0.2×0.1=0.02=2(%)
B : 0.3×0.2=0.06=6(%)
C : 0.4×0.2=0.08=8(%)
D : 0.1×0.3=0.03=3(%)
∴ A+B+C+D=19(%)

32 C지점의 회원 수를 3년 전과 비교했을 때 외국인의 수는 2배 증가했고 자영업자와 공무원의 수는 절반으로 감소했으며 그 외는 변동이 없었다. 그렇다면 3년 전 기업인의 비율은? (단, C지점의 2015년 VIP회원의 수는 200명이다.)

① 약 25.34% ② 약 27.27%

③ 약 29.16% ④ 약 31.08%

⑤ 약 33.51%

 2015년 C지점의 회원 수는 공무원 20명, 기업인 60명, 자영업자 40명, 외국인 80명이다.
따라서 2012년의 회원 수는 공무원 40명, 기업인 60명, 자영업자 80명, 외국인 40명이 된다.
이 중 기업인의 비율은 $\frac{60}{220} \times 100 ≒ 27.27\%$가 된다.

Answer→ 30.③ 31.④ 32.②

33 D지점의 외국인 수가 400명일 때 A지점의 외국인 회원 수는?

① 1,300명   ② 1,400명

③ 1,500명   ④ 1,600명

⑤ 1,700명

 D지점의 외국인이 차지하는 비율 : 0.1×0.2=0.02=2(%)
A지점의 외국인이 차지하는 비율 : 0.2×0.4=0.08=8(%)
D지점의 외국인 수가 400명이므로 2 : 8=400 : x
∴ x=1,600(명)

34 다음 자료는 최근 3년간의 행정구역별 출생자 수를 나타낸 표이다. 다음 보기 중 2012년부터 2014년까지 출생자가 가장 많이 증가한 행정구역은?

(단위 : 명)

	2012년	2013년	2014년
서울특별시	513	648	673
부산광역시	436	486	517
대구광역시	215	254	261
울산광역시	468	502	536
인천광역시	362	430	477
대전광역시	196	231	258
광주광역시	250	236	219
제주특별자치시	359	357	361
세종특별자치시	269	308	330

① 부산   ② 울산

③ 대전   ④ 세종

⑤ 서울

 ⑤ 서울 : 673-513=160
① 부산 : 517-436=81
② 울산 : 536-468=68
③ 대전 : 258-196=62
④ 세종 : 330-269=61

다음은 철수의 3월 생활비 40만 원의 항목별 비율을 나타낸 자료이다. 물음에 답하시오.

구분	학원비	식비	교통비	기타
비율(%)	35	15	35	15

35 식비 및 교통비의 지출 비율이 아래 표와 같을 때 다음 설명 중 가장 적절한 것은 무엇인가?

〈표1〉 식비 지출 비율

항목	채소	과일	육류	어류	기타
비율(%)	30	20	25	15	10

〈표2〉 교통비 지출 비율

교통수단	버스	지하철	자가용	택시	기타
비율(%)	50	25	15	5	5

① 식비에서 채소 구입에 사용한 금액은 교통비에서 자가용 이용에 사용한 금액보다 크다.
② 교통비에서 지하철을 타는데 지출한 비용은 식비에서 육류를 구입하는데 지출한 비용의 약 2.3배에 달한다.
③ 철수의 3월 생활비 중 교통비에 지출된 금액은 총 12만 5천 원이다.
④ 교통비에서 자가용을 타는데 지출한 금액은 식비에서 과일과 어류를 구입하는데 지출한 비용보다 크다.
⑤ 철수가 3월 달 식비에서 과일과 육류 구입에 지출한 금액은 채소 구입에 지출한 금액보다 1만원 많다.

(Tip) 각각의 금액을 구해보면 다음과 같다.

철수의 3월 생활비 40만 원의 항목별 비율과 금액

구분	학원비	식비	교통비	기타
비율(%)	35	15	35	15
금액(만 원)	14	6	14	6

〈표1〉 식비 지출 비율과 금액

항목	채소	과일	육류	어류	기타
비율(%)	30	20	25	15	10
금액(만 원)	1.8	1.2	1.5	0.9	0.6

Answer ↦ 33.④ 34.⑤

〈표2〉 교통비 지출 비율과 금액

교통수단	버스	지하철	자가용	택시	기타
비율(%)	50	25	15	5	5
금액(만 원)	7	3.5	2.1	0.7	0.7

① 식비에서 채소 구입에 사용한 금액 : 1만 8천 원
   교통비에서 자가용 이용에 사용한 금액 : 2만 1천 원
② 교통비에서 지하철을 타는데 지출한 비용 : 3만 5천 원
   식비에서 육류를 구입하는데 지출한 비용 : 1만 5천 원
③ 철수의 3월 생활비 중 교통비 : 14만 원
④ 교통비에서 자가용을 타는데 지출한 금액 : 2만 1천 원
   식비에서 과일과 어류를 구입하는데 지출한 비용 : 1만 2천 원+9천 원=2만 1천 원
⑤ 식비에서 과일과 육류를 구입하는데 지출한 금액 : 1만 2천 원+1만 5천 원=2만 7천원
   식비에서 채소 구입에 지출한 금액 : 1만 8천 원

36 철수의 2월 생활비가 35만 원이었고 각 항목별 생활비의 비율이 3월과 같았다면 3월에 지출한 교통비는 2월에 비해 얼마나 증가하였는가?

① 17,500원   ② 19,000원
③ 20,500원   ④ 22,000원
⑤ 23,500원

 2월 생활비 35만원의 항목별 금액은 다음과 같다.

구분	학원비	식비	교통비	기타
비율(%)	35	15	35	15
금액(만 원)	12.25	5.25	12.25	5.25

따라서 3월에 교통비가 14만 원이므로 2월에 비해 17,500원 증가하였다.

37 다음은 2015년 국가별 수출입 실적표이다. 표에 대한 설명 중 옳지 않은 것은?

(단위 : 백만 달러)

국가	수출건수	수출금액	수입건수	수입금액	무역수지
브라질	485,549	9,685,217	68,524	4,685,679	4,999,538
중국	695,541	26,574,985	584,963	14,268,957	12,306,028
인도	74,218	6,329,624	19,689	967,652	5,361,972
그리스	54,958	7,635,148	36,874	9,687,452	−2,052,304

① 2015년 수출금액이 가장 큰 국가는 중국이다.

② 그리스는 위 4개국 중 수출건수가 가장 적다.

③ 브라질과 인도의 무역수지를 더한 값은 중국의 무역수지 값보다 크다.

④ 브라질과 그리스의 수입금액의 합은 중국의 수입금액보다 크다.

⑤ 위 4개국 중 무역수지 적자를 기록한 국가는 그리스다.

③ 브라질과 인도의 무역수지를 더한 값은 중국의 무역수지 값보다 작다.
① 중국이 26,574,985로 수출금액이 가장 크다.
② 그리스는 54,958로 수출건수가 가장 적다.
④ 브라질과 그리스의 수입금액의 합은 14,373,131로 중국의 수입금액보다 104,174 크다.
⑤ 위 4개국 중 유일하게 그리스만 무역수지 적자를 기록하고 있다.

|38~39| 다음 자료는 예능프로 'K-POP 가수 왕'에 참가한 5명의 가수의 심사결과와 최종점수 계산법이다. 주어진 조건을 적용하여 최종심사 점수를 계산할 때, 물음에 답하시오.

〈자료1〉 'K-POP 가수 왕' 심사결과

구분 \ 가수	갑	을	병	정	무
심사단 점수(점)	78	72	64	81	70
시민평가단 득표수(표)	178	184	143	169	129

※ 현장평가단의 총 인원수는 200명임

〈자료2〉 최종심사 점수 계산법

㉠ 최종심사 점수 = (심사단 최종반영점수) + (시민평가단 최종반영점수)
㉡ 심사단 최종반영점수

순위	1위	2위	3위	4위	5위
최종반영점수(점)	50	45	40	35	30

※ 순위는 심사단 점수가 높은 순서임
㉢ 시민평가단 최종반영점수

득표율	90% 이상	80% 이상 90% 미만	70% 이상 80% 미만	60% 이상 70% 미만	60% 미만
최종반영점수(점)	50	40	30	20	10

※ 득표율(%) = $\dfrac{\text{시민평가단 득표수}}{\text{시민평가단 총 인원수}} \times 100$

38 주어진 자료에 대한 설명으로 옳지 않은 것은?

① 갑이 시민평가단 득표수가 2표 이상 더 받으면 최종심사 점수가 가장 높다.
② 을과 정의 최종심사 점수는 90점으로 동일하다.
③ 심사단 최종반영점수가 가장 높은 사람은 시민평가단 최종반영점수도 가장 높다.
④ 심사단 최종반영점수와 시민평가단 최종반영점수 간의 차이가 가장 큰 가수는 무이다.
⑤ 갑과 정의 시민평가단 최종반영점수는 같다.

가수별 최종심사 점수

구분 \ 가수	갑	을	병	정	무
심사단 최종반영점수	45	40	30	50	35
시민평가단 최종반영점수	40	50	30	40	20
합계	85	90	60	90	55

③ 심사단 최종반영점수가 가장 높은 사람은 '정'이고, 시민평가단 최종반영점수가 가장 높은 사람은 '을'이다.

39 가수들 중 가장 낮은 점수를 받은 사람과 그 점수를 바르게 나열한 것은?

① 병 – 60점   ② 무 – 60점

③ 병 – 55점   ④ 무 – 55점

⑤ 병 – 50점

 가장 낮은 점수를 받은 사람은 55점을 받은 '무'이다.

40 다음은 2009~2012년에 자연과학, 공학, 의학 및 농학 분야에 투자된 국가전체의 총 연구개발비에 대한 자료이다. 표에 관한 설명으로 옳지 않은 것은?

〈표〉 국가별 연구개발비

(단위 : 백만 $)

구분	2009	2010	2011	2012
한국	46,130	52,100	58,380	65,395
미국	406,000	409,599	429,143	453,544
독일	83,134	87,832	96,971	102,238
프랑스	49,944	50,736	53,311	55,352
중국	184,457	213,010	247,808	293,550
영국	39,581	38,144	39,217	39,110

① 영국을 제외한 5개국은 2009년부터 2012년까지 연구개발비가 꾸준히 증가했다.

② 2011년 대비 2012년 연구개발비 증가율이 가장 큰 나라는 중국이다.

③ 2009년 미국의 연구개발비는 나머지 5개국의 연구개발비의 총 합보다 높다.

④ 2012년 각 나라별 인구수 대비 연구개발비 금액이 가장 높은 나라는 미국이다.

⑤ 영국은 2012년에 2009년보다 더 적은 금액의 연구개발비를 투자했다.

 ④ 주어진 자료로는 각 나라별 인구수를 알 수 없다.

| 41~42 | 다음 표는 향기관련 특허출원에 대한 국적별 동향을 보여주는 자료이다. 물음에 답하시오.

〈표 1〉 전체 향기관련 특허출원 동향

(단위 : 건)

국적 \ 연도	1989 ~2000	2001 ~2005	2006	2007	2008	2009	2010	2011	2012	합계
내국인	11	23	8	12	35	46	59	60	49	303
외국인	22	34	7	14	24	36	32	34	47	250

〈표 2〉 기술별 향기관련 특허출원 동향

(단위 : 건)

기술 \ 국적	연도	1989 ~2000	2001 ~2005	2006	2007	2008	2009	2010	2011	2012	합계
향기 물질	내국인	2	6	3	2	4	4	2	3	2	28
	외국인	13	17	3	2	3	3	7	2	2	52
	소 계	15	23	6	4	7	7	9	5	4	80
향기 지속 기술	내국인	2	8	4	6	8	13	15	23	18	97
	외국인	3	9	2	2	4	14	9	10	13	66
	소 계	5	17	6	8	12	27	24	33	31	163
응용 제품	내국인	2	8	1	3	21	29	39	32	27	162
	외국인	5	5	2	9	17	18	13	21	30	120
	소 계	7	13	3	12	38	47	52	53	57	282
기타	내국인	5	1	0	1	2	0	3	2	2	16
	외국인	1	3	0	1	0	1	3	1	2	12
	소 계	6	4	0	2	2	1	6	3	4	28

〈표 3〉 향기지속기술 특허출원 동향

(단위 : 건)

구분	방향제코팅기술	분산기술	제조공정	기타	합계
내국인	37	15	10	35	97
외국인	22	14	14	16	66

41 다음 설명 중 옳은 것을 모두 고른 것은?

> ㉠ 2008년 이후 전체 향기관련 내국인의 특허출원건수는 외국인의 특허출원건수보다 많다.
> ㉡ 향기지속기술 특허출원에서 방향제코팅기술의 특허출원건수가 전체 향기지속기술 특허출원건수의 35 % 이상을 차지하고 있다.
> ㉢ 2007년 이후 전체 향기관련 특허출원건수가 전년대비 100 % 이상 증가한 적이 있다.
> ㉣ 2007년 이후 향기관련 응용제품의 전년대비 특허출원 건수의 증가율은 2008년에 가장 높다.

① ㉠, ㉢　　　　　　　　　　　② ㉡, ㉣
③ ㉠, ㉡, ㉢　　　　　　　　　④ ㉠, ㉢, ㉣
⑤ ㉡, ㉢, ㉣

 ㉣ 2007년이 전년대비 특허출원 건수의 증가율이 가장 높다.

42 향기지속기술 특허출원 동향에서 외국인의 분산기술 특허출원은 외국인의 특허출원 총건수의 얼마를 차지하는가? (단 소수점 둘째자리에서 반올림한다)

① 19.8%　　　　　　　　　　　② 20.1%
③ 20.8%　　　　　　　　　　　④ 21.2%
⑤ 22.7%

 $\dfrac{14}{66} \times 100 = 21.2121 \cdots$

43 다음은 11개 전통건축물의 공포양식과 주요 구조물의 치수에 대한 조사 자료이다. 이에 대한 설명 중 옳은 것은?

(단위 : 척)

명칭	현 소재지	공포양식	기둥 지름	처마서까래 지름	부연	
					폭	높이
숭례문	서울	다포	1.80	0.60	0.40	0.50
관덕정	제주	익공	1.50	0.50	0.25	0.30
봉정사 화엄강당	경북	주심포	1.50	0.55	0.40	0.50
문묘 대성전	서울	다포	1.75	0.55	0.35	0.45
창덕궁 인정전	서울	다포	2.00	0.70	0.40	0.60
남원 광한루	전북	익공	1.40	0.60	0.55	0.55
화엄사 각황전	전남	다포	1.82	0.70	0.50	0.60
창의문	서울	익공	1.40	0.50	0.30	0.40
장곡사 상대웅전	충남	주심포	1.60	0.60	0.40	0.60
무량사 극락전	충남	다포	2.20	0.80	0.35	0.50
덕수궁 중화전	서울	다포	1.70	0.70	0.40	0.50

① 서울에 있는 건축물은 모두 다포식으로 지어졌다.

② 11개 건축물의 최대 기둥 지름은 2.00척이다.

③ 11개 건축물의 부연은 높이가 폭보다 크다.

④ 각 건축물의 기둥지름 대비 처마서까래지름 비율은 0.50을 넘지 않는다.

⑤ 서울을 제외한 다른 지역의 건축물은 하나씩만 조사되었다.

 ① 창의문은 익공식으로 지어졌다.
② 11개 건축물의 기둥 지름이 가장 큰 건축물은 무량사 극락전으로 2.20척이다.
③ 남원 광한루는 부연의 높이와 폭이 같다.
⑤ 충남의 건축물은 장곡사 상대웅전, 무량사 극락전 두 곳이 조사되었다.

▌44~45▐ 다음 표는 정책대상자 294명과 전문가 33명을 대상으로 정책과제에 대한 정책만족도를 조사한 자료이다. 물음에 답하시오.

〈표 1〉 정책대상자의 항목별 정책만족도

(단위 : %)

만족도 / 항목	매우 만족	약간 만족	보통	약간 불만족	매우 불만족
의견수렴도	4.8	28.2	34.0	26.9	6.1
적절성	7.8	44.9	26.9	17.3	3.1
효과성	6.5	31.6	32.7	24.1	5.1
체감만족도	3.1	27.9	37.4	26.5	5.1

〈표 2〉 전문가의 항목별 정책만족도

(단위 : %)

만족도 / 항목	매우 만족	약간 만족	보통	약간 불만족	매우 불만족
의견수렴도	3.0	24.2	30.3	36.4	6.1
적절성	3.0	60.6	21.2	15.2	–
효과성	3.0	30.3	30.3	36.4	–
체감만족도	–	30.3	33.3	33.3	3.0

* 만족비율 = '매우 만족' 비율 + '약간 만족' 비율

* 불만족비율 = '매우 불만족' 비율 + '약간 불만족' 비율

Answer♪→ 43.④

44 정책대상자 중 의견수렴도 항목에 만족하는 사람의 비율은 몇 명인가? (단, 소수점 첫째자리에서 반올림한다)

① 97명   ② 99명
③ 100명   ④ 102명
⑤ 103명

 매우 만족하는 사람 : 294 × 0.048 = 14.112 → 14명
약간 만족하는 사람 : 294 × 0.282 = 82.908 → 83명

45 다음 중 위의 자료에 근거한 설명으로 옳은 것은?

① 정책대상자의 정책만족도를 조사한 결과, 만족비율은 불만족 비율보다 약간 낮은 수준이다.
② 효과성 항목에서 '약간 불만족'으로 응답한 전문가 수는 '매우 불만족'으로 응답한 정책대상자 수보다 많다.
③ 체감만족도 항목에서 만족비율은 정책대상자가 전문가보다 낮다.
④ 의견수렴도 항목에서 만족비율은 전문가가 정책대상자보다 높다.
⑤ 적절성 항목이 타 항목에 비해 만족비율이 높다.

 ① 각 항목별로 모두 결과가 다르기 때문에 단언할 수 없다.
② 효과성 항목에서 '약간 불만족'으로 응답한 전문가 수는 '매우 불만족'으로 응답한 정책대상자 수보다 적다.
③ 체감만족도 항목에서 만족비율은 정책대상자가 31%, 전문가가 30.3%로 정책대상자가 전문가보다 높다.
④ 의견수렴도 항목에서 만족비율은 전문가 27.2%, 정책대상자가 33%로 전문가가 정책대상자보다 낮다.

│46~47│ 다음은 A 화학섬유 기업의 매출액 및 이익을 나타낸 자료이다. 물음에 답하시오.

〈표1〉 2011~2012년 매출액 및 이익

(단위 : 억 원)

	매출액	영업이익	순이익
2011년	8,999	226	−409
2012년	9,424	26	−269

〈표2〉 매출비중

(2012년, 1H기준, 단위 : %)

46 2011년에서 2012년 사이 A 기업의 매출액은 대략 몇 % 증가하였는가?

① 약 5%   ② 약 6%

③ 약 7%   ④ 약 8%

⑤ 약 9%

 $\dfrac{9,424-8,999}{8,999} \times 100 ≒ 4.72\%$

47 2012년 A 기업의 폴리에스터 섬유의 매출액은 얼마인가?

① 2,356억 원   ② 2,344억 원

③ 2,435억 원   ④ 2,546억 원

⑤ 2,654억 원

 $9,424 \times 0.25 = 2,356$(억 원)

Answer ↪ 44.① 45.⑤ 46.① 47.①

| 48~50 | 다음은 2012년 어느 도시의 산업분류별 사업체수 및 종사자수에 대한 자료이다. 물음에 답하시오.

산업분류	사업체수	총 종사자수	총 종사자수(남)	총 종사자수(여)
도매 및 소매업	108,410	643,931	376,444	267,487
숙박 및 음식점업	69,639	350,526	142,780	207,746
제조업	33,571	252,213	148,738	103,475
협회 및 단체, 수리 및 기타 개인서비스업	30,740	151,038	80,785	70,253
전문, 과학 및 기술서비스업	26,730	389,323	260,760	128,563
보건업 및 사회복지서비스업	23,308	257,362	59,723	197,639
교육서비스업	18,139	213,582	96,192	117,390
부동산업 및 임대업	16,558	118,602	81,894	36,708
출판, 영상, 방송통신 및 정보서비스업	15,795	296,134	207,691	88,443
기타	50,968	1,146,077	745,677	400,400

〈표〉 산업분류별 사업체수 및 종사자수

48 다음 중 한 사업체당 평균 종사자수가 가장 많은 산업분류는 무엇인가?

① 제조업

② 전문, 과학 및 기술서비스업

③ 교육서비스업

④ 부동산업 및 임대업

⑤ 출판, 영상, 방송통신 및 정보서비스업

① $\frac{252,213}{33,571} \fallingdotseq 7.51$(명)

② $\frac{389,323}{26,730} \fallingdotseq 14.57$(명)

③ $\frac{213,582}{18,139} \fallingdotseq 11.77$(명)

④ $\frac{118,602}{16,558} \fallingdotseq 7.16$(명)

⑤ $\frac{296,134}{15,795} \fallingdotseq 18.75$(명)

49 다음 중 남자 종사자수 대비 여자 종사자수의 비율이 가장 높은 산업분류는 무엇인가?

① 도매 및 소매업
② 제조업
③ 협회 및 단체, 수리 및 기타 개인서비스업
④ 전문, 과학 및 기술서비스업
⑤ 출판, 영상, 방송통신 및 정보서비스업

① $\frac{267,487}{376,444} ≒ 0.71$

② $\frac{103,475}{148,738} ≒ 0.70$

③ $\frac{70,253}{80,785} ≒ 0.87$

④ $\frac{128,563}{260,760} ≒ 0.49$

⑤ $\frac{88,443}{207,691} ≒ 0.43$

50 다음 중 총 종사자수 중 남자가 차지하는 비중이 가장 높은 산업분류는 무엇인가?

① 숙박 및 음식점업
② 보건업 및 사회복지서비스업
③ 교육서비스업
④ 부동산업 및 임대업
⑤ 기타

① $\frac{142,780}{350,526} ≒ 0.41$

② $\frac{59,723}{257,362} ≒ 0.23$

③ $\frac{96,192}{213,582} ≒ 0.45$

④ $\frac{81,894}{118,602} ≒ 0.69$

⑤ $\frac{745,677}{1,146,077} ≒ 0.65$

Answer ➡ 48.⑤ 49.③ 50.④

03 인지역량 – 언어

※ SK그룹 홈페이지에서 공개한 샘플문항입니다. 인지역량 – 언어는 언어로 구성된 다양한 자료를 활용하여, 자료의 의미를 해석하고 파악해 내는 능력을 측정합니다.

Q 다음 중 아래 글을 읽고 글로벌 기업의 성공적 대응 유형에 해당하지 않는 것을 고르면?

> 전 세계적으로 저성장이 장기화되고 있고, 낮은 가격을 무기로 개발도상국 업체들이 추격해 오고 있다. 이와 같이 가격 경쟁이 치열해 지는 상황에서 글로벌 기업들이 성공적으로 대응하는 유형은 크게 5가지로 구분할 수 있다.
>
> 첫 번째로 차별화 전략을 들 수 있다. 디자인, 성능, 브랜드 및 사용 경험 등을 차별화하는 방법이다.
>
> 두 번째로 저가로 맞대응하는 유형이다. 전체적인 구조조정을 통한 원가 혁신으로 상대 기업에 비해서 가격 경쟁력을 확보하는 전략이다.
>
> 세 번째로 차별화와 원가 혁신의 병행 전략을 선택하는 경우이다. IT 기술의 발달로 제품 및 서비스의 비교가 쉬워지면서 제품 차별화 혹은 원가 혁신과 같은 단일 전략보다는 차별화와 원가 혁신을 동시에 추구하는 전략이 큰 호응을 얻고 있다.
>
> 네 번째는 경쟁의 축을 바꿈으로써 시장을 선도하는 경우이다. 이는 시장에 새로운 게임의 룰을 만들어서 경쟁에서 벗어나는 방법이다.
>
> 마지막으로 제품만 팔다가 경쟁의 범위를 솔루션 영역으로 확장하면서 경쟁력을 높이는 경우이다.

① A식품은 캡슐 커피라는 신제품을 통해 새로운 커피 시장을 창출할 수 있었다.
② B항공사는 필수 서비스만 남기는 파격적 혁신으로 우수한 영업 실적을 기록했다.
③ C사는 시계를 기능성 제품보다 패션 아이템으로 인식되도록 하는 전략을 구사했다.
④ D사는 최근 IT 기기 판매 대신 기업들의 IT 서비스 및 컨설팅을 주력으로 하고 있다.
⑤ E사는 신제품 홍보에 온라인과 오프라인을 골고루 활용하여 고객의 주목을 받고 있다.

① 캡슐 커피라는 신제품을 통해 경쟁의 축을 바꿈으로써 시장을 선도하였다.
② 전체적인 구조조정을 통한 원가 혁신을 단행했다.
③ 시계를 패션 아이템으로 차별화하였다.
④ 경쟁의 범위를 솔루션 영역으로 확장하였다.

답 ⑤

1 다음 글에 대한 평가로 가장 적절한 것은?

> 요즘에는 낯선 곳을 찾아갈 때, 지도를 해석하며 어렵게 길을 찾지 않아도 된다. 기술력의 발달에 따라, 제공되는 공간 정보를 바탕으로 최적의 경로를 탐색할 수 있게 되었기 때문이다. 이는 어떤 곳의 위치 좌표나 지리적 형상에 대한 정보뿐만 아니라 시간에 따른 공간의 변화를 포함한 공간 정보를 이용할 수 있게 되면서 가능해진 것이다. 이처럼, 공간 정보가 시간에 따른 변화를 반영할 수 있게 된 것은 정보를 수집하고 분석하는 정보 통신 기술의 발전과 밀접한 관련이 있다.
>
> 공간 정보의 활용은 '위치정보시스템(GPS)'과 '지리정보시스템(GIS)' 등의 기술적 발전과 휴대 전화나 태블릿 PC 등 정보 통신 기기의 보급을 기반으로 한다. 위치정보시스템은 공간에 대한 정보를 수집하고 지리정보시스템은 정보를 저장, 분류, 분석한다. 이렇게 분석된 정보는 사용자의 요구에 따라 휴대 전화나 태블릿 PC 등을 통해 최적화되어 전달된다.
>
> 길 찾기를 예로 들어 이 과정을 살펴보자. 휴대 전화 애플리케이션을 이용해 사용자가 가려는 목적지를 입력하고 이동 수단으로 버스를 선택하였다면, 우선 사용자의 현재 위치가 위치정보시스템에 의해 실시간으로 수집된다. 그리고 목적지와 이동 수단 등 사용자의 요구와 실시간으로 수집된 정보에 따라 지리정보시스템은 탑승할 버스 정류장의 위치, 다양한 버스 노선, 최단 시간 등을 분석하여 제공한다. 더 나아가 교통 정체와 같은 돌발 상황과 목적지에 이르는 경로의 주변 정보까지 분석하여 제공한다.
>
> 공간 정보의 활용 범위는 계속 확대되고 있다. 예를 들어, 여행지와 관련한 공간 정보는 여행자의 요구와 선호에 따라 선별적으로 분석되어 활용된다. 나아가 유동 인구를 고려한 상권 분석과 교통의 흐름을 고려한 도시 계획 수립에도 공간 정보 활용이 가능하게 되었다. 획기적으로 발전되고 있는 첨단 기술이 적용된 공간 정보가 국가 차원의 자연재해 예측 시스템에도 활발히 활용된다면 한층 정밀한 재해 예방 및 대비가 가능해질 것이다. 이로 인해 우리의 삶도 더 편리하고 안전해질 것으로 기대된다.

① 공간 정보 활용 범위의 확대 사례를 제시하여 내용을 타당성 있게 뒷받침하고 있다.

② 전문 기관의 자료를 바탕으로 공간 정보 활용에 대한 믿을 만한 근거를 제시하고 있다.

③ 위치 정보에 접근하는 방식의 차이점을 지역별로 비교하여 균형 있는 주장을 하고 있다.

④ 구체적 수치 자료를 근거로 하여 공간 정보 활용 비율을 신뢰성 있게 제시하고 있다.

⑤ 설문 조사 결과를 활용하여 공간 정보의 영향력에 대해 타당성 있는 주장을 하고 있다.

> **(Tip)** 마지막 문단에서 공간 정보 활용 범위의 확대 사례 사례로 여행지와 관련한 공간 정보 활용과 도시 계획 수립을 위한 공간 정보 활용, 자연재해 예측 시스템에서의 공간 정보 활용 등을 제시하여 내용을 타당성 있게 뒷받침하고 있다.

Answer ☞ 1.①

2 다음 글에서 **언급하지 않은 내용은?**

> 독일의 학자 아스만(Asmann. A)은 장소가 기억의 주체, 기억의 버팀목이 될 수도 있고, 인간의 기억을 초월하는 의미를 제공할 수도 있다고 하였다. 그렇다면 하루가 다르게 변해 가는 오늘날의 삶에서 장소에 대한 기억이 우리에게 주는 의미는 무엇인가?
>
> 장소에 대한 기억에 대해 사람들은 다소 애매하면서도 암시적인 표현을 사용한다. 이는 사람들이 장소를 기억하는 것인지, 아니면 장소에 대한 기억, 곧 어떤 장소에 자리하고 있는 기억을 말하는 것인지 분명하지 않기 때문이다. 이에 대해 아스만은 전자를 '기억의 장소', 후자를 '장소의 기억'으로 구분한다. 그녀의 구분에 의하면 기억의 장소는 동일한 내용을 불러일으키는 것을 목적으로 하는 장소로, 내용을 체계적으로 저장하고 인출하기 위한 암기의 수단으로 쓰인다. 이와 달리 장소의 기억은 특정 장소와 결부되어 있는 기억이다. 사람들은 그들의 관점과 시각, 욕구에 따라 과거를 현재화하며, 기억하는 사람에 따라 다르게 장소의 기억을 형성한다.
>
> 오늘날의 사회에서는 시대의 변화로 인해 기억의 장소에서 시선을 옮겨 장소의 기억에 주목하고 있다. 기억의 장소의 경우, 넘쳐 나게 된 정보와 지식들로 인해 암기 차원의 기억은 정보 기술 분야에서 다룰 수 있으므로 그 기능을 잃게 되었다.
>
> 한편, 현대인의 삶이 파편화되고 공유된 장소가 개별화되면서 공동체가 공유하고 있는 정체성까지도 단절되고 있다. 마치 오랜 세월 동안 사람들의 일상 속에서 과거의 기억과 삶의 정취를 고스란히 담아 온 골목이 단순한 통로, 주차장, 혹은 사적 소유지로 변해 버린 것과 같다. 이러한 단절을 극복하고 공동의 정체성을 회복할 수 있는 방안으로 중요하게 기능하는 것이 장소의 기억이다. 장소의 기억은 특정 장소에 대하여 각자의 기억들을 공유한다. 그리고 여러 시대에 걸쳐 공유해 온 장소의 기억은 장소를 매개로 하여 다시 전승되어 가며 공동의 기억과 공동의 정체성을 형성해 나간다. 개별화된 지금의 장소가 다시 공유된 장소로 회복될 때 장소의 기억이 공유될 수 있다. 또 이를 통해 우리의 파편화된 삶은 다시 그 조각들을 맞추어 나갈 수 있게 될 것이다. 장소의 공유 안에서 단절되었던 공동체적 정체성도 전승되어 가는 것이다.
>
> 장소는 오래 전의 기억을 현재 시점으로 불러올 수 있는 중요한 수단이다. 이제는 시간의 흔적이 겹겹이 쌓인 장소의 기억에서 과거와의 유대를 활성화해 나갈 시점이다.

① '기억의 장소'의 특징　　　　② '기억의 장소'의 구체적 사례
③ '장소의 기억'의 형성 과정　　④ '장소의 기억'의 현대적 가치
⑤ '기억의 장소'와 '장소의 기억'의 차이점

'기억의 장소'의 구체적 사례에 대해서는 언급되지 않았다.
①③⑤ 두 번째 문단에서 언급하였다.
④ 네 번째 문단에서 언급하였다.

3 다음 강연자의 의도로 가장 적절한 것은?

> '공감뉴런'에 대해 들어 보셨습니까? 최근 뇌과학 분야의 한 연구팀이 '거울신경세포'를 발견하여 학계에 큰 충격을 주었는데요. '공감뉴런'이라고도 불리는 이 '거울신경세포'는 상대방의 생각이나 행동을 마치 자신의 것인 양 이해할 수 있도록 돕습니다. 이 세포의 발견은 인간이 근본적으로 공감하는 능력을 지닌 존재라는 것을 보여 줍니다.
>
> 이때의 공감은 단순히 '나는 너의 고통을 이해한다.'는 개념적 추리가 아니라 직접적인 시뮬레이션을 통해 느낌으로 이해하는 것을 말합니다. 예를 들어, 무릎에 상처가 나 울고 있는 아이의 사진을 보고 있다고 가정해 볼까요? 관찰자는 자신이 다친 것이 아닌데도 마치 자신이 그 따갑고 쓰라린 고통을 느끼는 것처럼 얼굴 표정을 찡그리거나 불편한 기분을 느낍니다. 이는 뇌의 '공감뉴런'이 아이가 받았을 신체적 고통을 시뮬레이션하기 때문입니다. 관찰자는 아이가 느끼는 것을 거울처럼 그대로 느껴 그 기분을 알 수 있게 됩니다.
>
> 공감능력은 감수성이 예민하고 동정심이 많은 일부 사람들에게 국한된 것이 아닙니다. 우리 모두에게 내재된 능력입니다. 사회에 적응하기 위해 필요하니까 어쩔 수 없이 공감해야 한다는 태도가 아니라 공감능력을 타고난 존재로 자신을 새롭게 인식할 필요가 있습니다.

① 공감능력을 인간의 본성으로 인식할 필요가 있다.
② 공감능력을 학습하기 위해서 개념적 추리가 필요하다.
③ 뇌과학 분야의 새로운 발견은 사실로 검증될 필요가 있다.
④ 자신의 고통보다 타인의 고통을 더 감각적으로 느껴야 한다.
⑤ 사회 적응에 적응하기 위해서는 직접적인 시뮬레이션 이 필요하다.

 제시된 강연문은 공감능력에 대해 예를 들어 설명하며, 우리 모두는 공감능력을 타고난 존재임을 새롭게 인식할 필요가 있다고 언급하고 있다.

Answer↱ 2.② 3.①

4 다음 글에서 글쓴이가 제시한 근거로 적절하지 않은 것은?

아프리카 중부에서는 콜탄(coltan)이라는 광물이 많이 생산된다. 콜탄을 정련하면 나오는 금속 분말 '탄탈룸'은 휴대전화를 만들 때 없어서는 안 되는 중요한 소재이다. 콜탄은 휴대전화 외에 노트북과 제트 엔진, 광섬유 등의 원료로도 널리 쓰이면서 귀하신 몸이 되었다. 전 세계 첨단 기기 시장에서 탄탈룸의 수요가 급증했고, 불과 몇 달 사이에 콜탄 가격이 20배나 폭등하는 일이 벌어지기도 했다.

그런데 불행하게도 콜탄이 많이 생산되는 지역은 지금 전쟁 중이다. 전쟁을 벌이는 반정부군은 콜탄을 암시장에 팔아서 전쟁 자금을 마련한다. 값비싼 콜탄 덕에 전쟁 자금이 넉넉하다 보니 내전은 쉽게 끝나지 않고, 이 과정에서 많은 사람이 다치거나 죽어 가고 있다.

광산에서 일하는 인부들도 착취당하고 있다. 이들에게 주어지는 장비는 삽 한 자루뿐이다. 그 밖에 사고를 예방할 아무런 장비도 갖추어져 있지 않다. 갱도 붕괴 사고가 자주 일어나는데, 인부 백여 명이 한꺼번에 사망한 적도 있다. 그런데도 콜탄 가격이 수십 배나 뛰는 것을 목격한 농부들은 농사짓던 땅을 버리고 일확천금을 꿈꾸며 광산으로 모여든다. 하지만 아무리 뼈 빠지게 일해도 그들에게 돌아가는 몫은 쥐꼬리만 한 일당뿐이다. 힘 있는 중개상들이 막대한 이윤을 가로채고 있기 때문이다.

콜탄은 세계 문화유산 가운데 하나인 '카후지-비에가(Kahuzi-Biega) 국립공원'도 파괴하고 있다. 광부들은 에코 나무의 껍질을 벗기고 줄기에 홈통을 만든 뒤, 이것을 이용하여 진흙에서 콜탄을 골라내고 있다. 휴화산 두 개로 둘러싸여 장관을 이루던 공원의 숲은 이 작업 때문에 황폐해졌다.

카후지-비에가 국립공원은 지구상에 남아 있는 고릴라의 마지막 서식지이다. 고릴라는 전 세계에서 심각한 멸종 위기를 맞고 있는 동물이다. 그런데 이곳에 엄청난 양의 콜탄이 묻혀 있다는 소식을 듣고 몰려든 수만 명의 사람들은 먹을 것을 구하기 위해 산속에 있는 야생 동물들을 마구잡이로 사냥해 버렸다. 그나마 얼마 남지 않은 고릴라들은 사람을 피해 도망다니는 처량한 신세가 되고 말았다.

지금 당신이 쓰고 있는 휴대전화는 몇 살이나 되었는가? 아직 멀쩡한 휴대전화를 놔두고 사람들이 최신형 휴대전화를 기웃거리는 동안, 아프리카에서는 고릴라가 보금자리를 잃고, 순박한 원주민들은 계속되는 전쟁으로 목숨을 위협받고 있다. 우리가 휴대전화를 오랫동안 소중하게 사용하는 일은 단지 통신비를 아끼고 물자를 절약하는 차원에서 그치는 일이 아니다. 지구 반대편에서 살아가는 고릴라와 원주민의 소중한 생명을 보호하는 거룩한 일이다. 나아가 지구촌에 평화가 찾아들게 하는 위대한 일이기도 하다.

① 콜탄 때문에 아프리카 중부 지역의 내전이 쉽게 끝나지 않고 있다.

② 콜탄 때문에 농부들은 농사짓던 땅을 빼앗기고 있다.

③ 광부들이 부당한 대우를 받으며 노동력을 착취당하고 있다.

④ 콜탄으로 인해 '카후지-비에가 국립공원'이 파괴되고 있다.

⑤ 콜탄으로 인해 고릴라는 보금자리를 잃고 있다.

② 세 번째 문단을 보면 콜탄 가격이 수십 배나 뛰는 것을 목격한 농부들은 농사짓던 땅을 버리고 일확천금을 꿈꾸며 광산으로 모여든다고 언급하고 있다. 즉, 농부들은 농사짓던 땅을 빼앗기는 것이 아니라 스스로 땅을 버리고 광산으로 떠난 것이다.

5 다음 글에서 답을 확인하기 어려운 질문은?

> 전 지구적인 해수의 연직 순환은 해수의 밀도 차이에 의해 발생한다. 바닷물은 온도가 낮고 염분 농도가 높아질수록 밀도가 높아져 아래로 가라앉는다. 이 때문에 북대서양의 차갑고 염분 농도가 높은 바닷물은 심층수를 이루며 적도로 천천히 이동한다.
>
> 그런데 지구 온난화로 인해 북반구의 고위도 지역의 강수량이 증가하고 극지방의 빙하가 녹은 물이 대량으로 바다에 유입되면 어떻게 될까? 북대서양의 염분 농도가 감소하여 바닷물이 가라앉지 못하는 일이 벌어질 수 있다. 과학자들은 컴퓨터 시뮬레이션을 통해 차가운 북대서양 바닷물에 빙하가 녹은 물이 초당 십만 톤 이상 들어오면 전 지구적인 해수의 연직 순환이 느려져 지구의 기후가 변화한다는 사실을 알아냈다.
>
> 더 나아가 과학자들은 유공충 화석을 통해서 이러한 시뮬레이션 결과를 입증하는 실제 증거를 찾을 수 있었다. 바다 퇴적물에는 유공충 화석이 들어 있는데, 이 화석의 껍질에는 유공충이 살았던 당시 바닷물의 상태를 보여 주는 물질이 포함되어 있다. 이를 분석해 보면 과거에 북대서양의 바닷물이 얼마나 깊이 가라앉았는지, 얼마나 멀리 퍼져 나갔는지를 알 수 있다. 이로써 과학자들은 그동안 전 지구적인 해수의 연직 순환이 느려지거나 빨라지는 일이 여러 차례 일어났다는 것을 알아냈다. 또 신드리아스 기(약 13,000년 전에 있었던 혹한기)의 원인이 전 지구적인 해수의 연직 순환 이상이었음을 알아냈다.
>
> 우려할 만한 일은 최근 수십 년 동안 지구 온난화로 인해 북대서양 극지방 바닷물의 염분 농도가 낮아지고 있다는 것이다. 특히 지난 10년 동안 염분 농도가 많이 낮아졌다고 한다.

① 지구 온난화가 발생하는 원인은?

② 유공충의 화석을 탐구한 이유는?

③ 신드리아스 기가 생기게 된 원인은?

④ 바닷물의 밀도에 영향을 주는 것은?

⑤ 북대서양 극지방 바닷물의 염분 농도의 추이는?

 제시된 글에서 지구 온난화가 발생하는 원인에 대한 답은 확인할 수 없다.

② 과학자들은 유공충 화석을 통해서 차가운 북대서양 바닷물에 빙하가 녹은 물이 초당 십만 톤 이상 들어오면 전 지구적인 해수의 연직 순환이 느려져 지구의 기후가 변화한다는 컴퓨터 시뮬레이션 결과를 입증하는 실제 증거를 찾을 수 있었다.

③ 신드리아스 기의 원인은 전 지구적인 해수의 연직 순환 이상이었다.

④ 지구 온난화로 인해 북반구의 고위도 지역의 강수량이 증가하고 극지방의 빙하가 녹은 물이 대량으로 바다에 유입되면 바닷물의 밀도에 영향을 준다.

⑤ 지난 10년 동안 염분 농도가 많이 낮아졌다.

Answer ➜ 4.② 5.①

6 다음 글에 대한 이해로 적절하지 않은 것은?

> 유전자 변형 농작물에 대한 서로 다른 입장이 있다. 하나는 실질적 동등성을 주장하는 입장이고 다른 하나는 사전 예방 원칙을 주장하는 입장이다.
>
> ㉠ 실질적 동등성의 입장에서는 미세 조작으로 종이나 속이 다른 생물의 유전자를 한 생물에 집어넣어 활동하게 하는 유전자 재조합 방식으로 만들어진 농작물이 기존의 품종 개량 방식인 육종으로 만들어진 농작물과 같다고 본다. 육종은 생물의 암수를 교잡하는 방식으로 품종을 개량하는 것인데, 유전자 재조합은 육종을 단기간에 실시한 것에 불과하다는 것이다. 따라서 육종 농작물이 안전하기 때문에 육종을 단기간에 실시한 유전자 변형 농작물도 안전하며, 그것의 재배와 유통에도 문제가 없다는 것이 그들의 주장이다.
>
> ㉡ 사전 예방 원칙의 입장에서는 유전자 변형 농작물은 유전자 재조합이라는 신기술로 만들어진 완전히 새로운 농작물로 육종 농작물과는 엄연히 다르다고 본다. 육종은 오랜 기간 동안 동종 또는 유사 종 사이의 교배를 통해 이루어지는 데 반해, 유전자 변형은 아주 짧은 기간에 종의 경계를 넘어 유전자를 직접 조작하는 방식으로 이루어지기 때문에 서로 다르다는 것이다. 그리고 안전성에 대한 과학적 증명도 아직 제대로 이루어지지 못했기 때문에 안전성이 증명될 때까지 유전자 변형 농작물의 재배와 유통이 금지되어야 한다고 주장한다.
>
> 유전자 변형 농작물이 인류의 식량 문제를 해결해 줄 수도 있다. 그렇지만 그것의 안전성에 대한 의문이 완전히 해소된 것은 아니다. 따라서 유전자 변형 농작물에 대해 관심을 가지고 보다 현실적인 대비책을 고민해야 한다.

① ㉠과 ㉡은 유전자 변형 농작물의 성격을 두고 상반된 주장을 하고 있군.

② ㉠과 ㉡은 모두 유전자 변형 농작물의 유통을 위해서는 안전성이 확보되어야 한다고 보는군.

③ ㉠은 유전자 변형 농작물과 육종 농작물이 모두 안전하다고 생각하는군.

④ ㉠은 인류의 식량 문제 해결을 위한 유전자 변형 농작물 유통에 찬성하겠군.

⑤ ㉡은 육종 농작물과 유전자 변형 농작물에 유전자 재조합 방식이 적용된다고 주장하고 있군.

 ⑤ ㉡은 육종은 오랜 기간 동안 동종 또는 유사 종 사이의 교배를 통해 이루어지는 데 반해, 유전자 변형은 아주 짧은 기간에 종의 경계를 넘어 유전자를 직접 조작하는 방식으로 이루어지기 때문에 서로 다르다고 주장한다. 즉, 유전자 변형 농작물에만 유전자 재조합 방식이 적용된다고 주장하는 것이다.

7 다음 글에 대한 이해로 가장 적절하지 않은 것은?

> 언젠가부터 사람들은 어느 집단에서 얼굴이 가장 예쁜 사람을 가리켜 '얼짱'이라고 부르고 있다. 그런데 이 '얼짱'은 유행어처럼 보인다. 생긴 지도 그리 오래되지 않았고, 언제 사라질지도 알 수 없다. 게다가 젊은이들 사이에서 주로 쓰일 뿐이다. 그러나 속단은 금물이다. 차근차근 따져 볼 일이다.
>
> 우선 '얼짱'이 일시적 유행어인지 아닌지 주의 깊게 들여다 볼 필요가 있다. '얼짱'은 인터넷을 통해 급속히 퍼진 말이긴 하다. 하지만 보통의 유행어처럼 단기간 내에 사라지지 않았을 뿐 아니라 현재까지도 잦은 빈도로 사용되고 있고 앞으로도 상당 기간 사용될 것으로 예측된다. 한 뉴스 검색 사이트에 따르면 '얼짱'은 2001년에 처음 나타난 이후 2003년 302건, 2004년 1,865건, 2005년 930건의 사용 빈도를 보이고 있다. 이와 같은 사용 빈도는 '얼짱'이 일시적 유행어와는 현저히 다름을 보여 준다.
>
> '얼짱'은 젊은이들이나 쓰는 속어인 데다가 조어 방식에도 문제가 있다고 흠을 잡을지도 모르겠다. '얼짱'이 주로 젊은 층에서 쓰는 속어임에는 틀림없다. 그러나 국어사전에 표준적이고 품위 있는 말만 실어야 한다고 생각한다면 그것은 커다란 오해다. 국어사전에는 속어는 물론, 욕설과 같은 비어나 범죄자들이 쓰는 은어까지도 올라와 있다. 사전은 일정 빈도 이상 나타나는 말이라면 무슨 말이든 다 수용할 수 있다.
>
> 다만 '얼짱'의 조어 방식에 문제가 있다는 지적은 음미해 볼 만하다. 이것은 '축구 협회'가 '축협'이 될 수 있는 것과 확연히 대비된다. 한자어는 음절 하나하나가 모두 형태소의 지위를 가지므로 '축구'와 '협회'에서 '축'과 '협'을 각각 떼어 내도 핵심 의미가 훼손되지 않지만, 고유어 '얼굴'은 더 쪼갤 수 없는 하나의 형태소이어서 '얼'만으로는 아무 의미를 가질 수 없다. 따라서 '얼짱'은 전통적 조어 규칙에서 벗어난 말이라 할 수 있다. 이런 일탈 현상은 원칙적으로 바람직하지 않다.
>
> 그럼에도 '얼짱'이 언어 현실로 자리 잡은 엄연한 사실을 무시해 버릴 수는 없다. 이를 무시하고 조어 규칙 위반을 이유로 '얼짱'을 사전에서 내몬다면, 한 시대를 풍미한 중요 단어를 한국어 어휘에서 지우는 우(愚)를 범하게 될 것이다. 사전에 이 말을 잘 갈무리해 두면 먼 훗날 우리 후손들은 '얼짱'이라는 말 속에서 그 표면적 의미 외에도 한국 사회에 만연했던 외모 지상주의도 함께 읽어 낼 터이다.

① '얼짱'은 젊은이들 사이에서 주로 쓰인다.
② '얼짱'은 인터넷을 통해 급속히 퍼진 말이다.
③ '얼짱'은 표준적이고 품위 있는 말이다.
④ '얼짱'은 국어의 전통적 조어 규칙에 어긋난다.
⑤ '얼짱'은 당대의 사회 현실을 반영하고 있다.

Tip ③ 세 번째 문단에서 '얼짱'은 주로 젊은 층에서 쓰는 속어임에는 틀림없다고 언급하고 있다.

Answer ↪ 6.⑤ 7.③

8 다음 글의 내용과 일치하지 않는 것은?

> 미국 코넬 대학교 심리학과 연구 팀은 1992년 하계 올림픽 중계권을 가졌던 엔비시 (NBC)의 올림픽 중계 자료를 면밀히 분석했는데, 메달 수상자들이 경기 종료 순간에 어떤 표정을 짓는지 감정을 분석하는 연구였다.
>
> 연구 팀은 실험 관찰자들에게 23명의 은메달 수상자와 18명의 동메달 수상자의 얼굴 표정을 보고 경기가 끝나는 순간에 이들의 감정이 '비통'에 가까운지 '환희'에 가까운지 10점 만점으로 평정하게 했다. 또한 경기가 끝난 후, 시상식에서 선수들이 보이는 감정을 동일한 방법으로 평정하게 했다. 시상식에서 보이는 감정을 평정하기 위해 은메달 수상자 20명과 동메달 수상자 15명의 시상식 장면을 분석하게 했다.
>
> 분석 결과, 경기가 종료되고 메달 색깔이 결정되는 순간 동메달 수상자의 행복 점수는 10점 만점에 7.1로 나타났다. 비통보다는 환희에 더 가까운 점수였다. 그러나 은메달 수상자의 행복 점수는 고작 4.8로 평정되었다. 환희와 거리가 먼 감정 표현이었다. 객관적인 성취의 크기로 보자면 은메달 수상자가 동메달 수상자보다 더 큰 성취를 이룬 것이 분명하다. 그러나 은메달 수상자와 동메달 수상자가 주관적으로 경험한 성취의 크기는 이와 반대로 나왔다. 시상식에서도 이들의 감정 표현은 역전되지 않았다. 동메달 수상자의 행복 점수는 5.7이었지만 은메달 수상자는 4.3에 그쳤다.
>
> 왜 은메달 수상자가 3위인 동메달 수상자보다 결과를 더 만족스럽게 느끼지 못하는가? 이는 선수들이 자신이 거둔 객관적인 성취를 가상의 성취와 비교하여 주관적으로 해석했기 때문이다. 은메달 수상자들에게 그 가상의 성취는 당연히 금메달이었다.
>
> 최고 도달점인 금메달과 비교한 은메달의 주관적 성취의 크기는 선수 입장에서는 실망스러운 것이다. 반면 동메달 수상자들이 비교한 가상의 성취는 '노메달'이었다. 까딱 잘못했으면 4위에 그칠 뻔했기 때문에 동메달의 주관적 성취의 가치는 은메달의 행복 점수를 뛰어넘을 수밖에 없다.

① 연구 팀은 선수들의 표정을 통해 감정을 분석하였다.
② 연구 팀은 경기가 끝나는 순간과 시상식에서 선수들이 보이는 감정을 동일한 방법으로 평정하였다.
③ 경기가 끝나는 순간 동메달 수상자는 비통보다는 환희에 더 가까운 행복 점수를 보였다.
④ 동메달 수상자와 은메달 수상자가 주관적으로 경험한 성취의 크기는 동일하게 나타났다.
⑤ 은메달 수상자와 동메달 수상자의 가상의 성취는 달랐다.

④ 세 번째 문단을 보면 객관적인 성취의 크기로 보자면 은메달 수상자가 동메달 수상자보다 더 큰 성취를 이룬 것이 분명하나, 은메달 수상자와 동메달 수상자가 주관적으로 경험한 성취의 크기는 이와 반대로 나왔다고 언급하고 있다. 따라서 주관적으로 경험한 성취의 크기는 동메달 수상자가 은메달 수상자보다 더 큰 것을 알 수 있다.

9 빅데이터에 대한 이해로 적절하지 않은 것은?

> 빅데이터는 그 규모가 매우 큰 데이터를 말하는데, 이는 단순히 데이터의 양이 매우 많다는 것뿐 아니라 데이터의 복잡성이 매우 높다는 의미도 내포되어 있다. 데이터의 복잡성이 높다는 말은 데이터의 구성 항목이 많고 그 항목들의 연결 고리가 함께 수록되어 있다는 것을 의미한다. 데이터의 복잡성이 높으면 다양한 파생 정보를 끌어낼 수 있다. 데이터로부터 정보를 추출할 때에는, 구성 항목을 독립적으로 이용하기도 하고, 두 개 이상의 항목들의 연관성을 이용하기도 한다. 일반적으로 구성 항목이 많은 데이터는 한 번에 얻기 어렵다. 이런 경우에는, 따로 수집되었지만 연결 고리가 있는 여러 종류의 데이터들을 연결하여 사용한다.
>
> 가령 한 집단의 구성원의 몸무게와 키의 데이터가 있다면, 각 항목에 대한 구성원의 평균 몸무게, 평균 키 등의 정보뿐만 아니라 몸무게와 키의 관계를 이용해 평균 비만도 같은 파생 정보도 얻을 수 있다. 이때는 반드시 몸무게와 키의 값이 동일인의 것이어야 하는 연결 고리가 있어야 한다. 여기에다 구성원들의 교통 카드 이용 데이터를 따로 얻을 수 있다면, 이것을 교통 카드의 사용자 정보를 이용해 사용자의 몸무게와 키의 데이터를 연결할 수 있다. 이렇게 연결된 데이터 세트를 통해 비만도와 대중교통의 이용 빈도 간의 파생 정보를 추출할 수 있다. 연결할 수 있는 데이터가 많을수록 얻을 수 있는 파생 정보도 늘어난다.

① 빅데이터 구성 항목을 독립적으로 이용하여 정보를 추출하기도 한다.
② 빅데이터를 구성하는 데이터의 양은 매우 많다.
③ 빅데이터를 구성하는 데이터의 복잡성은 매우 높다.
④ 빅데이터에는 구성 항목들 간의 연결 고리가 함께 포함되어 있다.
⑤ 빅데이터에서는 파생 정보를 얻을 수 없다.

 빅데이터는 데이터의 양이 매우 많을 뿐 아니라 데이터의 복잡성이 매우 높다. 데이터의 복잡성이 높으면 다양한 파생 정보를 끌어낼 수 있다. 즉, 빅데이터에서는 파생 정보를 얻을 수 있다.

10 다음 중 '속물효과'의 사례로 적절한 것은?

사람들은 상호의존적인 성격을 가지고 있어 어떤 사람의 소비가 다른 사람의 소비에 영향을 받는 경우를 종종 볼 수 있다. 예를 들어 친구들이 어떤 게임기를 사자 자신도 그 게임기를 사겠다고 결심하는 경우가 그것이다. 이와 같이 어떤 사람의 소비가 다른 사람의 소비에 의해 영향을 받을 때 '네트워크 효과'가 있다고 말한다. 그 상품을 쓰는 사람들이 일종의 네트워크를 형성해 다른 사람의 소비에 영향을 준다는 뜻에서 이런 이름이 붙었다. 이 네트워크 효과의 대표적인 것으로 '유행효과'와 '속물효과'가 있다.

어떤 사람들이 특정 옷을 입으면 마치 유행처럼 주변 사람들도 이 옷을 따라 입는 경우가 있다. 이처럼 다른 사람의 영향을 받아 상품을 사는 것을 '유행효과'라고 부른다. 유행효과는 일반적으로 특정 상품에 대한 수요가 예측보다 더 늘어나는 현상을 설명해 준다. 예를 들어 옷의 가격이 4만 원일 때 5천 벌의 수요가 있고, 3만 원일 때 6천 벌의 수요가 있다고 하자. 그런데 유행효과가 있으면 늘어난 소비자의 수에 영향을 받아 새로운 소비가 창출되게 된다. 그래서 가격이 3만 원으로 떨어지면 수요가 6천 벌이 되어야 하지만 실제로는 8천 벌로 늘어나게 된다.

반면에, 특정 상품을 다른 사람들이 소비하면 어떤 사람들은 그 상품의 소비를 중단하는 경우가 있다. 자신들만이 그 상품을 소비할 수 있다는 심리적 만족감을 채울 수 없기 때문이다. 이처럼 어떤 상품을 소비하는 사람의 수가 증가함에 따라 그 상품을 사지 않는 것을 '속물효과'라고 부른다. 속물효과는 일반적으로 특정 상품에 대한 수요가 예측과는 달리 줄어드는 현상을 설명해 준다. 예를 들어 옷의 가격이 비싸 많은 사람들이 그 옷을 사지 못하는 상황에서, 가격이 떨어지면 수요가 늘어나야 한다. 그런데 속물효과가 있으면 가격이 떨어져도 소비가 예측보다 적게 늘어난다. 가격이 떨어지면서 소비하는 사람의 수가 늘어남에 따라 이에 심리적 영향을 받은 사람들이 소비를 중단하기 때문이다.

우리는 보통 다른 사람의 영향을 받지 않고 자신의 기호와 소득을 고려하여 합리적으로 소비를 결정한다고 생각한다. 그러나 현실 세계에서는 이런 생각이 빗나갈 때가 많다. 실제로는 어떤 사람의 소비가 다른 사람에 의해 영향을 받을 때가 많기 때문이다. 미국의 하비 라이벤스타인(Harvey Leibenstein)이 이론적인 기초를 세운 네트워크 효과는 이런 실제 경제 현상에 대한 우리의 이해를 돕는다는 점에서 그 의의가 있다.

① 은아는 값을 내린 단골 고급 식당에 손님이 몰리자 다른 고급 식당으로 바꿨다.
② 정현이는 자신이 차고 있던 시계를 디자인이 더 예쁜 다른 시계로 바꿨다.
③ 동원이는 자신이 타고 다니던 자동차보다 성능이 더 좋은 자동차로 바꿨다.
④ 철민이는 주위 친구들이 유명한 운동화를 신자 자신도 그 운동화로 바꿨다.
⑤ 현주는 명품 가방을 애용해왔지만 가격이 저렴한 다른 가방으로 바꿨다.

 ① 속물효과는 특정 상품을 다른 사람들이 소비하면 자신만이 그 상품을 소비할 수 있다는 심리적 만족감을 채울 수 없어 그 소비를 중단하는 경우를 말한다. 이런 관점에서 자신이 다니던 고급 식당이 음식 가격을 내려 손님들이 몰려오자 다른 고급 식당으로 바꾼 것은 속물효과의 사례에 해당한다.

11 다음 글에 대한 이해로 적절하지 않은 것은?

우리나라 식생활에서 특이한 것은 숟가락과 젓가락을 모두 사용한다는 점이다. 오늘날 전 세계에서 맨손으로 음식을 먹는 인구가 약 40%, 나이프와 포크로 먹는 인구가 약 30%, 젓가락을 사용하는 인구가 약 30%라 한다.

그러나 처음에는 어느 민족이나 모두 음식을 손으로 집어 먹었다. 유럽도 마찬가지였다. 동로마 제국의 비잔티움에서 10세기경부터 식탁에 등장한 포크는 16세기에 이탈리아 상류 사회로 전해져 17세기 서유럽의 식생활에 상당한 변화를 일으켰으나, 신분이나 지역에 관계없이 전 유럽에 보편화된 것은 18세기에 이르러서였다. 15세기의 예절서에 음식 먹는 손의 반대편 손으로 코를 풀라고 했던 것이나, 16세기의 사상가 몽테뉴가 너무 급하게 먹다가 종종 손가락을 깨물었다는 기록으로도 당시에 포크가 아니라 손가락을 사용하였음을 알 수 있다.

그러나 동아시아 지역에서는 손으로 음식을 먹는 일이 서양보다 훨씬 일찍 사라졌다. 손 대신에 숟가락을 쓰기 시작했고, 이어서 젓가락을 만들어 숟가락과 함께 썼던 것이다. 그런데 우리나라 고려 후기를 즈음해서 중국과 일본에서는 숟가락을 쓰지 않고 젓가락만 쓰기 시작했다.

우리는 숟가락을 사용하고 있을 뿐 아니라, 지금도 숟가락을 밥상 위에 내려놓는 것으로 식사를 마쳤음을 나타낼 정도로 숟가락은 식사 자체를 의미하였다. 유독 우리나라에서만 숟가락이 사라지지 않은 것은 음식에 물기가 많고 또 언제나 밥상에 오르는 국이 있었기 때문인 듯하다.

우리의 국은 국물을 마시는 것도 있으나 대개는 건더기가 많고 밥을 말아 먹는 국이다. 미역국, 된장국, 해장국 등 거의 모든 국이 그러하다. 찌개류나 '물 만 밥'도 숟가락이 필요한 음식이다. 게다가 고려 후기에는 몽고풍의 요리가 전해져 고기를 물에 넣고 삶아 그 우러난 국물과 고기를 함께 먹는 지금의 설렁탕, 곰탕이 생겨났다. 특히 국밥은 애초부터 밥을 국에 말아 놓은 것인데 이런 식생활 풍습은 전 세계에 유일한 것이라고 한다.

① 설렁탕이나 곰탕은 몽고풍의 요리에서 유래되었다.
② 이탈리아에서 포크를 먼저 사용했던 계층은 상류층이었다.
③ 중국과 일본에서는 숟가락과 젓가락을 모두 사용하던 시기가 있었다.
④ 동아시아 지역에서는 숟가락보다 젓가락을 먼저 사용하기 시작했다.
⑤ 우리나라의 숟가락 사용은 국에 건더기가 많은 것과 밀접한 관련이 있다.

 ④ 세 번째 문단을 보면 동아시아 지역에서는 손 대신에 숟가락을 쓰기 시작했고, 이어서 젓가락을 만들어 숟가락과 함께 썼다고 언급하고 있다. 즉, 젓가락보다 숟가락을 먼저 사용하기 시작하였다.

Answer 10.① 11.④

12 다음 글의 중심 화제로 가장 적절한 것은?

19세기의 역사가 (매콜리)는 역사학이 이성과 상상력이라는 대립되는 두 지도자의 지배를 번갈아가며 받고 있기 때문에 진정 위대한 역사가가 되는 일이야말로 성취하기 어려운 이상이라고 설파(說破)하였다. 매콜리의 이러한 언급은 역사학에 내재하는 문학성과 과학성이 조화를 이루기 어렵다는 것을 시사한다.

과학의 시대였던 17세기의 대표적 사상가 (데카르트)는 역사학에 대해 부정적인 견해를 가지고 있었다. 데카르트의 견해에 따르면, 인간의 기억은 시간이 지날수록 희미해질 수밖에 없으며 역사 서술은 이러한 인간의 기억에 의존하는 것이므로 불확실하다는 것이다. 역사가들 또한 자신의 민족사를 위대하고 영광스러운 것으로 채색하고 과장하려는 속성을 지니고 있으므로 역사 서술의 사실성을 인정할 수 없다는 것이다. 언제 어느 곳에서나 변함이 없는, '명백하고 확실한' 지식을 진리의 기준으로 삼았던 데카르트에게, 특정의 시간과 장소에서 벌어지는 일을 다루는 역사학은 시공(時空)을 초월하는 진리가 될 수 없기 때문에 근거가 의심스러운 학문이었다.

고대 그리스의 위대한 역사가 (헤로도토스)와 (투키디데스)에 대한 후대의 평가가 바뀌게 된 과정은 역사 서술에서의 문학성과 과학성의 대립상을 잘 보여 준다. 헤로도토스는 페르시아 전쟁의 원인과 결과에 대해 설명하면서 신화와 전설 같은 요인을 배제하려고 노력했다. 따라서 사람들은 헤로도토스를 흔히 '역사학의 아버지'라고 일컫는다. 그런 한편 헤로도토스에게는 '거짓말쟁이의 아버지'라는 명예롭지 못한 명칭이 붙기도 했다. 이야기체 역사에 재능을 보였던 그의 글에는 여전히 허무맹랑하게 보이는 기록이 많았기 때문이다. 그런 평가를 내리는 사람들은 투키디데스야말로 '과학적 역사학의 아버지'라는 칭호를 받아 마땅하다고 주장한다. 투키디데스는 인간의 본성과 정확한 사료(史料)를 근거로 펠로폰네소스 전쟁을 분석함으로써 역사에서의 일반적 법칙을 세우려고 하였기 때문이다.

투키디데스의 역사 서술 방식은 곧 전범(典範)이 되어 많은 역사가들이 그를 모방하여 역사를 서술했다. 당시의 역사가들은 이러한 역사 서술을 통해 역사학에 대한 대중의 관심을 고조시킬 수 있으리라 생각했지만, 실제로는 반대의 방향으로 상황이 전개되었다. 전쟁의 복잡하고 미묘한 원인을 분석하고 정확하게 서술하는 일은 당시 일반 대중의 의식과는 유리되었기 때문이다. 오늘날에도 그런 일은 벌어지고 있다. 역사에 대한 대중들의 관심이 고조되어 있는 현실에도 불구하고, 역사학을 전공으로 연구하는 학자들을 제외한 다른 사람들이 그러한 대중들의 관심을 충족시켜 주고 있는 기이한 현상이 나타나고 있는 것이다.

역사의 문학성을 강조하는 사람들은 과학성을 지나치게 강조할 경우 역사학 자체가 '지식을 위한 지식'을 추구하는 학문으로 전락할 우려가 있다고 지적한다. (괴테)는 '나의 행동의 폭을 넓혀 주거나 직접적으로 생기를 불어넣어 주지 못하면서 단지 지식만 전달하는 모든 것'을 증오한다고 말했다. 숨결과 혈기를 지닌 개인들이 역사를 구성하는 최소의 단위라는 부정할 수 없는 사실에 비추어 볼 때, 역사가 우리의 삶 자체를 고양시켜 주기 위해서는 문학적 수사법이 특히 필요하다는 것이다.

① 대중의 역사 인식
② 역사와 문학의 관계
③ 역사학의 두 가지 성격
④ 그리스의 위대한 역사가
⑤ 과학적 역사학의 연구 방법

(Tip) ③ 역사학이 문학성과 과학성의 두 가지 성격을 동시에 지니고 있으며, 이를 잘 조화시켜야 한다고 하였으므로 이 글의 중심 화제는 '역사학의 두 가지 성격'이다.

13 다음 글의 내용과 일치하지 않는 것은?

> 인간의 삶에서 고통의 의미를 찾기 위한 질문은 계속되어 왔다. 이에 대한 철학적 해답으로 대표적인 것이 바로 변신론(辯神論)이다. 변신론이란 무고한 자의 고통이 존재함에도 불구하고 여전히 신이 정의로움을 보여주고자 하는 논리라고 할 수 있다. 이에 따르면 고통은 선을 더 두드러지게 하고 더 큰 선에 기여하므로, 부분으로서의 고통은 전체로서는 선이 된다. 응보론적 관점에서 고통을 죄의 대가로 보거나, 종교적 관점에서 고통이 영혼의 성숙을 위한 시련이라고 보는 설명들도 모두 넓게는 변신론의 일종이라고 할 수 있다.
>
> 레비나스는 20세기까지 사람들을 지배해 온 변신론적 사고가 두 차례의 세계 대전, 아우슈비츠 대학살 등 비극적인 사건들로 인해 경험적으로 이미 그 설득력을 잃었다고 본다. 죄 없는 수백만 명이 학살당하는 처참한 현실 앞에서, 선을 위한다는 논리로 고통을 정당화할 수 있는지 그는 의문을 제기한다. 그가 보기에 고통은 고통 그 자체로는 어떠한 쓸모도 없는 부정적인 것이며 고독한 경험에 불과하다. 이에 레비나스는 고통으로부터 주체의 새로운 가능성을 포착해 낸다. 그에 따르면, 일차적으로 인간은 음식, 공기, 잠, 노동, 이념 등을 즐기고 누리는 즉 '향유'하는 주체이다. 음식을 먹고 음악을 즐길 때 향유의 주체는 아무에게도 의존하지 않고 개별적으로 존재한다. 레비나스는 이 같은 존재의 틀을 어떻게 넘어설 수 있는가에 관심이 있었으며, 개별적 존재의 견고한 옹벽에 틈을 낼 수 있는 가능성을 고통에서 발견한다. 고통 받는 자는 감당할 수 없는 고통으로 인해 자연히 신음하고 울부짖게 되는데, 여기서 타인의 도움에 대한 근원적 요청이 발생한다는 것이다. 이러한 요청에 응답하여 그 사람을 위해 자신의 향유를 포기할 때, 비로소 타인에 대한 관계, 즉 인간 상호 간의 윤리적 전망이 열리게 된다. 이를 통해 인간은 '향유의 주체'를 넘어 타인을 향한 '책임의 주체'로 전환될 수 있다. 고통 받는 자가 '외부의 폭력'에 무력하게 노출된 채 나에게 도덕적 호소력으로 다가오는 윤리적 사건을 레비나스는 '타인의 얼굴'이라고 부른다. '타인의 얼굴'은 존재 자체를 통해 나에게 호소하고 윤리적 의무를 일깨운다. 나는 이러한 의무를 기꺼이 받아들이고, 그를 '환대' 해야 한다. 이때 중요한 것은 타인에 대한 나의 이성적 판단이 아니라 감성이다. 타인의 호소에 직접 노출되어 흔들리고 영향을 받는 것은 감성이라고 보기 때문이다. 바로 이곳이 레비나스의 윤리학이 기존의 이성중심의 윤리학과 구분되는 지점이 된다.

① 변신론에 따르면 고통은 선에 기여한다.

② 레비나스의 윤리학에서는 감성의 역할을 중시한다.

③ 응보론적 관점에서는 고통을 죄의 대가로 이해한다.

④ 레비나스는 개별적인 존재로서 자립할 것을 주장한다.

⑤ 레비나스는 변신론적 사고가 설득력을 잃었다고 본다.

Tip ④ 레비나스는 인간은 개별적으로 존재하지만, 이 같은 존재의 틀을 어떻게 넘어설 수 있는가에 관심이 있다.

Answer ↦ 12.③ 13.④

14 다음 글을 통해 알 수 없는 것은?

> 컴퓨터용 한글 자판에는 세벌식 자판과 두벌식 자판이 있다. 그리고 세벌식 자판이 두벌식 자판에 비해 더 효율적이고 편리하다는 평가가 많다. 그럼에도 불구하고, 새로 컴퓨터를 사용하기 시작하는 사람이 두벌식 자판을 선택하는 이유는 기존의 컴퓨터 사용자의 대다수가 두벌식 자판을 사용하고 있다는 사실이 새로운 사용자에게 영향을 주었기 때문이다. 이렇게 어떤 제품의 사용자 또는 소비자 집단이 네트워크를 이루고, 다른 사람의 수요에 미치는 영향을 네트워크 효과 또는 '네트워크 외부성'이라고 한다.
>
> 네트워크 외부성에 영향을 미치는 요인은 세 가지 차원에서 생각해 볼 수 있다. 우선 가장 직접적인 영향을 미치는 것은 사용자 기반이다. 네트워크에 연결된 사람이 많아질수록 사용자들이 제품이나 서비스를 사용함으로써 얻게 되는 효용은 더욱 증가하고, 이로 인해 더 많은 소비자들이 그 제품을 선택하게 된다. 인터넷 지식 검색의 경우, 전체 가입자의 수가 많을수록 개별 사용자의 만족도가 높아지는 경향이 있는데, 이는 사용자 기반이 네트워크 외부성에 영향을 미치는 사례로 볼 수 있다.
>
> 둘째, 해당 재화나 서비스의 표준 달성 여부이다. 시장에 출시된 제품 중에서 한쪽이 일정 수준 이상의 사용자수를 확보해서 시장 지배적 제품으로서 표준이 되면 소비자의 선택에 중요한 영향을 주기 때문이다. 예를 들어 컴퓨터 운영 체제로서 윈도우즈는 개인용 컴퓨터(PC) 시장의 대부분을 장악하고 있는데, 개인용 컴퓨터 제조업체들이 자사 제품에 윈도우즈 로고를 붙여야 판매가 가능할 정도로 윈도우즈의 시장 지배력은 압도적이다. 이런 상황에서 컴퓨터를 구매하려는 소비자가 윈도우즈 대신 다른 운영 체제를 선택할 가능성은 매우 낮다.
>
> 마지막으로 호환성이다. 특정 브랜드의 제품이나 서비스를 사용하면서 별도의 비용 없이 다른 브랜드 제품으로 전환해서 사용할 수 있다면, 소비자의 선택에 상당한 영향을 미칠 수 있다. 예컨대 시중에 판매되는 DVD 타이틀이 서로 다른 두 가지 방식으로 제작된다고 하자. 소비자로서는 한 가지 방식만을 지원해 주는 DVD 플레이어보다는 두 가지 방식을 모두 지원하여 보다 다양한 DVD 타이틀을 볼 수 있는 DVD 플레이어를 선택하려고 할 것이다. 일반적으로 소비자는 제품의 질이나 가격에 민감하고, 이를 기준으로 제품을 선택한다고 생각한다. 하지만 네트워크 외부성은 소비자들이 가격이나 품질 이외의 요인 때문에 재화나 서비스를 선택할 수 있음을 보여준다.

① 네트워크 외부성이 있으면 재화나 서비스의 가격은 하락한다.
② 사람들이 가장 많이 사용하는 제품이 가장 편리하다고 단정할 수 없다.
③ 특정 제품의 가치는 가격이나 품질 이외의 요인에 따라 달라질 수도 있다.
④ 사용자 기반이 클수록 사용자 개인은 서비스에 대해 만족감이 커지는 경향이 있다.
⑤ 소비자들은 특정 제품을 택할 때 다른 사람들의 선택이나 판단에 영향을 받기도 한다.

② 첫째 문단에서 한글 자판의 사례를 통해 더 효율적이고 편리한 방식(세벌식 자판)이 꼭 더 많이 선택되는 것이 아님을 드러냈다.

③ 마지막 문단에서 '소비자는 제품의 질이나 가격 이외의 요인으로 인해 재화나 서비스를 선택할 수 있음'에서 확인할 수 있다.

④ 둘째 문단의 내용에서 확인할 수 있다.

⑤ 둘째 문단에 제시된 내용이다.

15 다음 문장을 순서대로 바르게 나열한 것은?

> 홉스봄과 레인저는 오래된 것이라고 믿고 있는 전통의 대부분이 그리 멀지 않은 과거에 '발명'되었다고 주장한다. 예컨대 스코틀랜드 사람들은 킬트(kilt)를 입고 전통 의식을 치르며, 이를 대표적인 전통문화라고 믿는다.
>
> ㈎ 그러나 킬트는 1707년에 스코틀랜드가 잉글랜드에 합병된 후, 이곳에 온 한 잉글랜드 사업가에 의해 불편한 기존의 의상을 대신하여 작업복으로 만들어진 것이다.
>
> ㈏ 이때 채택된 독특한 체크무늬가 각 씨족을 대표하는 의상으로 자리를 잡게 되었다.
>
> ㈐ 킬트의 독특한 체크무늬가 각 씨족의 상징으로 자리 잡은 것은, 1822년에 영국 왕이 방문했을 때 성대한 환영 행사를 마련하면서 각 씨족장들에게 다른 무늬의 킬트를 입도록 종용하면서부터이다.
>
> ㈑ 반란 후, 영국 정부는 킬트를 입지 못하도록 했다. 그런데 일부가 몰래 집에서 킬트를 입기 시작했고, 킬트는 점차 전통 의상으로 여겨지게 되었다.
>
> ㈒ 이후 킬트는 하층민을 중심으로 유행하였지만, 1745년의 반란 전까지만 해도 전통 의상으로 여겨지지 않았다.

① ㈎㈑㈒㈏㈐
② ㈎㈑㈒㈐㈏
③ ㈎㈒㈑㈐㈏
④ ㈏㈎㈑㈒㈐
⑤ ㈏㈑㈎㈒㈐

 제시된 문장 뒤에는 스코틀랜드 사람들은 킬트를 전문 문화라고 믿고 있지만, 사실은 그렇지 않다는 내용의 ㈎가 이어져야 한다. 이어서 1707년 이후 1745년까지도 전통의상으로 여겨지지 않았다는 내용의 ㈒가 와야 한다. ㈒에서 반란 전의 내용이 왔으므로, ㈑의 반란 후의 내용이 이어지는 것이 적절하며, 마지막은 킬트가 각 씨족의 상징이 되기 시작한 유래의 내용인 ㈐가 와야 한다.

Answer␣→ 14.① 15.③

16 다음 글의 서술 방식으로 적절한 것은?

우리는 TV나 신문 등을 통해 인간의 공격행동과 관련된 사건들을 흔히 접한다. 공격행동이란 타인에게 손상이나 고통을 주려는 의도와 목적을 가진 모든 행동을 의미하는데, 인간의 공격행동에 대해 심리학자들은 여러 가지 견해를 제시하였다.

프로이드(Freud)는 인간은 생존 본능을 지니고 있어서 자신의 생명을 위협 받으면 본능적으로 공격행동을 드러낸다고 설명했다. 그리고 달라드(Dollard)는 인간은 자신이 추구하는 목표를 획득하는 데에 간섭이나 방해를 받을 때, 욕구좌절을 느끼게 되고 그로 인해 공격행동을 드러낸다고 보았다. 그러나 그의 주장은 욕구좌절을 경험한 사람이라고 해서 모두 공격행동을 보이는 것은 아니며, 욕구좌절을 경험하지 않더라도 공격행동을 드러내는 경우가 있다는 점에서 한계가 있다.

그렇다면 공격행동이 일어나는 다른 이유는 없는 것일까? 이에 대해 반두라(Bandura)는 인간의 공격행동이 관찰을 통해 학습되어 나타난 것이라고 보고, 그 과정을 다음과 같이 제시하였다.

먼저 주의집중 과정에서는 타인의 공격행동을 관찰하면서 그것에 주의를 기울이게 된다. 이 과정에서는 공격행동을 관찰하게 되는 빈도가 높을수록, 관찰 대상과 연령이 비슷할수록 그와 같은 행동이 학습되기 쉽다는 특징이 있다. 다음으로 파지* 과정에서는 관찰한 공격행동을 머릿속에 기억하게 되는데, 이는 자신이 관찰한 것을 언어적 기호 또는 영상의 형태로 기억하는 인간의 인지 능력과 관련이 있다. 이 과정에서는 인지적 시연*이 공격행동에 대한 기억에 영향을 미친다. 즉 관찰한 공격행동을 실제 행동으로 옮기지 않더라도 이를 머릿속으로 그려 보는 것만으로도 기억이 오래 남게 된다. 세 번째 행동재생 과정에서는 머릿속에 저장된 공격행동을 신체적 움직임을 통해 한번 실행해 보게 된다. 즉 관찰된 공격행동을 단순히 따라 함으로써 자신의 행동과 관찰 대상의 행동을 일치시키고자 한다. 이를 위해서 파지 단계와 마찬가지로 인지적 시연이 반복되기도 한다. 마지막으로 동기부여 과정에서는 공격행동에 대한 보상이 주어지면서 다음에도 동일한 행동을 반복하게 되는 동기가 부여된다.

즉 자신의 공격행동으로 무엇인가 보상을 받을 수 있다면 공격행동을 다시 표출하게 되는 것이다. 이때 자신의 공격행동에 대해 직접 보상을 받는 경우에도 동기가 부여되지만 다른 사람이 공격행동을 한 후 보상을 받는 것에 대한 관찰에 의해서도 동기가 부여될 수 있다. 이와 같은 반두라의 견해는 인간의 공격행동이 드러나는 데에는 외부적인 요인뿐만 아니라 인간 내부의 인지적 요인도 중요하게 작용함을 보여준다는 점에서 의의가 있다.

* 파지 : 경험에서 얻은 정보를 유지하고 있는 작용.

* 인지적 시연 : 어떤 행동을 관찰한 후 이를 머릿속으로 그려 보는 것.

① 비유적 표현을 구사하여 독자들의 이해를 돕는다.
② 통념에 대한 의문을 제기하여 호기심을 유발하고 있다.
③ 상반된 이론을 비교하여 대안적 관점을 제시하고 있다.
④ 특정 행위가 나타나는 과정을 단계적으로 제시하고 있다.
⑤ 다양한 이론이 등장하게 된 사회적 배경을 설명하고 있다.

 ④ 이 글의 중심화제는 반두라(Bandura)의 관찰학습 이론을 바탕으로 한 인간의 공격행동이 학습되는 과정이다. 반두라는 관찰학습 이론을 바탕으로 공격행동이 나타나는 과정을 4단계로 나누어 제시하고 있다.

전등 빛이나 특수한 조명 아래에서 본 물체의 색이 자연광 아래에서 다시 보면 다른 색으로 보이기도 한다. 이것은 우리 눈이 색을 인식하는 능력이 어두운 곳과 밝은 곳에서 큰 차이를 보이기 때문이다. 이처럼 사람의 눈은 빛이 있어야 물체를 볼 수 있다. 눈은 명암과 색을 구별할 뿐만 아니라 멀고 가까움을 알 수 있으며 입체감도 느낄 수 있다. 또한 주위 환경의 밝기에 따라 눈 안으로 들어오는 빛의 양을 조절할 수도 있고 가까운 물체를 보다가도 먼 곳의 물체를 볼 수 있는 조절 능력을 가지고 있다.

사람의 눈은 지름 약 2.3cm의 크기로 앞쪽이 볼록 튀어나온 공처럼 생겼으며 탄력이 있다 .눈의 가장 바깥 부분은 흰색의 공막이 싸고 있으며 그 안쪽에 검은색의 맥락막이 있어 눈동자를 통해서만 빛이 들어가도록 되어 있다. 눈의 앞쪽은 투명한 각막으로 되어있는데, 빛은 이 각막을 통과하여 그 안쪽에 있는 렌즈 모양의 수정체에 의해 굴절되어 초점이 맞추어져 망막에 상을 맺는다. 이 망막에는 빛의 자극을 받아들이는 시신경세포가 있다.

이 시신경세포는 원뿔 모양의 '원추세포'와 간상세포(桿狀細胞)로도 불리는 막대 모양의 '막대세포'라는 두 종류로 이루어진다. 원추세포는 눈조리개의 초점 부근 좁은 영역에 주로 분포되어 있으며, 그 세포 수는 막대세포에 비해 매우 적다. 이에 반해 막대세포는 망막 전체에 걸쳐 분포되어 있고 그 세포 수는 원추세포에 비해 매우 많다. 원추세포와 막대세포는 각각 다른 색깔의 빛에 민감한데, 원추세포는 파장이 500나노미터 부근의 빛(노랑)에, 막대세포는 파장이 560나노미터 부근의 빛(초록)에 가장 민감하다.

원추세포는 그 수가 많지 않으므로, 우리 눈은 어두운 곳에서 색을 인식하는 능력은 많이 떨어지지만 밝은 곳에서는 제 기능을 잘 발휘하는데, 노란색 근처의 빛(붉은색−주황색−노란색 구간)이 특히 눈에 잘 띈다. 노란색이나 붉은색으로 경고나 위험 상황을 나타내는 것은 이 때문이다. 이 색들은 밝은 곳에서 눈에 잘 띄어 안전을 위해 효율적이지만 날이 어두워지면 무용지물이 될 수도 있다.

인간의 눈은 우리 주위에 가장 흔한 가시광선에 민감하도록 진화되어왔다고 할 수 있다. 즉, 우리 주위에 가장 흔하고 강한 노란빛에 민감하도록 진화해왔을 것이며, 따라서 우리가 노란색에 가장 민감함은 자연스러워 보인다. 그러나 시신경세포의 대부분은 막대세포들인데, 이 막대세포는 비타민 A에서 생긴 로돕신이라는 물질이 있어 빛을 감지할 수 있다. 로돕신은 빛을 받으면 분해되어 시신경을 자극하고, 이 자극이 대뇌에 전달되어 물체를 인식한다. 그 세포들은 비록 색을 인식하지는 못하지만 초록색 빛을 더 민감하게 인식한다. 즉, 비록 색깔을 인식하지 못한다 할지라도 어두운 곳에서는 초록색 물체가 잘 보인다.

이것은 아마도 식물이 초록빛을 띠는 현상과 관련이 있지 않을까 생각된다. 즉, 인간이 먹는 음식물의 원천이면서 휴식처가 되기도 하는 식물을 잘 식별하기 위해서 우리 눈은 그렇게 진화해오지 않았을까 하는 것이다. 그러나 위험한 상태를 빨리 파악하기 위해서는 초록빛보다 더 강한 노란색 빛을 이용하여 위험을 감지할 필요도 생겨났을 것이다. 즉, 우리 인체는 위험을 감지하기 위해 적은 수이지만 원추세포를, 그리고 먹이를 잘 식별하기 위해 많은 수의 막대세포를 따로 이용하고 있다고 할 수 있을 것이다.

① 빛은 사람이 물체를 인식하는 데 필수적이다.
② 인간의 눈은 가시광선에 민감하도록 진화되어 왔다.
③ 빛의 밝기에 따라 색의 구별 능력이 달라질 수 있다.
④ 사람들이 빛을 감지하는 것은 로돕신과 관련이 있다.
⑤ 비상구의 녹색 표시등은 원추세포의 기능과 관련이 있다.

 ⑤ 비상구의 녹색 표시등은 막대세포의 기능과 관련이 있다. 막대세포는 어두운 곳에서 초록색 빛을 더 민감하게 인식하게 된다.

18 다음 중 ㉠ ~ ㉤과 바꿔 쓸 수 있는 말로 적절하지 않은 것은?

> 우리 사회에는 이윤 추구를 목적으로 하는 일반적 기업이 있는 반면, 사회적 가치 추구를 목적으로 하는 비영리기관이 있다. 이와 달리 사회적 가치 추구를 위해 이윤을 창출하는 기업이 있는데, 이를 '사회적 기업'이라 한다. 이러한 기업은 환경 문제, 취약 계층의 복지 등과 같은 사회적 문제를 해결하고자 재화와 서비스를 생산·판매하는 경제 활동을 한다. 사회적 기업은 혼성 조직, 자원 동원의 다양성, 민주적 조직 운영 등의 특성을 가지고 있다.
>
> 이와 같은 사회적 기업의 특성을 구체적인 사례들을 통해 하나씩 살펴보자. 버려진 물건으로 조형물을 ㉠만들고 이를 전시해서 수익을 창출하는 A기업의 경우, 그 수익의 70% 정도를 환경 단체에 기부한다. 그 전시회 활동과 수익 기부 활동을 보면 A기업이 환경 문제 해결이라는 사회적 가치 창출을 목표로 한다는 것을 알 수 있다. 이를 볼 때, 사회적 기업은 사회적 가치 창출을 위한 공익성과 이를 위한 이윤 추구의 성격을 모두 가지고 있는 혼성 조직이라고 할 수 있다.
>
> 취약 계층 사람들을 고용하여 결식 이웃에게 저렴한 가격으로 판매할 도시락을 만들고 배달하는 사업체 B기업의 경우, 도시락 판매로 얻은 수익만으로는 지속적인 기업 운영이 불가능하다.
>
> 그래서 B기업은 기부나 후원, 정부 보조 등과 같은 여러 방법으로 자원을 동원하는데, 이는 자원 동원의 다양성을 보여주는 것이다. 또한 B기업에서는 기업의 설립과 운영에 가장 많은 돈을 기부한 창립자라 하더라도 다른 일반 구성원들과 동등한 의사 결정권을 가진다. 뿐만 아니라 구성원 모두의 자발적인 참여를 유도하고, 구성원의 의견을 민주적으로 ㉡모아서 기업이 운영된다. 이는 조직 운영의 민주성을 보여주는 것이다.
>
> 이러한 사회적 기업은 이윤을 사회 또는 지역공동체의 취약 계층에 ㉢되돌려 사회 통합에 기여한다. 악기 연주가 가능한 미취업 장애인들을 고용해서 정기 연주회를 열어 얻은 수익을 장애인 복지 사업에 기부하는 C기업이 있다. 이 기업은 미취업 장애인 고용을 통해 취약 계층의 실업 문제를 해결하고 기업 활동에서 창출한 이윤을 장애인 복지 사업에 기부하여 복지 서비스 확대에 기여했다. 이는 취약 계층이 느끼는 사회적 소외감을 줄여 사회 통합에 ㉣보탬이 된 것이라 할 수 있다. 오늘날 취약 계층의 실업률 급증, 사회 복지 서비스의 부족, 환경 문제의 심화 등 다양한 사회적 문제 때문에 이를 극복하기 위한 공동체의 역할이 절실하게 요구된다. 사회적 기업은 이런 역할을 지속적으로 수행할 수 있는 대안으로 ㉤떠오르고 있다.

① ㉠ : 제공(提供)하고 ② ㉡ : 수렴(收斂)하여
③ ㉢ : 환원(還元)하여 ④ ㉣ : 일조(一助)한
⑤ ㉤ : 부상(浮上)하고

 ㉠ '만들고'는 한자어 '제작(製作)하고'로 바꿔야 한다. 그러므로 '제공(提供)하고'는 적절하지 않다.

19 다음 글의 내용과 가장 일치하는 것은?

(가) 통계청이 2007년 5월 발표한 '2006년 출생 통계 잠정 결과'는 모두에게 기쁨을 선사했다. 2000년 이후 줄어들던 출생아 수가 6년 만에 늘어났으며, '합계 출산율'도 2005년 1.08명에서 1.13명으로 늘어났기 때문이다. 한 해 동안의 통계치 변화를 두고 출산 증가 추세가 시작된 것으로 보기는 어렵지만, 고령 인구 급증과 맞물려 사회 발전의 발목을 잡는 저출산 현상이 어느 정도 줄어든 것은 대단히 반가운 일이다.

(나) 출산율 증가 현상을 놓고서 그 원인이 무엇인가에 대한 주장은 각양각색이다. 2006년은 결혼을 하거나 자녀를 낳으면 복을 받는다는 속설이 있는 해였기 때문에 일시적으로 결혼과 출산이 늘어났다는 주장이 있다. 다른 한편에서는 1997년 외환(外換) 위기 이후, 경제적 불안감 때문에 출산을 미뤄 왔던 30대가 형편이 나아지면서 아기 낳는 분위기를 이끈 데에서 원인을 찾기도 한다. 출산율 반등을 주도한 연령층이 30대 초반으로 20대 후반을 추월했다는 점이 이를 뒷받침한다. 그리고 정부의 출산 지원 정책이 사회 전반에 출산 장려 분위기를 조성하여 출산율 증가에 한몫했다는 주장도 일리가 있다.

(다) 그러나 한 해의 통계만으로 출산율 하락세가 멈췄다고 속단하기는 아직 이르다. 뿐만 아니라, 지난해 다소 상승했다고는 하더라도 합계 출산율 1.13은 여전히 세계 평균 2.69의 절반도 안 되는 세계 최저 수준이다. 따라서 이제 막 나타난 한 해의 저출산 감소 현상에 들뜨기보다는 오히려 저출산 대책 마련에 고삐를 더 죄어 나가야 한다.

(라) 이제는 좀 더 체계적이고 과학적인 접근이 필요하다. 우선 저출산 대책을 정교하게 볼 필요가 있다. 출산을 기피하게 만드는 요인을 찾아 그것을 줄여 가는 '억제 대책'과, 출산 동기를 강화하여 주는 '부양 대책', 이 두 가지를 구분해서 추진해야 한다. 미래 세대를 육성하기 위한 인적 자본 강화 대책, 육아 기반 확대 대책, 가정과 직장의 일을 병행할 수 있게 돕는 근로 환경 조성 대책을 수립하고, 견실한 사회 보장 제도를 구축하는 것 등은 억제 대책과 관련된다. 그리고 건강한 임신·출산에 대한 사회의 책임 강화와 가족 친화적 문화 조성, 가사(家事) 노동에 대한 세제(稅制) 혜택 등 대폭적인 사회적 지원 대책은 부양 대책과 관련된다.

(마) 저출산 문제는 정부의 힘만으로 대응하기는 힘들다. 가족과 사회가 정부와 함께 손을 잡고 여러 세대가 조화롭게 살 수 있는 우리나라의 모습을 차분하게 그려 나가야 한다. 저출산 대책은 복합적인 접근이 필요하며, 효과가 나타나기까지는 장기간이 소요되므로 끈기 있는 자세가 필요하다.

① 저출산 대책은 단기간에 그 효과를 입증할 수 있다.
② 우리나라의 현재 출산율은 세계 평균의 두 배 정도이다.
③ 2006년 출산율이 증가한 이유는 뚜렷하게 한 가지로 나타나지 않는다.
④ 저출산을 유도하기 위한 정책은 '억제 대책'과 '부양 대책'으로 나뉜다.
⑤ 2000년 이후 출산율이 감소하였으나 2006년부터 출산 증가 추세가 시작되었다.

Answer➔ 18.① 19.③

① ㈔에서 저출산 대책은 효과가 나타나기까지는 장기간이 소요된다고 하였다.
② 우리나라의 합계 출산율 1.13은 여전히 세계 평균 2.69의 절반도 안 되는 세계 최저 수준이다.
④ 저출산을 유도하기 위한 정책이 아니라 출산을 기피하게 만드는 요인을 찾아 그것을 줄여 가는 '억제 대책'과, 출산 동기를 강화하여 주는 '부양 대책'이다.
⑤ 2006년에 출산율이 증가하긴 했으나, 한 해 동안의 통계치 변화를 두고 출산 증가 추세가 시작된 것으로 보기는 어렵다.

20 다음 글에서 '프롬'이 말하는 '정보화 사회의 공동체'에 해당하는 예로 가장 적절한 것은?

> 정보화로 인한 개체화는 한편으로는 개인의 자유를 신장시키지만 다른 한편으로는 개인의 책임을 증대시켜 프롬(Eridh Fromm)이 말했던 '자유로부터 도피'하려는 욕구를 일으키기도 한다. 개인들은 자신들을 집단에 소속시키거나 자신과 같은 입장에 있는 사람과의 유대를 통해서 책임을 분담하려 할 것이다. 또한 프롬이 주장한 바와 같이 개체와의 욕구와 유대의 욕구는 다 같이 기본적인 인간의 욕구이기 때문에 정보화 사회가 개인들이 개체화되면 될수록 공동체의 욕구도 강화될 것으로 예상할 수 있다. 그러나 정보화 사회의 공동체는 혈연, 지연 등과 같은 원초적 관계에 기초한 사회적 연대와는 달리 '자율적'이고 '평등한' 개인들 간의 '자발적' 연대에 의해 형성되는 소규모의 '인격적' 공동체의 성격을 띠게 될 것이다.

① 가족
② 학교
③ 동호회
④ 회사
⑤ 친구

 혈연, 지연을 배제한, 자율적이고 평등한 자발적 연대에 의해 형성된다고 하였으므로 '동호회'가 가장 적절하다.

| 21~23 | 다음 글을 읽고 물음에 답하시오.

휘문고등보통학교와 일본 와세다대학 법과를 졸업한 전형필은 서울 출생으로 지금의 종로4가에 해당하는 배우개 중심의 종로 일대 상권을 장악한 10만 석 부호가의 상속권자였다. 그는 대학 졸업 후 일제의 식민 통치 아래 말살되어 가는 민족정기를 되살리기 위해 우리 민족 문화 전통을 단절시키지 말아야 하고 그러기 위해서는 우리 민족 문화의 결정체인 미술품이 인멸되지 않게 한곳에 모아 보호하여야 한다는 비장한 각오로 오세창을 따라다니며 민족 문화재 수집 보호에 심혈을 기울였다.

그가 물려받은 막대한 재력과 오세창의 탁월한 감식안 그리고 이런 문화적 민족 운동에 공명하는 많은 지식인들의 후원으로 이러한 소망은 순조롭게 이루어져 갔다. 그래서 장차 우리 미술사 연구의 요람을 건설하려는 원대한 포부를 가지고 당시 한적한 교외이던 성북동에 북단장을 개설하여 필요한 부지를 확보하고 1938년 일제의 강력한 물자 통제령에도 불구하고 북단장 내에 보화각을 건축하여 우리나라 최초의 사립박물관을 설립하였다.

그 사이 그는 민족의식이 투철하고 서화에 일가를 이룬 오세창의 측근 문사들과 교유를 가졌다. 이들과의 교류를 통해 전형필은 탁월한 예술 감각을 향상시켰다.

본래 뛰어난 예술 감각을 지닌 그였지만 그는 이러한 능력은 드러내지 않은 채 오직 문화재 수집에만 혼신의 힘을 기울였고 그 결과 우리 미술사에서 높이 추앙할 수 있는 김정희와 정선의 작품이 집중적으로 수집되어 그들에 대한 올바른 연구가 이루어질 수 있는 발판을 마련하였다.

또한 심사정·김홍도·장승업 등 조선시대 전반에 걸친 화가들의 작품은 물론 서예 작품까지 총망라하였고 고려 및 조선 자기와 불상·불구·와전 등에 이르는 문화재들을 방대하게 수장하였다. 뿐만 아니라 우리 미술사 연구를 위한 인접 자료인 중국 역대 미술품을 수집하는 것도 게을리 하지 않았다. 그는 일제시대 때 많은 국보급과 보물급의 문화재들을 수집하고 소장하였지만 그 중에서도 단연 최고로 꼽은 것은 현재 국보 70호로 지정된 「훈민정음」으로 한국전쟁 당시에는 품 안에 품고 피난을 떠날 정도였다.

이외에도 전형필은 문헌 자료의 구비를 위해 1940년부터는 관훈동에 있는 한남서림을 후원, 경영하면서 문화사 연구에 필요한 전적을 수집하여 한적으로 1만 권의 장서를 이루어놓았다. 그리고 당시 국내외에서 발간되는 문화사 관계 서적들도 가능한 한 수집하여 장차 연구에 대비토록 하였다. 그리고 인재 양성이 또 하나의 절실한 문제임을 깨닫고 1940년 6월 재단법인 동성학원을 설립하여 재정난에 허덕이는 보성고등보통학교를 인수하여 육영 사업에 착수하였다.

광복 후에는 잠시 보성중학교장직을 역임하기도 하고 문화재보존위원회 제1분과위원에 선출되기도 하였으나 항상 공직에 나가는 것을 피하고 시은을 자처하면서 1960년 김상기·김원룡·진홍섭·최순우·황수영 등과 같이 ⓐ고고미술동인회를 발기하여 운영의 핵심을 담당하면서 10여 편의 논문을 발표하였다.

사후에 그는 대한민국문화포장과 대한민국문화훈장 국민장을 받았고 그 후 그의 자제와 동학들이 한국민족미술연구소를 설립하여 그가 마련해 놓은 연구 자료를 토대로 미술사 연구를 활발하게 진행해 감으로써 그 유지를 계승하고 있다. 현재 보화각은 간송미술관으로 개칭되어 연구소에 부속되어 있다.

Answer → 20.③

21 다음 설명 중 옳지 않은 것은?

① 전형필은 수집한 수많은 민족 문화재 중에서도 특히 「훈민정음」을 최고로 꼽고 한국 전쟁이 일어나자 품 안에 품은 채 피난을 떠났다.

② 전형필은 일제 식민지하에서 인재 양성의 중요성을 깨닫고 재단법인 동성학원을 설립하여 당시 재정난에 허덕이던 보성고등보통학교를 인수하였다.

③ 전형필은 상속받은 막대한 재산을 활용하여 일제 식민지 당시 사라질 뻔 했던 수많은 민족 문화재들을 수집하여 보호하였다.

④ 전형필은 한남서림을 후원, 경영하면서 문화사 연구에 필요한 전적을 수집하여 장차 연구에 대비토록 하였다.

⑤ 전형필은 일찍이 자신에게 뛰어난 예술 감각이 없음을 깨닫고 오직 문화재 수집 보호만이 자신의 사명이라고 여겼다.

> (Tip) ⑤ 전형필은 본래 뛰어난 예술 감각을 지니고 있었지만 그러한 능력은 드러내지 않은 채 오직 문화재 수집에만 혼신의 힘을 기울였다.

22 윗글의 내용으로 미루어 볼 때 전형필이 가졌을 생각으로 옳지 않은 것은?

① 내가 그 동안 모은 우리 문화재들 중 어느 하나 버릴 것이 없지만 이 「훈민정음」만큼은 반드시 내 목숨이 붙어있는 한 끝까지 지켜야 해.

② 일제는 지금 우리의 민족정기를 말살시키기 위해 소중한 문화재들을 없애고 있어. 이를 막기 위해서는 우리 민족 문화의 결정체인 미술품들이 사라지지 않도록 한곳에 모아 보호할 필요가 있어.

③ 일제에 나라를 빼앗긴 이러한 때일수록 훌륭한 인재를 양성하는 것이 무엇보다 중요해. 내가 가진 이 막대한 돈으로 경영난을 겪고 있는 보성고등보통학교를 인수해 육영 사업을 해야겠어.

④ 지금까지 갖은 고생을 하며 모아 온 우리 문화재들을 바탕으로 앞으로는 우리 미술사 연구를 활발하게 진행해야겠어. 그러기 위해서는 연구를 진행할 수 있는 연구소 설립이 필요해.

⑤ 예부터 우리나라 미술은 중국의 영향을 많이 받았어. 그러니까 우리 미술사를 연구하기 위해서는 인접 국가인 중국의 역대 미술품들도 수집해서 함께 연구해야 해.

> (Tip) ④는 전형필 사후 그의 자제와 동학들의 생각이다. 전형필은 생전에 훗날 우리 미술사 연구를 위해 수많은 문화재를 수집하였고 수집한 문화재에 대한 활발한 연구는 전형필 사후 그의 자제와 동학들에 의해 현재까지 진행되고 있다.

23 다음 중 밑줄 친 ⓐ에서 발표했을 법한 논문으로 옳게 묶인 것은?

> ㉠ 조선 15세기 탑 내 봉안 불상의 고찰
> ㉡ 조선 왕릉 석수(石獸) 연구
> ㉢ 개항기 '김홍도 풍속화'의 모방과 확산
> ㉣ 신라 하대 경문왕대 불교조각의 재조명
> ㉤ 정토사 홍법국사실상탑의 기원과 의미
> ㉥ 불화에 기록된 범자와 진언에 관한 고찰

① ㉠, ㉡, ㉢
② ㉣, ㉤, ㉥
③ ㉠, ㉡, ㉢, ㉣
④ ㉢, ㉣, ㉤, ㉥
⑤ ㉠, ㉡, ㉢, ㉣, ㉤, ㉥

 고고미술동인회는 한국 및 동양미술사 연구를 위해 설립된 단체로 1968년 한국미술사학회로 개편되어 현재까지 한국 및 동양미술사의 모든 분야에 걸쳐 놀랄 만한 양의 연구들이 진행되고 있다. 위에 제시된 보기의 논문들은 모두 우리나라 및 동양 미술사와 관련된 내용으로 실제 한국미술사학회에서 간행된 논문들이다. 따라서 정답은 ⑤이다.

24 다음 중 (가)~(마)에 대한 설명으로 적절하지 않은 것은?

(가) 자연은 인간 사이의 갈등을 이용하여 인간의 모든 소질을 계발하도록 한다. 사회의 질서는 이 갈등을 통해 이루어진다. 이 갈등은 인간의 반사회적 사회성 때문에 초래된다. 반사회적 사회성이란 한편으로는 사회를 분열시키려고 끊임없이 위협하고 반항하면서도, 다른 한편으로는 사회를 이루어 살려는 인간의 성향을 말한다. 이러한 성향을 분명 인간의 본성 가운데에 있다.

(나) 인간은 사회 속에서만 자신을 더 나은 존재로 느낄 수 있기 때문에 자신을 사회화하고자 한다. 인간은 사회 속에서만 자신의 자연적 소질을 실현할 수 있는 것이다. 그러나 인간은 자신을 개별화하거나 고립시키려는 강한 성향도 있다. 이는 자신의 의도에 따라서만 행위하려는 반사회적인 특성을 의미한다. 그리고 저항하려는 성향이 자신뿐만 아니라 다른 사람에게도 있다는 사실을 알기 때문에, 그 자신도 곳곳에서 저항에 부딪히게 되리라 예상한다.

(다) 이러한 저항을 통하여 인간은 모든 능력을 일깨우고, 나태해지려는 성향을 극복하며, 명예욕이나 지배욕, 소유욕 등에 따라 행동하게 된다. 그리하여 동시대인들 가운데에서 자신의 위치를 확보하게 된다. 이렇게 하여 인간은 야만의 상태에서 벗어나 문화를 이룩하기 위한 진정한 진보의 첫걸음을 내딛게 된다. 이때부터 모든 능력이 점차 계발되고 아름다움을 판정하는 능력도 형성된다. 나아가 자연적 소질에 의해 도덕성을 어렴풋이 느끼기만 하던 상태에서 벗어나, 지속적인 계몽을 통하여 구체적인 실천 원리를 명료하게 인식할 수 있는 성숙한 단계로 접어든다. 그 결과 자연적인 감정을 기반으로 결합된 사회를 도덕적인 전체로 바꿀 수 있는 사유 방식이 확립된다.

(라) 인간에게 이러한 반사회성이 없다면, 인간의 모든 재능을 꽃피우지 못하고 만족감과 사랑으로 가득 찬 목가적인 삶 속에서 영원히 묻혀 버리고 말 것이다. 그리고 양처럼 선량한 기질의 사람들은 가축 이상의 가치를 자신의 삶에 부여하기 힘들 것이다. 자연 상태에 머물지 않고 스스로의 목적을 성취하기 위해 자연적 소질을 계발하여 창조의 공백을 메울 때, 인간의 가치는 상승되기 때문이다.

(마) 불화와 시기와 경쟁을 일삼는 허영심, 막힐 줄 모르는 소유욕과 지배욕을 있게 한 자연에 감사하라! 인간은 조화를 원한다. 그러나 자연은 불화를 원한다. 자연은 무엇이 인간을 위해 좋은 것인지를 더 잘 알고 있기 때문이다. 인간은 안락하고 만족스럽게 살고자 한다. 그러나 자연은 인간이 나태와 수동적인 만족감으로부터 벗어나 노동과 고난 속으로 돌진하기를 원한다. 그렇게 함으로써 자연은 인간이 노동과 고난으로부터 현명하게 벗어날 수 있는 방법을 발견하게 한다.

① (가) : 논지와 주요 개념을 제시한다.
② (나) : 제시된 개념을 부연하여 설명한다.
③ (다) : 논지를 확대하고 심화한다.
④ (라) : 다른 각도에서 논지를 강화한다.
⑤ (마) : 새로운 문제를 제기하면서 논의를 마무리한다.

> (Tip) ⑤ (마)에서는 새로운 문제를 제기하지 않았다.

25 밑줄 친 부분의 의미를 추리한 것으로 가장 적절한 것은?

> '관용'으로 번역되는 똘레랑스라는 말은 '견디다', '참다'를 뜻하는 라틴어 'tolerare'에서 나왔다. 서구 사회에서 인종, 문화, 종교의 차이는 격렬한 갈등의 씨앗을 뿌렸고, 많은 희생을 치렀다. 이 과정에서 생겨난 것이 똘레랑스이다. 1572년 기독교 구교(가톨릭)와 신교(위그노)의 갈등으로 인해 파리에서만 3,000여 명의 신교도가 구교도에 의해 희생되었고, 이후에도 그 갈등과 피해는 악순환을 불러왔다. 상황이 이렇다보니 유럽의 지식인들은 사태를 진정시키기 위해 입을 모아 서로의 차이를 받아들일 것을, 즉 똘레랑스를 얘기하기 시작했다. 종교간의 갈등이 전정되면서 똘레랑스를 외치는 목소리는 종교를 넘어 점차 사회 전반으로 퍼졌다.
>
> 이러한 역사적 배경을 지닌 똘레랑스는 몇 가지 원리들이 바탕을 이루고 있다. 이 원리들은 개별적이고 독립적인 것이 아니라 밀접하게 연관되어 있는데, 그 근본정신은 인간의 완전함에 대한 부정이다. 우선 똘레랑스는 자기 생각만 고집하는 편협함을 버릴 것을 요구한다. 그래서 프랑스의 사회학자 필리프 사시에는 '똘레랑스는 주기중심주의의 포기'라고 얘기한다. 자기라는 중심을 버릴 때 또 다른 자아인 타자를 받아들이고 그 목소리를 들을 수 있다는 것이다.
>
> 하지만 똘레랑스가 모든 차이와 다양성을 조건 없이 받아들이는 것은 아니다. 사시에는 똘레랑스가 정착하려면 <u>차이의 질서뿐만 아니라 다른 것들의 평화적인 공존을 전제하는 유사성의 질서도 있어야 한다</u>고 보았다. 다르다는 것은 소중하지만 단순히 '차이'만을 존중할 경우 똘레랑스는 모든 폭력적인 행위마저 차이의 표현으로 인정하는 위험에 빠질 수 있기 때문이다. 그래서 똘레랑스 속에도 앵똘레랑스가 필요하다. 일반적으로 '앵똘레랑스'는 인종, 피부색, 종교 등을 이유로 타인의 행동이나 신념을 받아들이지 않는 비이성적이고 정당하지 않은 반대를 가리킨다. 하지만 '똘레랑스 속에 담긴 앵똘레랑스'는 이성적인 반대를 뜻한다. '도덕적인 의무인 앵똘레랑스'와 '억압적인 앵똘레랑스'를 구분하는 기준은 '이성'이다.

① 보편적인 가치에 얽매이지 않고 모든 의견들이 동등하게 공존할 수 있어야 한다.

② 상호간의 차이를 무시하고 모두가 공존할 수 있는 하나의 가치만을 지향해야 한다.

③ 상호간의 입장의 차이를 인정하더라도 보편적 가치가 전제된 공존을 추구해야 한다.

④ 상호간의 입장 차이 없이 모든 구성원이 조화롭게 공존할 수 있는 보편적 가치를 실현해야 한다.

⑤ 다른 입장의 사람들에게 폭력을 행사하지 않는 한 그것이 어떤 가치를 지향하더라도 용인되어야 한다.

(Tip) ③ 똘레랑스는 서로간의 차이를 인정해야 한다는 것, 그리고 보편적인 가치를 바탕으로 한 공존을 추구할 때 정착될 수 있다는 것이다.

Answer→ 24.⑤ 25.③

26 다음 글에서 설명한 '즉흥성'과 관련 있는 내용을 〈보기〉에서 모두 고른 것은?

우리나라의 전통 음악은 대체로 크게 정악과 속악으로 나뉜다. 정악은 왕실이나 귀족들이 즐기던 음악이고, 속악은 일반 민중들이 가까이 하던 음악이다.

개성을 중시하고 자유분방한 감정을 표출하는 한국인의 예술 정신은 정악보다는 속악에 잘 드러나 있다. 우리 속악의 특징은 한 마디로 즉흥성이라는 개념으로 집약될 수 있다. 판소리나 산조에 '유파(流派)'가 자꾸 형성되는 것은 모두 즉흥성이 강하기 때문이다. 즉흥으로 나왔던 것이 정형화되면 그 사람의 대표 가락이 되는 것이고, 그것이 독특한 것이면 새로운 유파가 형성되기도 하는 것이다.

물론 즉흥이라고 해서 음악가가 제멋대로 하는 것은 아니다. 곡의 일정한 틀을 유지하면서 그 안에서 변화를 주는 것이 즉흥 음악의 특색이다. 가령 판소리 명창이 무대에 나가기 전에 "오늘 공연은 몇 분으로 할까요?"하고 묻는 것이 그런 예다. 이 때 창자는 상황에 맞추어 얼마든지 곡의 길이를 조절할 수 있는 것이다. 이것은 서양 음악에서는 어림없는 일이다. 그나마 서양 음악에서 융통성을 발휘할 수 있다면 가령 4악장 가운데 한 악장만 연주하는 것 정도이지 각 악장에서 조금씩 뽑아 한 곡을 만들어 연주할 수는 없다. 그러나 한국 음악에서는, 특히 속악에서는 연주 장소나 주문자의 요구 혹은 연주자의 상태에 따라 악기도 하나면 하나로만, 둘이면 둘로 연주해도 별문제가 없다. 거문고나 대금 하나만으로도 얼마든지 연주할 수 있다. 전혀 이상하지도 않다. 그렇지만 베토벤의 운명 교향곡을 바이올린이나 피아노만으로 연주하는 경우는 거의 없을 뿐만 아니라, 설령 연주를 하더라도 어색하게 들릴 수밖에 없다.

즉흥과 개성을 중시하는 한국의 속악 가운데 대표적인 것이 시나위다. 현재의 시나위는 19세기말에 완성되었으나 원형은 19세기 훨씬 이전부터 연주되었을 것으로 추정된다. 시나위의 가장 큰 특징은 악보 없는 즉흥곡이라는 것이다. 연주자들이 모여 아무 사전 약속도 없이 "시작해 볼까"하고 연주하기 시작한다. 그러니 처음에는 서로가 맞지 않는다. 불협음 일색이다. 그렇게 진행되다가 중간에 호흡이 맞아 떨어지면 협음을 낸다. 그러다가 또 각각 제 갈 길로 가서 혼자인 것처럼 연주한다. 이게 시나위의 묘미다. 불협음과 협음이 오묘하게 서로 들어맞는 것이다.

그런데 이런 음악은 아무나 하는 게 아니다. 즉흥곡이라고 하지만 '초보자(初步者)'들은 꿈도 못 꾸는 음악이다. 기량이 뛰어난 경지에 이르러야 가능한 음악이다. 그래서 요즈음은 시나위를 잘 할 수 있는 사람들이 별로 없다고 한다. 요즘에는 악보로 정리된 시나위를 연주하는 경우가 대부분인데, 이것은 시나위 본래의 취지에 어긋난다. 악보로 연주하면 박제된 음악이 되기 때문이다.

요즘 음악인들은 시나위 가락을 보통 '허튼 가락'이라고 한다. 이 말은 그대로 '즉흥 음악'으로 이해된다. 미리 짜 놓은 일정한 형식이 없이 주어진 장단과 연주 분위기에 몰입해 그때그때의 감흥을 자신의 음악성과 기량을 발휘해 연주하는 것이다. 이럴 때 즉흥이 튀어 나온다. 시나위는 이렇듯 즉흥적으로 흐드러져야 맛이 난다. 능청거림, 이것이 시나위의 음악적 모습이다.

〈보기〉

㉠ 주어진 상황에 따라 임의로 곡의 길이를 조절하여 연주한다.

㉡ 장단과 연주 분위기에 몰입해 새로운 가락으로 연주한다.

㉢ 연주자들 간에 사전 약속 없이 연주하지만 악보의 지시는 따른다.

㉣ 감흥을 자유롭게 표현하기 위해 일정한 틀을 철저히 무시한 채 연주한다.

① ㉠㉡   ② ㉠㉢

③ ㉡㉢   ④ ㉡㉣

⑤ ㉢㉣

 Tip ㉢ 악보로 정리된 시나위를 연주하는 것은 시나위 본래 취지에 어긋난다.

㉣ 곡의 일정한 틀은 유지한다.

27 다음 글의 서술상의 특징으로 옳지 않은 것은?

> 한국문학은 흔히 한국 민족에 의해 한국어를 기반으로 계승·발전한 문학을 일컫는다. 그렇다면 한국문학에는 어떤 것들이 있을까? 한국문학은 크게 세 가지로 구분할 수 있는데 차자문학, 한문학, 국문학이 그것이다. 차자문학은 고대시대에 우리말을 따로 표기할 문자가 없어 중국의 한자를 우리말 어순에 맞게 빌려와 기록한 문학으로 대표적인 예로 향가를 들 수 있다. 그리고 한문학이란 한문으로 기록된 문학을 말하는데 중세시대 동아시아의 모든 국가들이 공통 문자로 한문을 사용했다는 점에서 이 시기 한문학 또한 우리 한국문학의 하나로 볼 수 있다. 마지막으로 국문학은 조선 세종의 훈민정음 창제 이후 훈민정음(한글)로 기록된 문학을 말한다.

① 기존의 주장을 반박하는 방식으로 논지를 펼치고 있다.

② 용어의 정의를 통해 논지에 대한 독자의 이해를 돕고 있다.

③ 의문문을 사용함으로써 독자들에게 호기심을 유발시키고 있다.

④ 근거를 갖추어 주장을 펼치고 있다.

⑤ 예시와 열거 등의 설명 방법을 구사하여 주장의 설득력을 높이고 있다.

Tip ① 기존의 주장을 반박하는 방식은 나타나고 있지 않다.

Answer→ 26.① 27.①

28 내용 전개상 단락 배열이 가장 적절한 것은?

> ㉠ 앞서 조선은 태종 때 이미 군선이 속력이 느릴 뿐만 아니라 구조도 견실하지 못하다는 것이 거론되어 그 해결책으로 쾌선을 써보려 하였고 귀화왜인으로 하여금 일본식 배를 만들게 하여 시험해 보기도 하였다. 또한 귀선 같은 특수군선의 활용방안도 모색하였다.
>
> ㉡ 갑조선은 조선 초기 새로운 조선법에 따라 만든 배를 말하는데 1430년(세종 12) 무렵 당시 중국·유구·일본 등 주변 여러 나라의 배들은 모두 쇠못을 써서 시일을 두고 건조시켜 견고하고 경쾌하며 오랫동안 물에 떠 있어도 물이 새지 않았고 큰 바람을 만나도 손상됨이 없이 오래도록 쓸 수 있었지만 우리나라의 군선은 그렇지 못하였다.
>
> ㉢ 그리고 세종 때에는 거도선을 활용하게 하는 한편 「병선수호법」을 만드는 등 군선의 구조개선이 여러 방면으로 모색되다가 드디어 1434년에 중국식 갑조선을 채택하기에 이른 것이다. 이 채택에 앞서 조선을 관장하는 경강사수색에서는 갑조선 건조법에 따른 시험선을 건조하였다.
>
> ㉣ 하지만 이렇게 채택된 갑조선 건조법도 문종 때에는 그것이 우리나라 실정에 적합하지 않다는 점이 거론되어 우리나라의 전통적인 단조선으로 복귀하게 되었고 이로 인해 조선시대의 배는 평저선구조로 일관하여 첨저형선박은 발달하지 못하게 되었다.
>
> ㉤ 이에 중국식 조선법을 본떠 배를 시조해 본 결과 그것이 좋다는 것이 판명되어 1434년부터 한때 쇠못을 쓰고 외판을 이중으로 하는 중국식 조선법을 채택하기로 하였는데 이를 갑선·갑조선 또는 복조선이라 하고 재래의 전통적인 우리나라 조선법에 따라 만든 배를 단조선이라 했다.

① ㉠-㉡-㉢-㉣-㉤
② ㉡-㉤-㉠-㉢-㉣
③ ㉠-㉣-㉢-㉡-㉤
④ ㉡-㉢-㉠-㉤-㉣
⑤ ㉡-㉤-㉢-㉠-㉣

 ㉡ 갑조선의 정의와 1430년대 당시 주변국과 우리나라 군선의 차이-㉤ 중국식 조선법을 채택하게 된 계기-㉠ 태종 때 군선 개량의 노력-㉢ 세종 때 군선 개량의 노력-㉣ 단조선으로 복귀하게 된 계기와 조선시대 배가 평저선구조로 일관된 이유

29 다음 글을 순서대로 바르게 배열한 것은?

> (가) 우리의 서울대공원의 첫날인 5월 1일의 이상한 열기에서 여러 가지를 생각했고 그 질서의 모습에 유감을 표시했었다.
>
> (나) 서울대공원에서 들려오는 소식은 그런 문제를 제기한다. 문을 연 지 보름 동안에 검정 코뿔소 등 수입 동물 23종 35마리와 창경원에서 옮겨 온 고라니 등 11마리가 죽은 것이다.
>
> (다) 지구상에는 실로 갖가지 동물이 살고 있으며 제각기 독자적인 생활 방식을 갖고 있다. 동물원은 이런 동물을 한 곳에 모아 놓은 곳이므로 사람이 아무리 신경을 써 봐야 그 시설은 본래의 자연과 같을 수는 없다. 새로 문을 연 동물원일수록 그 다양한 동물을 새로운 기후와 환경에 적응케 하고 순치(馴致)한다는 일은 험난하다.
>
> (라) 동시에 우리는 그 관객의 처리에도 문제가 있다는 것을 생각하지 않을 수 없다. 그 날의 광경에서는 복잡한 요소가 있었으며 질서를 지키려 해도 간단하게 될 수 없었다는 것을 고언(苦言)하지 않을 수 없다.
>
> (마) 동물원측은 그 원인을 여러 가지로 들고 있지만 결국은 동물원을 경영한 사람의 잘못으로 귀착된다. 운영 잘못으로 목숨을 잃은 동물만 가엾다. 서울대공원에 오지 않았더라면 죽지 않았을 것을…….

① (가)(나)(라)(마)(다)
② (가)(다)(나)(마)(라)
③ (다)(나)(마)(가)(라)
④ (다)(마)(가)(나)(라)
⑤ (라)(나)(가)(마)(다)

 (나)(마)(가)는 (다)에서 제시한 서울대공원의 동물들이 죽은 사건에 대한 작가의 생각이 나열되어 있다. (라)는 글의 내용을 마무리 하고 있다.

30 다음 중 글의 내용과 일치하는 것은?

> 미국의 5인조 팝그룹 뉴키즈 온더 블록은 서울에 와서 큰 충격을 주었다.
>
> 아무리 개방화, 국제화 시대라고는 해도 어떻게 10대 소녀들이 외국팝그룹을 맞으며 이토록 광란적인 몸짓과 괴성을 지르며 돌진하는 일이 일어날 수 있으며, 공연장의 소동으로 70여 명이 짓밟혀 졸도하는 사태가 생길 수 있을까하고 경악과 참담함을 표하는 이도 적지 않은 것 같다. 그러나 우리의 현실에서 이 같은 일은 엄연히 일어났으며 우리가 채 알아차리지 못하는 사이에 우리 젊은이들의 사고와 생활방식, 그리고 관심과 행태의 큰 간극을 나타내고 있다.
>
> 그러나 세대차는 오늘의 우리나라만의 문제가 아니며 인류 역사의 보편적 현상일 뿐이다. 청소년들은 욕구와 기대를 담는 그들만의 독특한 세계가 있으며 문화가 있다. 그들의 꿈과 사랑과 희망을 대표해주는 우상도 있다. 그 우상이 가치가 있는가 혹은 무익한 것인가는 문제가 아니다. 그들에겐 그들이 닮고 싶고 사랑하고 싶은 모델적인 존재가 필요하며, 과잉보호와 억압의 울타리 속에서 길러지는 소녀들의 경우는 더욱 스포츠 스타나 가수, 배우 같은 대중스타에 대한 의존이 클 수밖에 없다. 꼭 외국 가수가 아니라도 우리는 농구나 배구 경기장, 가수들의 공연장에서 기성을 지르며 울부짖는 소녀들의 모습을 이미 보아온 터다. 또 어떤 의미에서는 이것이 우리나라만의 현상도 아니다. 석달 전 베를린에서 또 엊그제는 코트디부아르에서 비슷한 일이 일어난 바 있다.
>
> 따라서 우리는 이 같은 10대 열병이 정상적인 성장과정상의 한 모습일 수 있다는 인식 속에 어떻게 하면 이들이 이 열병을 무사히 헤어나고 그 결과로 더욱 건강한 인격체로 성숙될 수 있을 것인가에 관심을 기울여야 한다. 10대들이 대중 스타를 선망하는 것은 자연스런 일이라 하더라도 이것을 지나치게 조장하는 과오는 범하지 말아야 하며 더욱이나 상업 목적을 위해 이들의 욕구를 충동질하는 일은 없어야겠다. 우리가 특히 주의하고 싶은 것은 청소년들의 욕구와 호기심을 세련되고 순화된 방식으로 표현하고 소화할 수 있는 문화의 장을 많이 만들어 주어야 한다는 것이다.
>
> 질서와 절제를 근본으로 하는 교양교육이 가정과 학교에서 강조되어야 할 필요도 있다. 노래를 즐기고 춤을 즐기고 대군중 속에 묻혀 기분을 푸는 것은 좋은 일이다. 하지만 군중 속에서는 함께 즐길 줄 아는 일정한 교양과 질서의식이 불가결하다. 이번 사태를 하나의 돌발적인 사고로서가 아니라 우리 사회의 성숙을 위한 일정한 경고로 삼는 노력이 있어야겠다.

① 기성세대가 뉴키즈 온더 블록 공연장에서 소동을 보고 경악하고 참담해 하는 것은 젊은이들과의 세대차이라고 볼 수 있다.

② 청소년들이 자신들만의 독특한 세계가 있으며 문화가 있고 그것을 대표하는 우상이 실존하는 현실에서 어른들은 이들이 가치 있고 유익한 우상을 가질 수 있도록 도와주어야 한다.

③ 10대들이 대중스타를 선망하는 것은 자연스러운 일이므로 상업 목적을 위해 이용하는 것은 문제가 없다.

④ 청소년들이 자신들의 욕구와 호기심을 절제할 수 있도록 강압적으로 억압해야한다.

⑤ 각 학교와 가정에서 절제와 질서를 근본으로 하는 교양교육을 강화하는 한편 이들이 억압된 기분을 한꺼번에 분출시키는 일이 없도록 노래와 춤을 즐기면서 대군중 속에서 묻혀 기분을 풀 수 있는 기회를 자주 만들어주어야 한다.

  ① 글의 첫 문단과 두 번째 문단에서 세대차이에 대해 말하고 있다.

31~32 다음 제시된 글을 읽고 물음에 답하시오.

정부나 기업이 사업에 투자할 때에는 현재에 투입될 비용과 미래에 발생할 이익을 비교하여 사업의 타당성을 진단한다. 이 경우 물가 상승, 투자 기회, 불확실성을 포함하는 할인의 요인을 고려하여 미래의 가치를 현재의 가치로 환산한 후, 비용과 이익을 공정하게 비교해야 한다. 이러한 환산을 가능케 해 주는 개념이 할인율이다. 할인율은 이자율과 유사하지만 역으로 적용되는 개념이라고 생각하면 된다. 현재의 이자율이 연 10%라면 올해의 10억 원은 내년에는 (1+0.1)을 곱한 11억 원이 되듯이, 할인율이 연 10%라면 내년의 11억 원의 현재 가치는 (1+0.1)로 나눈 10억 원이 된다.

공공사업의 타당성을 진단할 때에는 대개 미래 세대까지 고려하는 공적 차원의 할인율을 적용하는데, 이를 사회적 할인율이라고 한다. 사회적 할인율은 사회 구성원이 느끼는 할인의 요인을 정확하게 파악하여 결정하는 것이 바람직하나, 이것은 현실적으로 매우 어렵다. 그래서 시장 이자율이나 민간 자본의 수익률을 사회적 할인율로 적용하자는 주장이 제기된다.

시장 이자율은 저축과 대출을 통한 자본의 공급과 수요에 의해 결정되는 값이다. 저축을 하는 사람들은 원금을 시장 이자율에 의해 미래에 더 큰 금액으로 불릴 수 있고, 대출을 받는 사람들은 시장 이자율만큼 대출금에 대한 비용을 지불한다. 이때의 시장 이자율은 미래의 금액을 현재 가치로 환산할 때의 할인율로도 적용할 수 있으므로, 이를 사회적 할인율로 간주하자는 주장이 제기되는 것이다. 한편 민간 자본의 수익률을 사회적 할인율로 적용하자는 주장은, 사회 전체적인 차원에서 공공사업에 투입될 자본이 민간 부문에서 이용될 수도 있으므로, 공공사업에 대해서도 민간 부문에서만큼 높은 수익률을 요구해야 한다는 것이다.

그러나 시장 이자율이나 민간 자본의 수익률을 사회적 할인율로 적용하자는 주장은 수용하기 어려운 점이 있다. 우선 ㉠공공 부문의 수익률이 민간 부문만큼 높다면, 민간 투자가 가능한 부문에 군이 정부가 투자할 필요가 있는가 하는 문제가 제기될 수 있다. 더욱 중요한 것은 시장 이자율이나 민간 자본의 수익률이, 비교적 단기적으로 실현되는 사적 이익을 추구하는 자본 시장에서 결정된다는 점이다. 반면에 사회적 할인율이 적용되는 공공사업은 일반적으로 그 이익이 장기간에 걸쳐 서서히 나타난다. 이러한 점에서 공공사업은 미래 세대를 배려하는 지속 가능한 발전의 이념을 반영한다. 만일 사회적 할인율이 시장 이자율이나 민간 자본의 수익률처럼 높게 적용된다면, 미래 세대의 이익이 저평가되는 셈이다. 그러므로 사회적 할인율은 미래 세대를 배려하는 공익적 차원에서 결정되는 것이 바람직하다.

31 윗글의 글쓴이가 상정하고 있는 핵심적인 질문으로 가장 적절한 것은?

① 시장 이자율과 사회적 할인율은 어떻게 관련되는가?

② 자본 시장에서 미래 세대의 몫을 어떻게 고려해야 하는가?

③ 사회적 할인율이 민간 자본의 수익률에 어떤 영향을 미치는가?

④ 공공사업에 적용되는 사회적 할인율은 어떤 수준에서 결정되어야 하는가?

⑤ 공공 부문이 수익률을 높이기 위해서는 민간 부문과 어떻게 경쟁해야 하는가?

 글쓴이는 사회적 할인율이 공공사업의 타당성을 진단할 때 사용되는 개념이며 미래 세대까지 고려하는 공적 차원의 성격을 갖고 있음을 밝히고 있다. 이런 면에서 사회적 할인율을 결정할 때 시장 이자율이나 민간 자본의 수익률과 같은 사적 부문에 적용되는 요소들을 고려하자는 주장에 대한 반대 의견과 그 근거를 제시하고 있다. 또한 사회적 할인율은 공익적 차원에서 결정되어야 한다는 자신의 견해를 제시하고 있으므로 사회적 할인율을 결정할 때 고려해야 할 수준에 대해 언급한 질문이 가장 핵심적인 질문이라 할 수 있다.

32 ㉠이 전제하고 있는 것은?

① 민간 투자도 공익성을 고려해서 이루어져야 한다.

② 정부는 공공 부문에서 민간 투자를 선도하는 역할을 해야 한다.

③ 공공 투자와 민간 투자는 동등한 투자 기회를 갖는 것이 바람직하다.

④ 정부는 공공 부문에서 민간 자본의 수익률을 제한하는 것이 바람직하다.

⑤ 정부는 민간 기업이 낮은 수익률로 인해 투자하기 어려운 공공 부문을 보완해야 한다.

 ㉠은 '실제로 공공 부문의 수익률이 민간 부문보다 높지 않다'는 정보와 '정부는 공공 부문에 투자해야 한다'는 정보를 연상할 수 있다. 따라서 '정부는 낮은 수익률이 발생하는 공공 부문에 투자해야 한다'는 내용을 전제로 하므로 ⑤가 가장 적합하다.

Answer → 31.④ 32.⑤

33 다음 글을 세 부분으로 나눈 것으로 가장 적절한 것은?

㈎ '왜 사는가?'의 '왜'는 어떤 것을 겨냥하는 질문일까? 만일, 원인을 겨냥한다면 그것은 생물학 내지 생리학 혹은 물리·화학이 대답해 줄 것이다. 내가 세상에 태어나게 된 원인은 생물학 내지 생리학적 작용의 결과였음을 아무도 부인하지 않을 것이다. 그리고 내가 이렇게 걸어다니며 '왜 하는가' 하는 질문을 제기하며 살 수 있는 것은, 내 몸뚱아리의 생리적 기능이 제대로 돌아가 주기 때문이다. 그리고 설사 생리적 기능에 아무 탈이 없다고 하더라도 그 활동에 필요한 물질을 공급해 주지 않았을 때 어찌될 것인가는 불문가지(不問可知)이다. 먹어야 산다는 말은 이것을 꼬집어 주는 말이다. '왜 사는가?'라고 묻는 사람은, 아마도 요즈음 사람은, 지금 말한 그런 사실을 몰라서, 그래서 알고 싶어서 그런 질문을 하지는 않을 것이다. 그렇다면 그것은 의도, 목적 등에 관련된 '왜'라는 질문이라고 해석할 수 밖에 없다.

㈏ 이것은 다시 크게 두 가지로 나누어 볼 수 있을 것이다. 첫째는 나의 삶, 나의 존재(存在)를 있게 한 이유(의도, 목적)는 무엇인가 하는 질문이요, 둘째는 현재 내가 죽지 않고 매일 삶을 지속(持續)하는 이유는 무엇인가 하는 질문이다.

㈐ 첫째 것에 대해서 우리는 근원적(根源的) 의미에서 아무 말도 할 것이 없음을 안다. 도대체 나의 존재, 인간이 존재를 있게 한 것은 내가 아니기 때문이다. 물론, 아버지나 어머니도 궁극적으로는 거기에 대해 대답하기 어려울 것이다. 왜냐하면, 나를 현재의 모양으로 만든 것은 그들의 의도나 목적의 결과는 아니다. 만일 세계와 인간을 창조한 존재[신]가 있다면, 오직 그만이 첫째 물음에 대한 답을 제시할 수 있을 것이다. '너는 왜 인형을 만들었니?'하는 물음에 대해 올바른 답을 제시할 수 있는 자는 오직 그 인형을 만든 당사자이다. 그러므로 오직 그 인형 제조자에게만 그 질문을 제기하는 것이 옳다. 만약에 그 물음을 인형에게 묻는다면 ─ 설사 인형이 말을 한다고 하더라도 ─ 인형은 알 수 없을 것이요, 따라서 그 질문은 인형의 피안(彼岸)에 있는 것이다. 만일 그 인형이 그 질문에 대답을 시도하려 한다면, 그것은 무모하고 부질없는 제스처에 지나지 않음을 분명히 알 수 있다.

㈑ 둘째 해석은, 내가 이왕 태어난 것은 어쩔 수 없는 사실인데, 현재 삶을 지탱하는 이유나 목적은 무엇인가 하는 것이다. '죽지 못해 산다.'는 말이 있다. 나의 삶의 가능케 한 최초의 시작은 내가 한 게 아니다. 그러나 그 시작이 계속되어 오늘의 나의 삶을 지속하고 있는 것이 숨김없는 삶의 현실이다. 그러니 내가 사는 것은 어떤 특정한 의도나 목적에 의해 계획된 행위의 결과라기보다는 그것의 결여(缺如)에서 나온, 그냥 자연을 따라가는 현상(現像)의 과정이라고 볼 수 있다. '왜 사느냐?'하는 물음은 그런 맹목성에 대한 하나의 의식이며 도전적 몸짓으로 이해할 수 있다.

(마) 위의 따짐으로부터 분명해진 것은 다음의 두 가지 점이다. 첫째로, 도대체 근원적인 의미에서 '삶의 목적은 무엇인가?'라는 물음은 인간이 대답할 수 없다는 점이다. 인간은 자신의 창조자가 아니기에 자기 자신의 존재를 가능케 한 목적이나 의도가 무엇인지 답할 수 없음을 너무나 분명하기 때문이다. 둘째로, '왜 사느냐?'하는 물음을 제기하는 것은 이제까지의 맹목적 삶에 대한 하나의 반성이며, 궁극적으로는 어쩔 수 없는 삶의 현실―삶의 목적이 무엇인가에 대한 해답을 내릴 수 없는―에 대한 하나의 도전적 몸짓이요, 울분의 표현이다. 이러한 분노와 절망의 길에서 우리가 취할 수 있는 하나의 길은, 이왕 내가 존재하게 된 것이 나의 의도와 무관하다 하더라도, 앞으로의 삶의 양식과 내용은 자신의 계획과 의도에 의해 결정해야겠다는 결의를 하고, 그에 따라 사는 일이다.

① (가)/(나)/(다)(라)(마)
② (가)/(나)(다)/(라)(마)
③ (가)/(나)(다)(라)/(마)
④ (가)(나)/(다)/(라)(마)
⑤ (가)(나)(다)/(라)/(마)

(가) : 문제 제기
(나) : '왜'라는 질문의 두 가지 의미
(다)(라) : (나)의 부연 설명
(마) : 결론

Answer♪→ 33.③

34 다음 중 추론의 방법이 밑줄 친 부분과 같은 것은?

> 학이 천 년, 소나무가 백 년을 뜻하므로 학이 소나무에 올라앉은 그림은 오래 사는 것을 한데 모아서 구성한 것이므로 장수를 상징하며, 학수송령도라고 한다. 사실 학은 소나무 가지에 올라가지 않는다. 워낙 큰 새이기 때문에 나무 위에서 사는 것이 불가능하다. 소나무 위에 올라가 사는 새는 백로(白鷺)로 학과 혼동하기 쉽다. 그러나 이 '학수송령'의 의미를 표현하기 위해서는 반드시 학이라야 한다.
>
> 또 학은 파도치는 바닷가에 살지 않는다. <u>학은 초원이나 늪지에 사는 새이다. 그러므로 학이 파도치는 바닷가에 있는 그림은 이치에 맞지 않는다.</u> 이치에 맞지 않음에도 불구하고 그린 이유는 일품당조(一品當朝 : 당대의 조정에서 벼슬이 일품에 오르다)의 의미를 표현하기 위해서이다.
>
> 원래 학은 천수 이외에 일품 즉 '제일'이라는 뜻이 있다. 새들을 품평해 볼 때, 우리 선조들은 간결한 것을 숭상했기 때문에 ⓒ학이 역시 일등이었던 것이다. 그래서 '일품'이 되었다. 〈춘향전〉에도 월매까지 집에서 학을 기르는 것을 보면 우리 선조들이 학을 완상(玩賞)하기를 무척 즐긴 듯하다. 그리고 파도치는 바다는 밀물 조(潮)를 의미하며 이것은 조정을 의미하는 조(朝)와 음이 같아서 조정의 의미를 표현하고 있다. 따라서 학이 파도치는 바다에 서 있는 그림은 일품당조(一品當朝), 즉 '당대의 조정에서 벼슬이 일품까지 오르다.'의 뜻을 표현하고 있는 것이다.

① 영희는 빨간 모자를 썼다. 빨간 모자를 쓰지 않은 저 사람은 영희가 아니다.

② 나비, 개미, 파리는 모두 다리가 6개인 곤충이다. 그러므로 다른 곤충들도 모두 다리가 6개일 것이다.

③ 영철이와 영희와 철수는 모두 안경을 쓰고 있다. 그런데 이 학생들은 모두 옆 반의 학생들이다. 따라서 옆 반 학생들은 모두 안경을 쓰고 있음이 분명하다.

④ 태균이와 이야기를 나눈 학생들은 모두 즐거워한다. 태균이는 이야기를 재미있게 하는 사람임에 틀림없다.

⑤ 전에는 학교생활이 즐거웠는데, 친구 나리가 다른 학교로 전학한 후부터는 따분하기만 하다. 따라서 나리가 나에게 즐거움을 존재였음을 알 수 있다.

 ② 연역 추리
①③④⑤ 귀납 추리

35~36 다음 글을 읽고 물음에 답하시오.

보통 알코올 도수가 높은 술은 증류주(蒸溜酒)에 속한다. 중국의 바이주(白酒), 러시아의 보드카, 영국의 위스키, 프랑스의 브랜디가 모두 증류주다. 최근에야 알코올 도수가 20~30%까지 낮아졌지만, 원래 증류주는 40%가 넘었다. 증류를 하는 대상은 주로 양조주(釀造酒)다. 중국의 바이주는 쌀이나 수수로 만든 양조주인 청주나 황주(黃酒)를 먼저 만든 후, 그것을 증류하면 된다. 가오량주(高粱酒)는 그 재료가 수수라서 생긴 이름이다. 위스키는 주로 보리로 양조주인 맥주를 만든 후 그것을 증류해서 만든다. 브랜디는 포도를 원료로 만든 와인을 증류한 술이다. 그렇다면 한국의 소주는 과연 증류주인가.

당연히 증류주라고 해야 옳다. 다만 시중에서 즐겨 마시는 '국민 대중의 술' 소주는 온전한 증류주라고 말하기 어렵다. 상표를 자세히 살펴보면 '희석식 소주'라고 표시돼 있다. 도대체 무엇에 무엇을 희석했다는 것인가. 고구마나 타피오카 같은 곡물에 알코올 분해해 정제시킨 주정(酒精)에 물과 향료를 희석시킨 것이 바로 이 술이다. 주정은 그냥 마시면 너무 독해서 치명적이기에 물을 섞어야 한다. 이와 같은 주정은 결코 전래의 증류 방식이 온전하게 도입된 것이 아니다. 밑술인 양조주를 굳이 만들지 않고 발효균을 넣어 기계에 연속으로 증류시켜 만든다. 당연히 양조주가 지닌 원래의 독특한 향기도 주정에는 없다.

35 다음 중 나머지 것들과 구분되는 것은?

① 청주
② 황주
③ 맥주
④ 와인
⑤ 위스키

 청주, 황주, 맥주, 와인은 모두 증류주를 만들기 위한 증류의 대상이 되는 술이고, 위스키는 증류주이다.

36 위 글의 제목으로 가장 적절한 것은?

① 증류주의 역사
② 양조주의 전통과 향기
③ 전통적 증류주 '소주'
④ 소주의 정체(正體)
⑤ 증류주의 다양성

 흔히 증류주로 알려져 있는 소주가 다른 증류주들과 다른 과정으로 제조됨을 설명하고 있으므로 글의 제목으로는 '소주의 정체(正體)'가 가장 적절하다.

Answer ☞ 34.② 35.⑤ 36.④

│37~38│ 다음 글을 읽고 물음에 답하시오.

우리의 전통 문화로서 오늘날 되살려 길이 지켜 갈만한 것으로는 어떤 것이 있을까? 수많은 것이 있겠지만, 부모(父母)를 섬기는 효(孝) 사상이 으뜸이 아닐까 생각한다.

효도(孝道)란, 자기를 낳아 준 제 부모를 극진히 섬기는 사람의 도리이다. 일상생활에서는 정성껏 봉양하고, 정신세계에서는 그 뜻을 받들어 이어 가는 것으로 근본을 삼는다. 따라서 효도는 어버이 생전에만 하는 것이 아니라, 자기 생명이 다하도록 계속해야 한다.

유교 사상의 주축이라 할 오륜(五倫)의 첫째 번에서 아비와 자식의 친함(父子有親)을 말하였고, 또 유교에서는 이 효를 인간의 모든 행위의 근원으로 보고 있기 때문에, 효 사상이라 하면 중국의 유교 사상에서 유래된 것으로 생각하는 사람이 많다.

물론 우리의 효 사상이 유교의 영향을 받아 더욱 다듬어지고, 특히 그 의식(儀式)과 절차(節次)에서 세련되어진 것은 사실이지만, 우리 한국인이 지녀 왔던 효 사상은 유교의 그것과는 좀 다르다.

일반적으로, 중국인이 생각하는 효는 유교에서 비롯된 규범 문화로서, 그것이 곧 생활 의식이요 도덕이다. 그리고 일본인이 생각하는 효는 불교의 영향을 받은 것으로, 자기를 낳고 키워 준 부모의 은공(恩功)에 보답한다는 일종의 보은(報恩) 사상이다.

그러나 우리 한국인의 효는 단순한 도덕적 생활 규범이거나 부모에게서 받은 은혜를 되갚는다는 의리(義理) 감정을 훨씬 넘어선, 관념 문화로서의 종교요 신앙으로 지켜져 왔다. 오늘날까지도, 같은 동양 문화권에 속해 있으면서도 부모와 조상을 섬기는 마음이 이웃 중국 사람이나 일본 사람보다 우리 한국인에게 훨씬 강하게 남아 있는 것은 이 때문이다.

37 윗글의 내용과 일치하지 않는 것은?

① 중국인의 효는 유교에서 비롯된 것으로 생활 의식이요 도덕이다.

② 한국인의 효 사상은 유교의 영향으로 그 의식과 절차가 다듬어졌다.

③ 부모를 섬기는 마음은 중국인이나 일본인이 한국인보다 약하다.

④ 한국인의 효는 유교에서 비롯되어 도덕적 생활 규범으로 정착되었다.

⑤ 한국인의 효는 부모님의 은혜에 대한 보답의 차원을 넘어선 신앙이 되었다.

 ④ 우리 한국인이 지녀 왔던 효 사상은 유교의 효와는 다르며, 우리 한국인의 효는 단순한 도덕적 생활 규범이거나 부모에게서 받은 은혜를 되갚는다는 의리(義理) 감정을 훨씬 넘어선, 관념 문화로서의 종교요 신앙으로 지켜져 왔다.

38 윗글의 다음에 나올 내용으로 가장 적절한 것은?

① 한국의 효 사상에 불편한 점이 많으므로 개선해야 함을 주장한다.

② 보은 사상이 한국의 전통적 효 사상의 중심이었음을 강조한다.

③ 일본과 중국의 효 사상의 차이를 상세히 비교하여 설명한다.

④ 유교가 일본의 효 사상에 끼친 영향에 대해 설명한다.

⑤ 한국의 전통적인 효 사상을 종교와 신앙으로 지켜온 예를 든다.

 ⑤ 윗글에서는 한국의 효 사상이 유교의 그것과는 다르다고 제시하고 있으므로 다음에 나올 내용으로는 한국의 효 사상이 종교와 신앙으로 지켜져 온 예시가 오는 것이 가장 적절하다.

39 다음 글의 빈칸에 들어갈 말로 가장 적절한 것은?

> 텔레비전은 _____ 전통적인 의미에서의 참다운 친구를 잃은 현대인의 공허함을 메워 주는 역할을 할 수 있다는 말이다. 진정한 친구는 외로울 때에 동반자가 되어 주고, 슬플 때에 위로해 줄 수 있어야 하는데, 텔레비전은 이를 대신해 줄 수 있기 때문이다. 그래서 좋은 텔레비전 프로그램은 진정한 친구가 없는 현대 사회의 많은 청소년에게 따뜻한 친구 역할을 한다. 좋은 음악 프로그램을 들으면서 아름다운 꿈을 키우기도 하고, 감동적인 드라마나 다큐멘터리 프로그램을 통해 깊은 내면의 교감을 나누기도 한다. 텔레비전은 다른 어떤 현실 속의 친구보다도 좋은 친구 역할을 하는 셈이다. 또, 실제 친구들과 나눌 이야깃거리를 제공해 주고, 공통된 화제로 대화를 끌고 가도록 만드는 역할을 하기도 한다.

① 강력한 교육적 기능을 가지고 있다.

② 영향력 있는 사회 교육 교사로서의 역할을 한다.

③ 세상을 살아가는 데 필요한 정보를 얻는 창구이기도 하다.

④ 대화 상대가 필요한 현대인에게 좋은 친구가 될 수 있다.

⑤ 대화를 단절시켜 좋은 인간관계 형성을 가로막는다.

 주어진 문단에서 참다운 친구를 잃은 현대인의 공허함을 메워주고 친구의 역할을 대신 해주는 텔레비전의 모습을 제시하고 있으므로 빈칸에 들어갈 가장 적절한 문장은 '대화 상대가 필요한 현대인에게 좋은 친구가 될 수 있다.'이다.

Answer ↦ 37.④ 38.⑤ 39.④

40 다음 밑줄 친 ㉠~㉤ 중 〈보기〉의 내용과 가장 관련이 깊은 것은?

어느 나라든지 역사의식은 그 국민의 문화적 생리 위에서 형성되는 것으로 문화 생리를 떠나서는 역사의식을 이해하기가 어렵다. 역사적으로 볼 때, 중국·한국·일본은 같은 동아시아 문화권에 속해 있으면서도 문화 생리가 서로 달라서 이에 따라 역사의식도 적지 않은 차이점을 지녀 왔다. 한국과 일본을 비교할 경우, 한국 사학은 ㉠샤머니즘과 연결된 고대 신앙을 바탕으로 종교적·신화적 역사 서술에서 출발했지만, 고려·조선조를 거치면서 ㉡유교적 합리 정신에 입각한 역사 서술이 깊은 뿌리를 내려 왔다.

일본의 경우 한반도에서 건너간 이주민들에 의해 고대 문화와 고대 국가가 건설되었고, 우리가 건네 준 불교·유교 문화에 의해서 중세 문화가 성장하였지만, 동아시아 문화권의 변경(邊境)에 위치한 지리적 조건과 외부의 침략을 받은 경험이 거의 없는 정치적 조건 등이 작용하여 고대 문화의 생리를 오랫동안 축적하면서 중세와 근대로의 전환을 맞이했던 것이다.

이와 같은 일본 역사의 특수한 전개 과정은 한편으로 한반도 및 대륙 문화와의 문화적 성장 단계의 격차에서 오는 열등감으로 유도되고, 그 열등감이 반사적으로 고대적 생리와 연결되어 비합리적으로 자기 전통을 미화하고, 고대 문화의 직접 전수자인 한반도인을 모멸하는 방향으로 나아가게 된 것이다. ㉢일본인의 대한(對韓) 콤플렉스는 고대와 중세를 통해서는 지방 세력 단위인 왜구의 침략 형태로 나타나지만, 서구의 기술 문명을 받아들인 뒤에는 국가 정책 차원의 침략 형태인 군국주의와 제국주의로 흐르게 된 것이다. 같은 제국주의라도 서구보다 일본이 더 질이 낮은 것은 문화 생리의 성격이 서구와 다른 데서 오는 차이이다.

벌거벗은 왜구 떼들이 신라 변경을 쉴 수 없이 노략질하던 7세기경에 일본 국내에서는 커다란 정치적 변화가 나타났다. 반도계 지배 세력을 밀어내면서 이른바 천황 체제가 수립되고, 그를 뒷받침하는 ㉣이데올로기 정리 작업으로서 뒤에 「일본서기(日本書紀)」라는 역사책이 편찬되었다. 이 책은 720년에 편찬된 것으로 되어 있지만, 실제로는 그보다 훨씬 뒤에 나온 것으로 보는 것이 일반적인 견해이다.

「백제 서기」, 「백제 신찬」 등 백제 측 사서를 많이 참고하여 편찬되었다고는 하지만, 이 책은 너무나 근거 없는 허구적 사실들을 많이 수록하여 훗날 일본인 학자들조차도 문학작품으로 간주하는 이들이 적지 않았다. 그런데 그 허구적 기사 가운데 오늘날까지도 금과옥조(金科玉條)처럼 떠받들어 지고 있는 것이 바로 임나일본부(任那日本府)와 진쿠 황후의 신라 정벌에 관한 기사이다. 「일본서기」를 밀어내고 새로운 천황 국가를 건설한 일본인의 증오와 보복심이 반영된 것이 바로 「일본서기」이다. 왜구가 물질적인 침략 형태라면, 「일본서기」는 ㉤정신적인 자기 합리화라 해도 과언이 아니다.

「일본서기」가 위와 같은 성격의 것이라 해도 그것이 나왔을 당시에서는 우리 사학에 아무런 영향을 주지 못했다. 12세기 초에 편찬된 「삼국사기」에는 임나일본부나 진쿠황후에 관한 기록이 전혀 없다. 외적의 침략을 낱낱이 기록한 「삼국사기」가 그러한 사실들을 빠뜨릴 이유가 없다.

에도 시대 말기, 즉 막부(幕府)말기에 일본에서는 이른바 국학 운동이 일어나면서 「고사기」, 「일본서기」 등 고전 연구가 활기를 띠었는데, 이에 따라 한국 연구도 본격화되었다. 그들은 「일본서기」를 그대로 신빙하여 우주 창생에서 일본 건국에 이르는 과정을 종교적으로 서술하고, 태고 때부터 일본이 조선을 지배했다고 주장했다. 이같은 국학 운동의 이면에는 일본 주자학자들의 퇴계 숭상에 대한 반발도 작용하였다. 이보다 앞서 18세기를 전후해서는 우리나라 실학과 비슷한 고학(古學) 운동이 일어나서 부국강병론이 대두되기도 하였다. 고학과 국학 운동은 쇄국에서 탈피하여 대외팽창으로 나아가려는 조짐을 갖기는 마찬가지였고, 그러한 배경에서 마침내는 메이지 초기에 이르러 한국을 징벌하자는 이른바 정한론(征韓論)이 대두하게 된 것이다.

〈보기〉

단군의 수명이 일천 몇 년이라고 되어있는 단군 사회를 재해석하여, 일천 몇 년은 단군 한 사람의 수명이 아니라 단군 왕조의 역년(歷年)으로 해석했다.

① ㉠   ② ㉡
③ ㉢   ④ ㉣
⑤ ㉤

 〈보기〉는 단군 신화의 종교적 · 신화적 서술을 합리적으로 해석하였다. 따라서 ㉡과 가장 관련이 깊다.

41 다음 중 (가)~(마)의 중심 내용을 잘못 말한 것은?

(가) 계층이란 불평등은 정당한 것일까? 만일에 많은 사람들이 불평등을 옳지 않은 것으로 보면 기존 사회 구조와 역사는 심각한 도전을 받게 되어 변동의 물결 속에 휩쓸려 들게 된다. 왜냐하면 기존 구조를 정당하지 않은 불평등의 구조로 믿는 사람들이 이것을 바꾸어 놓으려고 하기 때문이다. 곧 전쟁, 혁명, 혁신, 음모, 억압, 숙청 따위의 비극이 생기게 되는 것이다. 유토피아란 무엇일까? 순하디 순한 양이 사나운 늑대와 더불어 평화롭게 살 수 있는 곳이 아닐까? 사슴이 사자와 어깨동무를 하고, 비둘기와 독수리가 손을 맞잡고 사는 세계를 유토피아라고 하면, 유토피아에서는 불평등이 시기와 분쟁의 촉진제가 아니라 대화와 평화의 촉매제임을 뜻하게 된다. 여기에서는 불평등이 부당한 것으로 인정되지 않는다. 또한 비둘기와 독수리라는 차이 때문에 그들 사이가 더 가까워질 수가 있다. 여기에서의 불평등은 오히려 온당하다.

(나) 불평등이 온당한 것이 아니라고 판단될 때에 사회의 부조리와 역사의 비극이 생기게 되어 많은 사람들이 동물처럼 부려지고 물건처럼 천대받게 될 것이다. 그러면 왜 불평등이 옳지 않은 것으로 보이게 될까? 그리고 정당한 불평등이 있다면 그것은 무엇을 말하는 것일까? 흔히 사회 정의를 정당한 불평등이라고 한다. 이것은 비례적인 불평등을 뜻하기도 한다. 주어진 얼마 안 되는 보상을 무엇 무엇에 비례해서 분배받기 때문에 비례의 기준이 올바르다고 판단되면, 이 분배 기준에 따른 불평등을 올바른 것으로 여긴다. 이때에 사회 정의가 될 수 있는 보상의 분배 기준은 보편타당성을 가져야 한다.

(다) 대체로 인류 역사에 나타난 정의로운 분배 기준은 능력, 노력, 필요 등 세 가지이다. 능력에 따라 분배가 이루어지는 사회가 정의로운 사회이며, 노력에 따라 분배가 이루어지는 역사가 정의로운 역사라고 할 수 있다. 또한 필요에 따라 분배가 이루어져도 우리는 그 사회를 정의로운 사회라고 한다. 그런데 우리는 이 세 가지 기준들 사이에 있는 엄청난 차이에 눈을 주어야 한다. 능력이 있을수록 노력을 적게 해도 되고 능력과 노력에 관계없이 필요한 양은 높아질 수도 있고 또 낮아질 수도 있기 때문이다.

(라) 먼저 능력이라는 기준을 생각할 때에 우리 사회에서 능력에 따라 보상이 분배되고 있는지를 따져 보아야 한다. 예컨대, 능력을 학력으로 잰다고 하자. 학력이 높고 공부를 많이 한 사람들이 돈과 힘과 명예를 참으로 가장 많이 가지고 있을까? 오히려 학력과는 관계없이, 얼마 되지 않는 보상을 놓고 도덕도 원칙도 없이 마구 미친 듯이 덤빌 수 있는 능력에 따라 돈과 힘과 명예가 분배되는 것이나 아닐까? 이 경우의 능력은 정정당당하게 경쟁에 이길 수 있는 능력이 아니라, 부도덕한 일을 겁 없이 해치울 수 있는 능력을 말한다. 여기에서 오는 불평등은 올바른 것이 될 수 없다.

(마) 부당한 불평등으로 인한 피해를 보상받으려는 심리는 자연히 경쟁을 불러일으킨다. 경쟁을 한다고 해서 모든 사람이 다 똑같은 조건에서 경쟁에 참여할 수 있는 것은 아니다. 이미 유리한 자리를 차지한 사람일수록 경쟁에의 욕구는 높은 법이다. 더군다나 사회는 이들만이 경쟁에 참여할 수 있도록 구조화되어 있기가 십상이다. 조선 시대의 사회적 관습이나 제도가 그러하였다. 정당한 경쟁에 의한 불평등이 아니었던 것이다.

① (가) : 부당한 불평등과 온당한 불평등
② (나) : 정당한 불평등의 개념
③ (다) : 정의로운 분배 기준
④ (라) : 능력에 따른 정당한 불평등
⑤ (마) : 부당한 불평등과 부당한 경쟁

 ④ (라)에서는 도덕적인 원리에 의하지 않고 보상을 가지려는 불평등한 사례가 제시되어 있다.

42 다음 주어진 문장이 들어갈 위치로 가장 적절한 것은?

> 신체적인 측면에서 보면 잠든다는 것은 평온하고 안락한 자궁(子宮) 안의 시절로 돌아가는 것과 다름이 없다.

> 우리는 매일 밤 자신의 피부를 감싸고 있던 덮개(옷)들을 벗어 벽에 걸어 둘 뿐 아니라, 신체 기관을 보조하기 위해 사용하던 여러 도구를, 예를 들면 안경이나 가발, 의치 등도 모두 벗어 버리고 잠에 든다. (가) 여기에서 한 걸음 더 나아가면, 우리는 잠을 잘 때 옷을 벗는 행위와 비슷하게 자신의 의식도 벗어서 한쪽 구석에 치워 둔다고 할 수 있다. (나) 두 경우 모두 우리는 삶을 처음 시작할 때와 아주 비슷한 상황으로 돌아가는 셈이 된다. (다) 실제로 많은 사람들은 잠을 잘 때 태아와 같은 자세를 취한다. (라) 마찬가지로 잠자는 사람의 정신 상태를 보면 의식의 세계에서 거의 완전히 물러나 있으며, 외부에 대한 관심도 정지되는 것으로 보인다. (마)

① (가) ② (나)
③ (다) ④ (라)
⑤ (마)

 (다)의 앞 문장에서 '잠을 잘 때 우리는 삶을 처음 시작할 때와 아주 비슷한 상황'으로 돌아간다고 제시되어 있고, 뒤의 문장에서는 그에 대한 근거 '많은 사람들이 잠을 잘 때 태아와 같은 자세를 취하는 것'에 대해 제시되어 있으므로 주어진 문장에 들어가기에 가장 적절한 곳은 (다)이다.

| 43~44 | 다음 글을 읽고 물음에 답하시오.

현대 사진은 현실을 포장지로밖에 생각하지 않는다. 작가의 주관적 사상이나 감정, 곧 주제를 표현하기 위한 하나의 소재로 현실을 인식한다. 따라서 현실 자체의 의미나 가치에는 연연하지 않는다. 그럼에도 불구하고 현대 사진이 현실에 묶여 떠나지 못하는 것은, 대상이 없는 한 찍히지 않고 실체로서의 현실을 떠나서 성립할 수 없는 사진의 메커니즘 탓이다. 작가의 주관적 사상이나 감정은 구체적 사물을 거치지 않고서는 표현할 길이 없는 것이다. 그러나 사진이 추구하는 바가 현실의 재현이 아니다 보니 현대 사진은 연출을 마음대로 하고, 온갖 기법을 동원해 현실을 재구성하기도 한다. 심지어 필름이나 인화지 위에 인위적으로 손질을 가해 현실성을 지워 버리기도 한다. 현실을 왜곡하는 것에 아무런 구애를 받지 않는 것이다. 구체적인 사물의 정확한 재현에만 익숙해 있던 눈에는 이런 현대 사진이 난해하기만 하다.

이러한 현대 사진의 특성을 고려할 때, 창조적 사진을 위해서 필요한 것은 자유로운 눈이다. 이는 작가에게만 한정된 요구가 아니다. 사진을 현실로 생각하는 수용자 쪽의 고정관념 또한 현대 사진의 이해에 장애가 된다. 발신자와 수신자 사이에 암호가 설정되기 위해서는 수신자 쪽에서도 암호를 해독할 수 있는 바탕이 마련되어 있어야 한다. 작가나 수용자나 고정관념과 인습에서 벗어날 때, 현실과 영상 사이에 벌어진 커다란 틈이 보이게 된다. 그리고 그 때 비로소 사진은 자기의 비밀을 털어놓기 시작한다. 현대 사진에 대한 이해의 첫 관문은 그렇게 해서 통과할 수가 있다.

---

43 다음 중 글의 내용과 일치하지 않는 것은?

① 사진작가들의 주관적 사상이나 감정을 담은 사진은 현실과 완벽하게 구분되어진다.

② 작가뿐만 아니라 사진을 보는 사람들도 창조적으로 사진을 바라보는 눈이 있어야 한다.

③ 현실의 사물을 그대로 찍어낸 사진은 현대 사진 작가들이 추구하는 바가 아니다.

④ 현대 사진은 다양한 표현 기법을 동원해서 현실을 재구성하기도 한다.

⑤ 현대 사진 작가는 감정의 표현을 위해서 필름이나 인화지에 인위적인 변화를 주기도 한다.

 ① 현대 사진은 현실에 연연하지는 않지만 대상이 없는 한 사진은 찍히지 않고, 현실을 떠나서는 성립할 수 없는 사진의 메커니즘 탓에 사진과 현실은 완벽하게 구분되어지지 않는다.

44 윗글의 현대 사진 작가와 샤갈이 공통적으로 전제하고 있는 것은?

> 화가 샤갈이 거리에서 캔버스를 세워 놓고 그리기에 열중하고 있을 때, 마침 지나가던 행인 중 한 사람이 큰 소리로 이렇게 외쳤다.
> "별난 사람도 다 있군. 세상에 날아다니는 여자를 그리는 사람 처음 보겠네."
> 이때 샤갈이 뒤돌아보지도 않고 웃으며 던진 한 마디는 이런 것이었다.
> "그러니까 화가지"

① 예술은 다양한 표현 기법을 써서 시대의 문제의식을 표현한다.
② 예술은 현실에서 멀리 떨어져서 바라보는 관조의 대상이 아니다.
③ 예술 작품이 현실을 모방하는 것은 현실의 본질을 간파하지 못했기 때문이다.
④ 고정관념에서 벗어날 때 비로소 창조적인 작가 의식을 드러낼 수 있다.
⑤ 대중이 현대의 난해한 예술 작품을 이해하지 못하는 것은 당연한 일이다.

 샤갈과 현대 사진 작가는 현실의 고정관념에서 벗어나 창조적인 작품(그림, 사진)으로 자신의 사상 또는 감정을 드러낸다.

Answer → 43.① 44.④

45 다음은 고령화 시대의 노인 복지 문제라는 제목으로 글을 쓰기 위해 수집한 자료이다. 자료를 모두 종합하여 설정할 수 있는 논지 전개 방향으로 가장 적절한 것은?

㉠ 노령화 지수 추이(통계청)

연도	1990	2000	2010	2020	2030
노령화 지수	20.0	34.3	62.0	109.0	186.6

※ 노령화 지수 : 유년인구 100명당 노령인구

㉡ 경제 활동 인구 한 명당 노인 부양 부담이 크게 증가할 것으로 예상된다. 노인 인구에 대한 의료비 증가로 건강 보험 재정도 위기 상황에 처할 수 있을 것으로 보인다. 향후 노인 요양 시설 및 재가(在家) 서비스를 위해 부담해야 할 투자비용도 막대하다.
－ 00월 00일 ○○뉴스 중 －

㉢ 연금 보험이나 의료 보험 같은 혜택도 중요하지만 우리 같은 노인이 경제적으로 독립할 수 있도록 일자리를 만들어 주는 것이 더 중요한 것 같습니다.
－ 정년 퇴직자의 인터뷰 중 －

---

① 노인 인구의 증가 속도에 맞춰 노인 복지 예산 마련이 시급한 상황이다. 노인 복지 예산을 마련하기 위한 구체적 방안은 무엇인가?

② 노인 인구의 급격한 증가로 여러 가지 사회 문제가 나타날 것으로 예상된다. 이러한 상황의 심각성을 사람들에게 어떻게 인식시킬 것인가?

③ 노인 인구의 증가가 예상되면서 노인 복지 대책 또한 절실히 요구되고 있다. 이러한 상황에서 노인 복지 정책의 바람직한 방향은 무엇인가?

④ 노인 인구가 증가하면서 노인 복지 정책에 대한 노인들의 불만도 높아지고 있다. 이러한 불만을 해소하기 위해서 정부는 어떠한 노력을 해야 하는가?

⑤ 현재 정부의 노인 복지 정책이 마련되어 있기는 하지만 실질적인 복지 혜택으로 이어지지 않고 있다. 이러한 현상이 나타나게 된 근본 원인은 무엇인가?

Tip ㉠㉡을 통해 노인인구 증가에 대한 문제를 제기하고, ㉢을 통해 노인 복지 정책의 바람직한 방향을 금전적인 복지보다는 경제적인 독립, 즉 일자리 창출 등으로 잡아야한다고 논지를 전개해야 한다.

46 다음의 문장들을 문맥에 맞게 배열한 것은?

> ㉠ 그러므로 생태계 피라미드에서 상층의 존재들은 하층의 존재들을 마음대로 이용해도 된다.
> ㉡ 결론적으로 인간은 다른 동물들을 얼마든지 잡아먹어도 된다.
> ㉢ 어떤 사람들은 강한 존재가 약한 존재를 먹고 산다는 것을 의미하는 '약육강식'에 근거하여 동물을 잡아먹는 것을 도덕적으로 정당화하고자 한다.
> ㉣ 그런데 인간은 생태계 피라미드에서 가장 높은 위치에 있는 존재이다.
> ㉤ 그들의 논증은 다음과 같다.
> ㉥ 약육강식은 자연법칙이다.

① ㉠ - ㉡ - ㉤ - ㉣ - ㉢ - ㉥
② ㉠ - ㉥ - ㉣ - ㉤ - ㉢ - ㉡
③ ㉢ - ㉤ - ㉥ - ㉠ - ㉣ - ㉡
④ ㉢ - ㉤ - ㉠ - ㉥ - ㉡ - ㉣
⑤ ㉤ - ㉣ - ㉡ - ㉢ - ㉠ - ㉥

 ㉢과 ㉤은 글의 도입이고 이후의 주장 내용은 접속사와 연역법의 논리를 따라가며 순서를 정한다.
   ㉥ 약육강식
   ㉠ 생태계 피라미드에서 상층의 존재들은 하층의 존재들을 마음대로 이용해도 된다.
   ㉣ 인간은 생태계 피라미드에서 가장 높은 위치에 있는 존재이다.
   ㉡ 인간은 다른 동물들을 얼마든지 잡아먹어도 된다(결론).

Answer ↱ 45.③ 46.③

47 밑줄 친 부분에 대한 반론으로 가장 타당한 것은?

자연은 인간 사이의 갈등을 이용하여 인간의 모든 소질을 계발하도록 한다. 사회의 질서는 이 갈등을 통해 이루어진다. 이 갈등은 인간의 반사회적 사회성 때문에 초래된다. 반사회적 사회성이란 한편으로는 사회를 분열시키려고 끊임없이 위협하고 반항하면서도, 다른 한편으로는 사회를 이루어 살려는 인간의 성향을 말한다. 이러한 성향은 분명 인간의 본성 가운데에 있다.

인간은 사회 속에서만 자신을 더 나은 존재로 느낄 수 있기 때문에 자신을 사회화하고자 한다. 인간은 사회 속에서만 자신의 자연적 소질을 실현할 수 있는 것이다. 그러나 인간은 자신을 개별화하거나 고립시키려는 강한 성향도 있다. 이는 자신의 의도에 따라서만 행위하려는 반사회적인 특성을 의미한다. 그리고 저항하려는 성향이 자신뿐만 아니라 다른 사람에게도 있다는 사실을 알기 때문에, 그 자신도 곳곳에서 저항에 부딪히게 되리라 예상한다.

이러한 저항을 통하여 인간은 모든 능력을 일깨우고, 나태해지려는 성향을 극복하며, 명예욕이나 지배욕, 소유욕 등에 따라 행동하게 된다. 그리하여 동시대인들 가운데에서 자신의 위치를 확보하게 된다. 이렇게 하여 인간은 야만의 상태에서 벗어나 문화를 이룩하기 위한 진정한 진보의 첫걸음을 내딛게 된다. 이때부터 모든 능력이 점차 계발되고 아름다움을 판정하는 능력도 형성된다. 나아가 자연적 소질에 의해 도덕성을 어렴풋하게 느끼기만 하던 상태에서 벗어나, 지속적인 계몽을 통하여 구체적인 실천 원리를 명료하게 인식할 수 있는 성숙한 단계로 접어든다. 그 결과 자연적인 감정을 기반으로 결합된 사회를 도덕적인 전체로 바꿀 수 있는 사유 방식이 확립된다.

<u>인간에게 이러한 반사회성이 없다면, 인간의 모든 재능은 꽃피지 못하고 만족감과 사랑으로 가득 찬 목가적인 삶 속에서 영원히 묻혀 버리고 말 것이다.</u> 그리고 양처럼 선량한 기질의 사람들은 가축 이상의 가치를 자신의 삶에 부여하기 힘들 것이다. 자연 상태에 머물지 않고 스스로의 목적을 성취하기 위해 자연적 소질을 계발하여 창조의 공백을 메울 때, 인간의 가치는 상승되기 때문이다.

불화와 시기와 경쟁을 일삼는 허영심, 막힐 줄 모르는 소유욕과 지배욕을 있게 한 자연에 감사하라! 인간은 조화를 원한다. 그러나 자연은 불화를 원한다. 자연은 무엇이 인간을 위해 좋은 것인지를 더 잘 알고 있기 때문이다. 인간은 안락하고 만족스럽게 살고자 한다. 그러나 자연은 인간이 나태와 수동적인 만족감으로부터 벗어나 노동과 고난 속으로 돌진하기를 원한다. 그렇게 함으로써 자연은 인간이 노동과 고난으로부터 현명하게 벗어날 수 있는 방법을 발견하게 한다.

① 인간의 본성은 변할 수 없다.
② 동물도 사회성을 키울 수 있다.
③ 사회성만으로도 재능이 계발될 수 있다.
④ 반사회성만으로는 재능이 계발될 수 없다.
⑤ 목가적인 삶 속에서도 반사회성이 생겨날 수 있다.

㉠은 '인간에게 반사회성이 없다면 인간의 모든 재능이 구현되지 못하고 사장될 것이다.'는 내용이므로, '반사회성이 없어도 재능이 계발될 수 있다.'는 ③이 ㉠에 대한 반론으로 가장 타당하다.

48 글의 저자가 표준어 규정 및 맞춤법 규정 등이 지켜지지 않는 이유로 제시하고 있는 것은?

> 우리말에서 신경을 써서 가꾸고 다듬어야 할 요소들은 여러 가지가 있지만, 반드시 강조해 두고 싶은 것은 규범을 지키는 언어생활이다.
>
> 우리는 우리말 사용에서 나타날 수 있는 혼란을 방지하기 위하여 표준어 규정, 맞춤법 규정, 표준 발음 규정, 외래어 표기법 같은 국가적 차원의 규범을 만들어 놓고 언어생활에서 이를 지키도록 하고 있다. 나는 소위 선진국이라는 나라에 몇 번 머무를 기회가 있었는데, 철자를 잘못 적는 일은 한 번도 목격한 적이 없다. 이에 반해 우리의 실정은 어떠한가? 거리에 나가 거닐면서 각종 상점의 간판, 광고, 표지 등을 잠깐만 살펴보더라도, 규범을 지키지 않은 사례들이 한두 건은 어렵지 않게 찾아낼 수 있을 정도이다. 또, 공식적인 자리에서조차 표준어 규정이나 표준 발음에 어긋나는 말을 서슴지 않고 하거나, 심지어 영어 철자법에는 자신이 있는데 한글 맞춤법은 어려워서 영 자신이 없다고 무슨 자랑거리라도 되는 듯이 이야기하는 지식인을 본 적도 있다. 사실, 영어의 철자는 너무나도 불규칙해서 송두리째 암기하지 않으면 안 된다. 이에 비하면, 우리말의 맞춤법은 영어와는 비교가 되지 않을 정도로 쉽다. 그런데도 우리말의 맞춤법이 어렵다고 생각하게 되었다면, 그것은 결국 우리말을 소홀하게 생각해 온데서 비롯된 결과가 아니겠는가?

① 우리말에 대한 국민의 관심이 적다.
② 새로 바뀐 맞춤법의 교육이 이루어지지 않았다.
③ 정부의 정책적인 홍보가 부족하다.
④ 표준어 규정이나 맞춤법 규정 등의 내용이 너무 어렵다.
⑤ 새로운 규범이 사회에 정착하려면 시간이 걸린다.

 윗글의 저자는 우리말의 맞춤법이 영어보다 쉬운데도 불구하고 어렵다고 생각되는 것은 국민들이 우리말을 소홀하게 생각하는 데서, 즉 우리말에 대한 관심이 적은 데서 비롯된 결과라고 보고 있다.

Answer ➔ 47.③ 48.①

49 다음 글의 기술 방식상 특징을 바르게 이해한 것은?

> 집을 나섰다. 리무진 버스를 타고 거대한 영종대교를 지나 인천공항에 도착해보니 사람들로 북적거렸다. 실로 많은 사람들이 해외를 오가고 있다고 생각하니 '세계화, 지구촌'이란 단어들이 새로운 느낌으로 다가왔다. 출국 수속을 마치고 비행기표를 받았다. 출발까지는 한참을 기다려야 했기에 공항 내 이곳저곳을 두루 살펴보면서 아들과 그동안 못 나눈 이야기로 시간을 보냈다.

① 객관적 정보와 사실들을 개괄하여 설명한다.
② 공항의 풍경과 사물들을 세밀하게 묘사한다.
③ 개인적 감정과 견해를 타인에게 설득시킨다.
④ 시간의 경과에 따른 체험과 행위를 서술한다.
⑤ 특징이 정반대인 대상 2개를 비교한다.

 집을 나섬→영종대교를 지남→인천공항에 도착→출국 수속을 마침→공항 구경으로 이어지고 있다. 따라서 정답은 ④ '시간의 경과에 따른 체험과 행위를 서술한다'가 된다.

50 다음 제시된 내용의 전개방식과 유사한 것은?

> 달리소에는 회오리바람이 일어서 낟가리가 날리고 지붕이 날리고 산천이 울려서 혼돈이 배판할 때 빙세계나 트는 듯한 판이라 사람은커녕 개와 도야지도 굴속에서 꿈쩍 못하였다.

① 사람은 사회적 동물이다. 사람은 본성적으로 다른 사람들과 공동체를 이루어 살게 되어 있다. 따라서 자기 자신만을 내세우는 유아독존적 생활태도는 지양되어야 한다. 토마스 만의 말대로 인간은 하나하나의 개체로서가 아니라 그 개체의 상호 연합에 의해서만 위대성이 구현되기 때문이다.

② 동래 종점에서 전차를 내리자, 동욱이가 쪽지에 그려 준 약도를 몇 번이나 펴 보이며 진득진득 걷기 힘든 비탈길을 원구는 조심히 걸어 올라갔다. 비는 여전히 줄기차게 내리고 있었다. 우산을 받기는 했으나, 비가 후려쳐 말이 아니었다.

③ 오늘날처럼 모든 것이 급속하게 발전되어 가는 사회 속에 살면서 그러한 묵은 전통 세계에만 집착하는 것은 현대 문명 생활을 버리고 산이나 동굴 속으로 파고드는 것과 마찬가지이다.

④ 햇살에 비껴서 타오르는 불길 모양 너울거리곤 하는 연기는 마치 마술을 부리듯 소리 없이 사방으로 번져 건물 전체를 뒤덮고, 점점 더 부풀어 들을 메우며 제방의 개나리와 엉기고 말았다.

⑤ 나무에는 은행나무, 벚나무, 단풍나무 등이 있다.

 지문의 내용은 묘사가 사용되었다.
① 논증 ② 서사 ③ 설명 ④ 묘사 ⑤ 예시

Answer → 49.④ 50.④

04 직무역량

※ 직무역량은 지원직무에 따라 상이할 수 있습니다.

※ 직무역량은 지원 직무에 따라 Type M(management), Type P(production), Type C(construction), Type R(R&D), Type SW(software)로 상이합니다.

1 다음은 T전자회사가 기획하고 있는 '전자제품 브랜드 인지도에 관한 설문조사'를 위하여 작성한 설문지의 표지 글이다. 다음 표지 글을 참고할 때, 설문조사의 항목에 포함되기에 가장 적절하지 않은 것은?

> [전자제품 브랜드 인지도에 관한 설문조사]
>
> 안녕하세요? T전자회사 홍보팀입니다.
> 저희 T전자에서는 고객들에게 보다 나은 제품을 제공하기 위하여 전자제품 브랜드 인지도에 대한 고객 분들의 의견을 청취하고자 합니다. 전자제품 브랜드에 대한 여러분의 의견을 수렴하여 더 좋은 제품과 서비스를 공급하고자 하는 것이 이 설문조사의 목적입니다. 바쁘시더라도 잠시 시간을 내어 본 설문조사에 응해주시면 감사하겠습니다. 응답해 주신 사항에 대한 철저한 비밀 보장을 약속드립니다. 감사합니다.
>
> T전자회사 홍보팀 담당자 홍길동
전화번호 : 1588-0000

① 귀하는 T전자회사의 브랜드인 'Think-U'를 알고 계십니까?

㉠ 예	㉡ 아니오		

② 귀하가 주로 이용하는 전자제품은 어느 회사 제품입니까?

㉠ T전자회사	㉡ R전자회사	㉢ M전자회사	㉣ 기타 ( )

③ 귀하에게 전자제품 브랜드 선택에 가장 큰 영향을 미치는 요인은 무엇입니까?

㉠ 광고	㉡ 지인 추천	㉢ 기존 사용 제품	㉣ 기타 ( )

④	귀하가 일상생활에 가장 필수적이라고 생각하시는 전자제품은 무엇입니까?			
	㉠ TV	㉡ 통신기기	㉢ 청소용품	㉣ 주방용품

⑤	귀하는 전자제품의 품목별 브랜드를 달리 선택하는 편입니까?	
	㉠ 예	㉡ 아니오

 설문조사지는 조사의 목적에 적합한 결과를 얻을 수 있는 문항으로 작성되어야 한다. 제시된 설문조사는 보다 나은 제품과 서비스 공급을 위하여 브랜드 인지도를 조사하는 것이 목적이므로, 자사 자사의 제품이 고객들에게 얼마나 인지되어 있는지, 어떻게 인지되었는지, 전자제품의 품목별 선호
브랜드가 동일한지 여부 등 인지도 관련 문항이 포함되어야 한다.
④ 특정 제품의 필요성을 묻고 있으므로 자사의 브랜드 인지도 제고와의 연관성이 낮아 설문조사 항목으로 가장 적절하지 않다.

2 다음은 N사의 단독주택용지 수의계약 공고문 중 일부이다. 공고문의 내용을 바르게 이해한 것은?

[○○ 블록형 단독주택용지(1필지) 수의계약 공고]

1. 공급대상토지

면적 (㎡)	세대수 (호)	평균규모 (㎡)	용적률 (%)	공급가격 (천원)	계약보증금 (원)	사용가능 시기
25,479	63	400	100% 이하	36,944,550	3,694,455,000	즉시

2. 공급일정 및 장소

일정	2019년 1월 11일 오전 10시부터 선착순 수의계약 (토·일요일 및 공휴일, 업무시간 외는 제외)
장소	N사 ○○지역본부 1층

3. 신청자격
아래 두 조건을 모두 충족한 자
– 실수요자 : 공고일 현재 주택법에 의한 주택건설사업자로 등록한 자
– 3년 분할납부(무이자) 조건의 토지매입 신청자
※ 납부 조건 : 계약체결 시 계약금 10%, 중도금 및 잔금 90%(6개월 단위 6회 납부)

4. 계약체결 시 구비서류
– 법인등기부등본 및 사업자등록증 사본 각 1부
– 법인인감증명서 1부 및 법인인감도장(사용인감계 및 사용인감)
– 대표자 신분증 사본 1부(위임 시 위임장 1부 및 대리인 신분증 제출)
– 주택건설사업자등록증 1부
– 계약금 납입영수증

---

① 계약이 체결되면 즉시 해당 토지에 단독주택을 건설할 수 있다.
② 계약체결 후 첫 번째 내야 할 중도금은 5,250,095,000원이다.
③ 규모 400㎡의 단독주택용지를 일반 수요자에게 분양하는 공고이다.
④ 계약에 대한 보증금이 공급가격보다 더 높아 실수요자에게 부담을 줄 우려가 있다.
⑤ 토지에 대한 계약은 계약체결 시 구비서류를 갖춰 신청한 사람 중 최고가 입찰액을 작성한 사람에게 이루어진다.

 부지 용도가 단독주택용지이고 토지사용 가능시기가 '즉시'라는 공고를 통해 계약만 이루어지면 즉시 이용이 가능한 토지임을 알 수 있다.
  ② 계약체결 후 남은 금액은 공급가격에서 계약금을 제외한 33,250,095,000원이다. 이를 무이자로 3년간 6회에 걸쳐 납부해야 하므로 첫 번째 내야 할 중도금은 5,541,682,500원이다.
  ③ 규모 400㎡의 단독주택용지를 주택건설업자에게 분양하는 공고이다.
  ④ 계약금은 공급가격의 10%로 보증금이 더 적다.
  ⑤ 본 계약은 선착순 수의계약이다.

3 S정보통신에 입사한 당신은 시스템 모니터링 업무를 담당하게 되었다. 다음의 시스템 매뉴얼을

확인한 후 제시된 상황에서 적절한 입력코드를 고르면?

〈S정보통신 시스템 매뉴얼〉

❏ 항목 및 세부사항

항목	세부사항
Index@@ of Folder@@	• 오류 문자 : Index 뒤에 나타나는 문자 • 오류 발생 위치 : Folder 뒤에 나타나는 문자
Error Value	• 오류 문자와 오류 발생 위치를 의미하는 문자에 사용된 알파벳을 비교하여 오류 문자 중 오류 발생 위치의 문자와 일치하지 않는 알파벳의 개수 확인
Final Code	• Error Value를 통하여 시스템 상태 판단

❏ 판단 기준 및 처리코드(Final Code)

판단 기준	처리코드
일치하지 않는 알파벳의 개수 = 0	Qfgkdn
0 < 일치하지 않는 알파벳의 개수 ≤ 3	Wxmt
3 < 일치하지 않는 알파벳의 개수 ≤ 5	Atnih
5 < 일치하지 않는 알파벳의 개수 ≤ 7	Olyuz
7 < 일치하지 않는 알파벳의 개수 ≤ 10	Cenghk

System is processing requests...
System Code is X.
Run...

Error Found!
Index GHWDYC of Folder APPCOMPAT

Final Code? _____

① Qfgkdn
② Wxmt
③ Atnih
④ Olyuz
⑤ Cenghk

 Index 뒤에 나타나는 문자가 오류 문자이므로 이 상황에서 오류 문자는 'GHWDYC'이다. 오류 문자 중 오류 발생 위치의 문자와 일치하지 않는 알파벳은 G, H, W, D, Y 5개이므로 처리코드는 'Atnih'이다.

Answer 2.① 3.③

4 H공사 홍보팀에 근무하는 이 대리는 사내 홍보 행사를 위해 행사 관련 준비를 진행하고 있다. 홍보팀에서 추가로 설치해야 할 물품이 다음과 같을 때, 추가 물품 설치에 필요한 비용은 총 얼마인가?

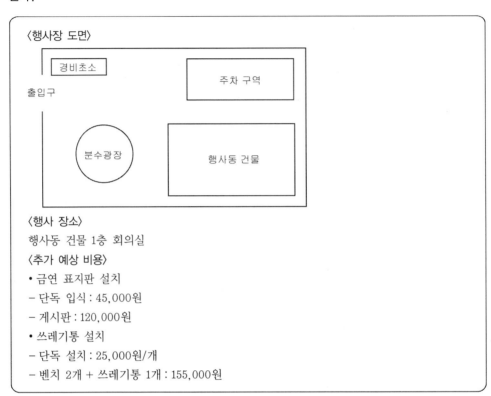

〈행사장 도면〉

경비초소

주차 구역

출입구

분수광장

행사동 건물

〈행사 장소〉
행사동 건물 1층 회의실
〈추가 예상 비용〉
• 금연 표지판 설치
– 단독 입식 : 45,000원
– 게시판 : 120,000원
• 쓰레기통 설치
– 단독 설치 : 25,000원/개
– 벤치 2개 + 쓰레기통 1개 : 155,000원

[추가로 설치해야 할 물품]
• 금연 표지판 설치
– 분수대 후면 1곳
– 주차 구역과 경비초소 주변 각 1곳
– 행사동 건물 입구 1곳
※ 실외는 게시판 형태로 설치하고 행사장 입구에는 단독 입식 형태로 설치
• 쓰레기통
– 분수광장 금연 표지판 옆 1곳
– 주차 구역과 경비초소 주변 각 1곳
※ 분수광장 쓰레기통은 벤치와 함께 설치

① 550,000원

② 585,000원

③ 600,000원

④ 610,000원

⑤ 625,000원

 장소별로 계산해 보면 다음과 같다.
- 분수광장 후면 1곳(게시판) : 120,000원
- 주차 구역과 경비초소 주변 각 1곳(게시판) : 120,000원 × 2 = 240,000원
- 행사동 건물 입구 1곳(단독 입식) : 45,000원
- 분수광장 금연 표지판 옆 1개(벤치 2개 + 쓰레기통 1개) : 155,000원
- 주차 구역과 경비초소 주변 각 1곳(단독) : 25,000 × 2 = 50,000원
따라서 총 610,000원의 경비가 소요된다.

Answer 4.④

5 성년인 김부자 씨는 아버지로부터 1억 7천만 원의 현금을 증여받게 되어, 증여세 납부 고지서를 받기 전 스스로 증여세를 납부하고자 세무사를 찾아 갔다. 다음의 내용을 바탕으로 세무사가 계산해 준 김부자 씨의 증여세 납부액은 얼마인가?

> 증여세는 타인으로부터 무상으로 재산을 취득하는 경우, 취득자에게 무상으로 받은 재산가액을 기준으로 하여 부과하는 세금이다. 특히, 증여세 과세대상은 민법상 증여뿐만 아니라 거래의 명칭, 형식, 목적 등에 불구하고 경제적 실질이 무상 이전인 경우 모두 해당된다. 증여세는 증여받은 재산의 가액에서 증여재산 공제를 하고 나머지 금액(과세표준)에 세율을 곱하여 계산한다.
>
> | 증여재산 − 증여재산공제액 = 과세표준 |
> | :---: |
> | 과세표준 × 세율 = 산출세액 |
>
> 증여가 친족 간에 이루어진 경우 증여받은 재산의 가액에서 다음의 금액을 공제한다.
>
> | 증여자 | 공제금액 |
> | :---: | :---: |
> | 배우자 | 6억 원 |
> | 직계존속 | 5천만 원 |
> | 직계비속 | 5천만 원 |
> | 기타친족 | 1천만 원 |
>
> 수증자를 기준으로 당해 증여 전 10년 이내에 공제받은 금액과 해당 증여에서 공제받을 금액의 합계액은 위의 공제금액을 한도로 한다.
> 또한, 증여받은 재산의 가액은 증여 당시의 시가로 평가되며, 다음의 세율을 적용하여 산출세액을 계산하게 된다.
>
> 〈증여세 세율〉
>
> | 과세표준 | 세율 | 누진공제액 |
> | :---: | :---: | :---: |
> | 1억 원 이하 | 10% | − |
> | 1억 원 초과~5억 원 이하 | 20% | 1천만 원 |
> | 5억 원 초과~10억 원 이하 | 30% | 6천만 원 |
> | 10억 원 초과~30억 원 이하 | 40% | 1억 6천만 원 |
> | 30억 원 초과 | 50% | 4억 6천만 원 |
>
> ※ 증여세 자진신고 시 산출세액의 7% 공제함

성년인 김부자 씨는 아버지로부터 1억 7천만 원의 현금을 증여받게 되어, 증여세 납부 고지서를 받기 전 스스로 증여세를 납부하고자 세무사를 찾아 갔다. 세무사가 계산해 준 김부자 씨의 증여세 납부액은 얼마인가?

① 1,400만 원　　　　　　　② 1,302만 원

③ 1,280만 원　　　　　　　④ 1,255만 원

⑤ 1,205만 원

주어진 자료를 근거로, 다음과 같은 계산 과정을 거쳐 증여세액이 산출될 수 있다.
- 증여재산 공제 : 5천만 원
- 과세표준 : 1억 7천만 원 − 5천만 원 = 1억 2천만 원
- 산출세액 : 1억 2천만 원 × 20% − 1천만 원 = 1,400만 원
- 납부할 세액 : 1,302만 원(자진신고 시 산출세액의 7% 공제)

6 기술 융합에 관한 다음 글의 내용을 토대로 할 때, 융합이 의미하는 두 가지의 과학 기술을 알맞게 짝지은 것은?

> 가까운 미래에는 주민등록증 혹은 여권 대신 무엇을 들고 다닐까? 흔히 SF영화에서는 개인의 DNA를 담은 칩을 인체 속에 삽입하고 다니면서 신분증으로 사용하는 장면이나 눈물 한 방울로 환자의 질병을 진단하는 모습이 연출되어 왔다. 이러한 영화 속 장면이 NBIT 기술이 바탕이 되어 현실로 실현화되고 있다. NBIT 대표 융합기술 중 하나인 이러한 기술은 기존 한 가지 특정 성분분석 검출기의 한계(긴 검출시간 및 많은 양의 환자 혈액 필요 등)를 극복하기 위해 개발되어 온 상업화된 상품으로써, 다중의 분석물을 자발적으로 측정할 수 있는 감지소자를 일컫는다. 크게 면역진단과 분자진단으로 나뉘며, 구체적으로 분석 대상에 따라서 DNA 칩, 단백질 칩, 세포 칩, 뉴런 칩, 그리고 생체삽입용 칩 등이 있다. 현재 다양한 표면 화학적 활성화 기술을 바탕으로 고효율의 바이오 탐침(bio-probe) 고정화기술 및 바이오어레이 기술을 자동화하는데 성공함으로써 다양한 고효율성 칩 시제품들이 출시되고 있다.

① BT, IT
② BT, CS
③ NT, BT
④ CS, NT
⑤ IT, NT

 DNA 칩 등의 생체삽입용 칩 기술은 바이오 기술(BT)과 미세한 나노미터(10억분의 1m) 기술(NT)을 융합한 첨단 기술이 필요한 분야이다.
※ CS는 Cognitive Science의 약자로 인지과학을 말한다.

7 다음의 명령어를 참고할 때, 아래와 같은 모양의 변화가 일어나기 위하여 누른 두 번의 스위치는 순서대로 어느 것인가? (단, 도형의 번호는 위에서부터 순서대로 1, 2, 3, 4번이다)

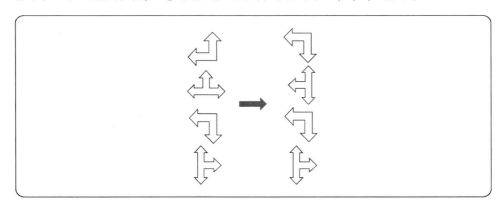

스위치	기능
○	1번, 2번 도형을 시계방향으로 90도 회전함
●	3번, 4번 도형을 시계방향으로 90도 회전함
◇	1번, 4번 도형을 시계반대방향으로 90도 회전함
◆	2번, 3번 도형을 시계반대방향으로 90도 회전함
□	모든 도형을 시계방향으로 90도 회전함
■	모든 도형을 시계반대방향으로 90도 회전함

① ◆, □   ② ●, ◇

③ ■, ●   ④ ◆, ◇

  ■와 ● 버튼을 순서대로 눌러서 다음 과정을 거친 모양의 변화이다.

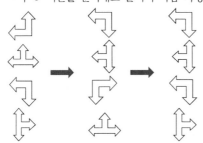

8 다음은 발전소에서 만들어진 전기가 가정으로 공급되기까지의 과정을 요약하여 설명한 글이다. 다음을 참고하여 도식화한 〈전기 공급 과정〉의 빈 칸 (A)~(D)에 들어갈 말이 순서대로 바르게 나열된 것은?

> 발전소에서 만들어지는 전기는 크게 화력과 원자력이 있다. 수력, 풍력, 태양열, 조력, 태양광 등 여러 가지 방법이 있지만 현재 우리나라에서 발전되는 대부분의 전기는 화력과 원자력에 의존한다. 발전회사에서 만들어진 전기는 변압기를 통하여 승압을 하게 된다. 승압을 거치는 것은 송전상의 이유 때문이다.
>
> 전력은 전압과 전류의 곱과 같게 되므로 동일 전력에서 승압을 하면 전류가 줄어들게 되고, 전류가 작을수록 선로에서 발생하는 손실은 적어지게 된다. 하지만 너무 높게 승압을 할 경우 고주파가 발생하기 때문에 전파 장애 혹은 선로와 지상 간의 대기가 절연 파괴를 일으킬 수도 있으므로 적정 수준까지 승압을 하게 된다. 이것이 345KV, 765KV 정도가 된다.
>
> 이렇게 승압된 전기는 송전 철탑을 거쳐서 송전을 하게 된다. 송전되는 중간에도 연가(선로의 위치를 서로 바꾸어 주는) 등 여러 작업을 거친 전기는 변전소로 들어가게 된다. 변전소에서는 배전 과정을 거치게 되며, 이 과정에서 전압을 다시 22.9KV로 강하시키게 된다. 강하된 전기는 변압기를 통하여 가정으로 나누어지기 위해 최종 변압인 220V로 다시 바뀌게 된다.
>
> 대단위 아파트나 공장 등에서는 22.9KV의 전기가 주상변압기를 거치지 않고 바로 들어가는 경우도 있으며, 이 경우 자체적으로 변압기를 사용해서 변압을 하여 사용하기도 한다.

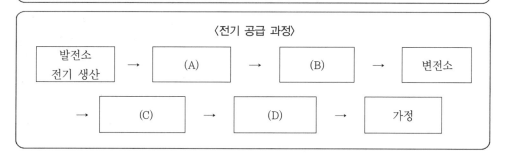

① 승압, 배전, 송전, 변압
② 변압, 배전, 송전, 강압
③ 승압, 송전, 배전, 변압
④ 송전, 배전, 강압, 변압
⑤ 승압, 송전, 변압, 배전

 발전소에서 생산된 전기는 변전소로 이동하기 전, 전압을 높이고 전류를 낮추는 승압(A) 과정을 거쳐 송전(B)된다. 또한 변전소에 공급된 전기는 송전 전압보다 낮은 전압으로 만들어져 여러 군데로 배분되는 배전(C) 과정을 거치게 되는데, 배전 과정에서 변압기를 통해 22.9KV의 전압을 가정에서 사용할 수 있는 최종 전압인 220V로 변압(D)하게 된다. 따라서 빈칸에 알맞은 말은 순서대로 '승압, 송전, 배전, 변압'이 된다.

9 ○○정유회사에 근무하는 N씨는 상사로부터 다음과 같은 지시를 받았다. 다음 중 N씨가 표를 구성할 방식으로 가장 적절한 것은?

> 상사 : 이 자료를 간단하게 표로 작성해 줘. 다른 부분은 필요 없고, 어제 원유의 종류에 따라 전일 대비 각각 얼마씩 오르고 내렸는지 그 내용만 있으면 돼. 우리나라는 전국 단위만 표시하도록 하고. 한눈에 자료의 내용이 들어올 수 있도록, 알겠지?

자료
주요 국제유가는 중국의 경제성장률이 시장 전망치와 큰 차이를 보이지 않으면서 사흘째 올랐다. 우리나라 유가는 하락세를 지속했으나, 다음 주에는 상승세로 전환될 전망이다.

주요 국제유가는 중국의 경제성장률이 시장 전망치와 큰 차이를 보이지 않으면서 사흘째 올랐다. 우리나라 유가는 하락세를 지속했으나, 다음 주에는 상승세로 전환될 전망이다.

한국석유공사는 오늘(14일) 석유정보망(http://www.petronet.co.kr/)을 통해 13일 미국 뉴욕상업거래소에서 8월 인도분 서부텍사스산 원유(WTI)는 배럴당 87.10달러로 전날보다 1.02달러 오르면서 장을 마쳤다며 이같이 밝혔다. 또한 영국 런던 ICE선물시장에서 북해산 브렌트유도 배럴당 102.80달러로 전날보다 1.73달러 상승세로 장을 마감했다.

이는 중국의 지난 2·4분기 국내총생산(GDP)이 작년 동기 대비 7.6% 성장, 전분기(8.1%)보다 낮아졌으며 시장 전망을 벗어나지 않으면서 유가 상승세를 이끌었다고 공사 측은 분석했다. 이로 인해 중국 정부가 추가 경기 부양에 나설 것이라는 전망도 유가 상승에 힘을 보탰다.

13일 전국 주유소의 리터(ℓ)당 평균 휘발유가격은 1천892.14원, 경유가격은 1천718.72원으로 전날보다 각각 0.20원, 0.28원 떨어졌다. 이를 지역별로 보면 휘발유가격은 현재 전날보다 소폭 오른 경기·광주·대구를 제외하고 서울(1천970.78원, 0.02원↓) 등 나머지 지역에서는 인하됐다.

한편, 공사는 내주(15일~21일) 전국 평균 휘발유가격을 1천897원, 경유가격을 1천724원으로 예고, 이번 주 평균가격보다 각각 3원, 5원 오를 전망이다.

①

원유 종류	13일 가격	전일 대비
WTI	87.10 (달러/배럴)	▲ 1.02
북해산 브렌트유	102.80 (달러/배럴)	▲ 1.73
전국 휘발유	1892.14 (원/리터)	▼ 0.20
전국 경유	1718.72 (원/리터)	▼ 0.28

②

원유 종류	13일 가격	자료출처
WTI	87.10 (달러/배럴)	
북해산 브렌트유	102.80 (달러/배럴)	석유정보망
전국 휘발유	1892.14 (원/리터)	(http://www.petronet.co.kr/)
전국 경유	1718.72 (원/리터)	

③

원유 종류	13일 가격	등락 폭
전국 휘발유	1892.14 (원/리터)	0.20 하락
서울 휘발유	1970.78 (원/리터)	0.02 하락
경기 · 광주 · 대구 휘발유	1718.12 (원/리터)	0.28 상승

④

원유 종류	내주 예상 가격	금주 대비	자료출처
전국 휘발유	1897 (원/리터)	▲ 3.0	한국석유공사
전국 경유	1724 (원/리터)	▲ 5.0	

⑤

원유 종류	내주 예상 가격	금주 대비
전국 휘발유	1897 (원/리터)	▲ 3.0
전국 경유	1724 (원/리터)	▲ 5.0
서울 휘발유	1970.78 (원/리터)	▼ 0.02
경기 · 광주 · 대구 휘발유	1718.12 (원/리터)	▲ 0.28

 상사가 '다른 부분은 필요 없고, 어제 원유의 종류에 따라 전일 대비 각각 얼마씩 오르고 내렸는지 그 내용만 있으면 돼.'라고 하였다. 따라서 어제인 13일자 원유 가격을 종류별로 표시하고, 전일 대비 등락 폭을 한눈에 파악하기 쉽게 기호로 나타내 줘야 한다. 또한 '우리나라는 전국 단위만 표시하도록' 하였으므로 13일자 전국 휘발유와 전국 경유 가격을 마찬가지로 정리하면 ①과 같다.

Answer↪ 9.①

10 ○○인테리어에서 근무하는 K씨는 고객으로부터 다음과 같이 바닥재를 추천해 달라는 요청을 받았다. 바닥재별 특성과 고객의 요구를 종합적으로 고려할 때 K씨가 고객에게 추천해 줄 수 있는 바닥재로 가장 적절한 것은?

> K씨 : 감사합니다. ○○인테리어입니다.
>
> 고객 : 바닥재 추천을 좀 받고 싶은데요.
>
> K씨 : 네, 어떤 제품을 원하시죠?
>
> 고객 : 집에 아이가 있어서… 유해물질이 많이 나오거나 아이가 다치기 쉬우면 안 돼요.
>
> K씨 : 사실 둘 다 충족시키기는 좀 어려운데요…
>
> 고객 : 알아요. 그렇지만 어느 한쪽이 특별히 나쁘지 않으면 될 것 같네요.
>
> K씨 : 네, 알겠습니다. 그 밖에 고려할 사항이 있나요?
>
> 고객 : 가급적이면 디자인이 좋은 것으로 추천해 주세요. 가격은 상관없습니다.

〈바닥재의 종류와 특성〉

구분	안전성		내구성	디자인	가격 (3.3㎡당)
	친환경자재 등급	충격흡수			
PVC바닥재	E2	상	하	하	4만
원목마루	E0	중	중	상	25만
석재바닥재	SE0	하	상	상	45만
카펫	E0	중	중	중	17만
데코타일	E1	중	상	중	20만

※ 내구성 : 물질이 원래의 상태에서 변질되거나 변형됨이 없이 오래 견디는 성질

※ 친환경자재 등급

① PVC바닥재

② 원목마루

③ 석재바닥재

④ 카펫

⑤ 데코타일

 유해물질 배출 부분과 아이가 다칠 수 있는 부분 중 어느 한쪽이 특별히 나쁘지 않으면 될 것 같다는 고객의 언급을 우선적으로 적용한 후, 가급적 디자인이 좋은 것으로 추천해 주는 것이 적절하다. 가격은 상관없다고 하였으므로 고려하지 않는다.

따라서 친환경자재 등급에서 'E2'를 받아 비친환경 자재로 판정된 PVC바닥재와, 충격흡수 부분에서 '하'를 받아 아이가 넘어졌을 때 다칠 수 있는 석재바닥재는 제외하며, 원목마루와 카펫, 데코타일 중 디자인 부분에서 '상'을 받은 원목마루를 추천하는 것이 가장 적절하다.

Answer ↪ 10.②

11 다음은 어느 그룹의 직원 채용 공고문의 일부 내용이다. 다음 내용을 읽고 문의사항에 대하여 담당 직원과 질의응답을 한 내용 중 공고문의 내용과 일치한다고 볼 수 없는 것은 어느 것인가?

〈전형일정〉

구분	일정	장소	비고
서류전형	8/14(화)	–	
필기전형	8/25(토)	서울	세부사항 별도 공지
면접전형	9/5(수)	인재개발원	노원구 공릉동
합격자 발표	9/12(수)	–	채용 홈페이지
입사예정일	10/1(월)	–	별도 안내

〈본인 확인을 위한 추가사항 입력 안내〉
• 목적 : 필기시험 및 종합면접 시 본인 확인용
• 대상 : 1차 전형(서류전형) 합격자
• 입력사항 : 주민등록상 생년월일, 본인 증명사진
• 입력방법 : 채용홈페이지 1차 전형(서류전형) 합격자 발표 화면에서 입력
• 입력기간 : 서류전형 합격 발표시점~8. 21(화)까지

〈블라인드 채용 안내〉
• 입사지원서 상 사진등록란, 학교명, 학점, 생년월일 등 기재란 없음
• e-메일 기재 시 학교명, 특정 단체명이 드러나는 메일 주소 기재 금지
• 지원서 및 자기소개서 작성 시 개인 인적사항(출신학교, 가족관계 등) 관련 내용 일체 기재 금지
• 입사지원서에 기재한 성명, 연락처 및 서류전형 합격자 발표 화면에서 등록한 생년월일 등은 면접전형 시 블라인드 처리됨

〈기타사항〉
• 채용 관련 세부일정 및 장소는 당사 채용홈페이지를 통해 공지함
• 지원인원 미달 또는 전형 결과 적격자가 없는 경우 선발하지 않을 수 있음
• 지원서 및 관련 서류를 허위로 작성·제출하는 경우, 시험 부정행위자 등은 불합격 처리하고, 향후 5년간 우리 회사 입사 지원이 제한됨
• 지원서 작성 시 기재 착오 등으로 인한 불합격이나 손해에 대한 모든 책임은 지원자 본인에게 있으므로 유의하여 작성
• 각 전형 시 신분증(주민등록증, 여권, 운전면허증 중 1개)과 수험표를 반드시 지참하여야 하며, 신분증 미지참 시 응시불가
※ 신분증을 분실한 경우 거주지 관할 주민센터에서 발급받은 '주민등록증 발급신청 확인서' 지참
• 자의 또는 타의에 의한 부정청탁으로 인해 합격된 사실이 확인될 경우 당해 합격을 취소할 수 있으며, 향후 5년간 공공기관 채용시험 응시자격을 제한할 수 있음

Q. 합격자 발표는 지원서 란에 적은 전화번호로 문자나 전화 등으로 알려주시게 되나요?

A. ① 아닙니다. 합격자 발표는 본인이 직접 확인하셔야 하며, 저희 회사 홈페이지에서 채용 관련 안내에 따라 확인하실 수 있습니다.

Q. 이번 채용 방식은 블라인드 채용으로 알고 있는데 생년월일 등을 추가로 입력해야 하는 이유는 뭐죠?

A. ② 블라인드 채용 시 입사지원서에 개인 인적사항을 적을 수 없습니다만, 전형 과정에서 본인 확인용으로 필요한 경우 생년월일을 기재하도록 요청할 수 있습니다.

Q. e-mail 주소를 적는 칸이 있던데요, e-mail 주소 정도에는 저희 학교 이름이 들어가도 별 상관없겠지요?

A. ③ 아닙니다. 그런 경우, 다른 개인 e-mail 주소를 적으셔야 하며, 학교 이름을 인식할 수 있는 어떤 사항도 기재하셔서는 안 됩니다.

Q. 전형 과정의 필요상 일부 인적 사항을 적게 되면, 그건 면접관 분들에게 공개될 수밖에 없겠지요?

A. ④ 본인 확인용으로 면접 시 필요하여 요청 드린 사항이므로 사진과 생년월일 등 본인 확인에 필요한 최소 사항만 공개됩니다.

Q. 지원자가 채용 인원에 미달되는 경우에는 특별한 결격사유가 없는 한 채용 가능성이 아주 많다고 봐도 되는 거지요?

A. ⑤ 아닙니다. 그럴 경우, 당사 임의의 결정으로 채용 인원을 선발하지 않을 수도 있습니다.

 본인 확인에 필요한 생년월일 등의 인적 사항은 필기시험과 종합면접 시에 확인을 위해 알아야 할 필요가 있다고 언급되어 있다. 그러나 본인 확인 절차를 거치고 나면 면접관들에게는 블라인드 처리가 되는 것으로 판단하는 것이 합리적이다. 따라서 본인 확인에 필요한 최소 사항이 면접관에게 공개된다고 보는 것은 타당하지 않다.
① 합격자 발표는 9/12일에 채용 홈페이지를 통해서 확인할 수 있다.
② 개인의 인적 사항은 본인 확인용으로만 요청할 수 있으며, 확인 후 면접 시에는 블라인드 처리된다.
③ e-mail 뿐 아니라 서류 어느 곳에서도 학교명을 알 수 있는 내용은 금지된다.
⑤ '지원인원 미달 또는 전형 결과 적격자가 없는 경우 선발하지 않을 수 있음'이라고 명시되어 있다.

Answer⌐ 11.④

12 다음의 업무제휴협약서를 보고 이해한 내용을 기술한 것 중 가장 적절하지 않은 것을 고르면?

업무제휴협약

㈜○○○과 ★★ CONSULTING(이하 ★★)는 상호 이익 증진을 목적으로 신의성실의 원칙에 따라 다음과 같이 업무협약을 체결합니다.

1. 목적

　양사는 각자 고유의 업무영역에서 최선을 다하고 영업의 효율적 진행과 상호 관계의 증진을 통하여 상호 발전에 기여하고 편의를 적극 도모하고자 한다.

2. 업무내용

　① ㈜○○○의 A제품 관련 홍보 및 판매

　② ★★ 온라인 카페에서 A제품 안내 및 판매

　③ A제품 관련 마케팅 제반 정보 상호 제공

　④ A제품 판매에 대한 합의된 수수료 지급

　⑤ A제품 관련 무료 A/S 제공

　⑥ 차후 다른 제품 홍보 및 판매 업무제휴 논의

3. 업체상호사용

　양사는 업무제휴의 목적에 부합하는 경우에 한하여 상대의 상호를 마케팅에 사용 가능하나 사전에 협의된 내용을 변경할 수 없다.

4. 공동마케팅

　양사는 상호 이익 증진을 위하여 공동으로 마케팅을 할 수 있다. 공동마케팅을 필요로 할 경우 그 일정과 방법을 상호 협의하여 진행하여야 한다.

5. 협약기간

　본 협약의 유효기간은 1년으로 하며, 양사는 매년 초 상호 합의에 의해 유효기간을 1년 단위로 연장할 수 있고 필요 시 업무제휴 내용의 변경이 가능하다.

6. 기타사항

　① 양사는 본 협약의 권리의무를 타인에게 양도할 수 없다.

　② 양사는 상대방의 상호, 지적재산권 및 특허권 등을 절대 보장하며 침해할 수 없다.

　③ 양사는 업무제휴협약을 통해 알게 된 정보에 대해 정보보안을 요청할 경우, 대외적으로 비밀을 유지하여야 한다.

2018년 1월 1일

㈜○○○
고양시 일산서구 덕산로 11-22
대표이사 김XX

★★ CONSULTING
서울시 구로구 구로동 333-44
대표이사 이YY

---

① 해당 문서는 두 회사의 업무제휴에 대한 전반적인 사항을 명시하기 위해 작성되었다.

② ★★은 자사의 온라인 카페에서 ㈜○○○의 A제품을 판매하고 이에 대해 합의된 수수료를 지급 받는다.

③ ★★은 업무 제휴의 목적에 부합하는 경우에 ㈜○○○의 상호를 마케팅에 사용할 수 있으며 사전에 협의된 내용을 변경할 수 있다.

④ 협약기간에 대한 상호 합의가 없다면, 본 계약은 2018년 12월 31일부로 만료된다.

⑤ ★★은 ㈜○○○의 지적재산권 및 특허권을 절대 보장하며 침해할 수 없다.

 '3. 업체상호사용' 항목에 따르면, 양사는 업무제휴의 목적에 부합하는 경우에 한하여 상대의 상호를 마케팅에 사용 가능하나 사전에 협의된 내용을 변경할 수는 없다.

13 다음의 진술을 참고할 때, 1층~5층 중 각기 다른 층에 살고 있는 사람들의 거주 위치에 관한 설명이 참인 것은 어느 것인가?

- 을은 갑과 연이은 층에 거주하지 않는다.
- 병은 무와 연이은 층에 거주하지 않는다.
- 정은 무와 연이은 층에 거주하지 않는다.
- 정은 1층에 위치하며 병은 2층에 위치하지 않는다.

① 갑은 5층에 거주한다.
② 을은 5층에 거주한다.
③ 병은 4층에 거주한다.
④ 무는 4층에 거주한다.
⑤ 무가 3층에 거주한다면 병은 5층에 거주한다.

 정이 1층에 거주하므로 네 번째 조건에 의해 2층에 무가 거주할 수 없다. 또한 네 번째 조건에서 병도 2층에 거주하지 않는다 하였으므로 2층에 거주할 수 있는 사람은 갑 또는 을이다. 이것은 곧, 3, 4, 5층에 병, 무, 갑 또는 을이 거주한다는 것이 된다.
두 번째 조건에 의해 병과 무가 연이은 층에 거주하지 않으므로 3, 5층에는 병과 무 중 한 사람이 거주하며 2, 4층에 갑과 을 중 한 사람이 거주하는 것이 된다.
따라서 보기 ①~④의 내용은 모두 모순되는 것이 되며, 보기 ⑤에서와 같이 무가 3층에 거주한다면 병이 5층에 거주하게 된다.

Answer ↪ 12.③ 13.⑤

14 다음은 ○○문화회관 전시기획팀의 주간회의록이다. 자료에 대한 내용으로 옳은 것은?

주간회의록					
회의일시	2018. 7. 2(월)	부서	전시기획팀	작성자	사원 甲
참석자	戊 팀장, 丁 대리, 丙 사원, 乙 사원				
회의안건	1. 개인 주간 스케줄 및 업무 점검 2. 2018년 하반기 전시 일정 조정				

	내용	비고
회의내용	1. 개인 주간 스케줄 및 업무 점검 • 戊 팀장 : 하반기 전시 참여 기관 미팅, 외부 전시장 섭외 • 丁 대리 : 하반기 전시 브로슈어 작업, 브로슈어 인쇄 업체 선정 • 丙 사원 : 홈페이지 전시 일정 업데이트 • 乙 사원 : 2018년 상반기 전시 만족도 조사 2. 2018년 하반기 전시 일정 조정 • 하반기 전시 기간 : 9~11월, 총 3개월 • 전시 참여 기관 : A~I 총 9팀 – 관내 전시장 6팀, 외부 전시장 3팀 • 전시 일정 : 관내 2팀, 외부 1팀으로 3회 진행	• 7월 7일 AM 10:00 외부 전시장 사전답사 (戊 팀장, 丁 대리) • 회의 종료 후, 전시 참여 기관에 일정 안내 (7월 4일까지 변경 요청 없을 시 그대로 확정)

기간＼장소	관내 전시장	외부 전시장
9월	A, B	C
10월	D, E	F
11월	G, H	I

결정사항	내용	작업자	진행일정
	브로슈어 표지 이미지 샘플조사	丙 사원	2018. 7. 2~2018. 7. 3
	상반기 전시 만족도 설문조사	乙 사원	2018. 7. 2~2018. 7. 5

특이사항	다음 회의 일정 : 7월 9일 • 2018년 상반기 전시 만족도 확인 • 브로슈어 표지 결정, 내지 1차 시안 논의

① 이번 주 금요일 외부 전시장 사전 답사에는 戊 팀장과 丁 대리만 참석한다.

② 丙 사원은 이번 주에 홈페이지 전시 일정 업데이트만 하면 된다.

③ 7월 4일까지 전시 참여 기관에서 별도의 연락이 없었다면, H팀의 전시는 2018년 11월 관내 전시장에 볼 수 있다.

④ 2018년 하반기 전시는 ○○문화회관 관내 전시장에서만 열릴 예정이다.

⑤ 회의내용 대로 전시 일정이 확정된다면, C팀과 F팀은 같은 기간에 전시가 열린다.

 ① 외부 전시장 사전 답사일인 7월 7일은 토요일이다.

② 丙 사원은 개인 주간 스케줄인 '홈페이지 전시 일정 업데이트' 외에 7월 2일부터 7월 3일까지 '브로슈어 표지 이미지 샘플조사'를 하기로 결정되었다.

④ 2018년 하반기 전시는 관내 전시장과 외부 전시장에서 열릴 예정이다.

⑤ 회의내용에 따르면 C팀은 9월, F팀은 10월에 열린다.

Answer⟶ 14.③

15 다음은 유인입국심사에 대한 설명이다. 옳지 않은 것은?

◆ 유인입국심사 안내
- 입국심사는 국경에서 허가받는 행위로 내외국인 분리심사를 원칙으로 하고 있습니다.
- 외국인(등록외국인 제외)은 입국신고서를 작성하여야 하며, 등록대상인 외국인은 입국 일로부터 90일 이내 관할 출입국관리사무소에 외국인 등록을 하여야 합니다.
- 단체사증을 소지한 중국 단체여행객은 입국신고서를 작성하지 않으셔도 됩니다.(청소년 수학여행객은 제외)
- 대한민국 여권을 위·변조하여 입국을 시도하는 외국인이 급증하고 있으므로 다소 불편하시더라도 입국심사관의 얼굴 대조, 질문 등에 적극 협조하여 주시기 바랍니다.
- 외국인 사증(비자) 관련 사항은 법무부 출입국 관리국으로 문의하시기 바랍니다.

◆ 입국신고서 제출 생략
내국인과 90일 이상 장기체류 할 목적으로 출입국사무소에 외국인 등록을 마친 외국인의 경우 입국신고서를 작성하실 필요가 없습니다.

◆ 심사절차

STEP 01	기내에서 입국신고서를 작성하지 않은 외국인은 심사 전 입국신고서를 작성해 주세요.
STEP 02	내국인과 외국인 심사 대기공간이 분리되어 있으니, 줄을 설 때 주의해 주세요. ※ 내국인은 파란선, 외국인은 빨간선으로 입장
STEP 03	심사대 앞 차단문이 열리면 입장해 주세요.
STEP 04	내국인은 여권을, 외국인은 입국신고서와 여권을 심사관에게 제시하고, 심사가 끝나면 심사대를 통과해 주세요. ※ 17세 이상의 외국인은 지문 및 얼굴 정보를 제공해야 합니다.

① 등록대상인 외국인은 입국일로부터 90일 이내 관할 출입국관리사무소에 외국인 등록을 하여야 한다.
② 중국 청소년 수학여행객은 단체사증을 소지하였더라도 입국신고서를 작성해야 한다.
③ 모든 외국인은 지문 및 얼굴 정보를 제공해야 한다.
④ 입국심사를 하려는 내국인은 파란선으로 입장해야 한다.
⑤ 입국신고서는 기내에서 작성할 수 있다.

 ③ 지문 및 얼굴 정보 제공은 17세 이상의 외국인에 해당한다.

16 다음은 몇 년 전까지 국내에서 돌풍을 일으킨 바 있던 Cyworld의 내·외부 환경을 분석한 내용이다. 분석된 환경 요인들을 활용하여 SO전략을 수립한 것은 다음 중 어느 것인가?

> ▲ 트위터, 페이스북 등 외산 SNS의 강세
> ▲ 막강한 인맥구조(일촌)
> ▲ 모바일 환경에 부적합한 서비스
> ▲ 국산 SNS라는 친근함
> ▲ 개방형 소셜 네트워크 시대의 부상
> ▲ C로그(새로운 SNS) 출시
> ▲ 일촌을 기반으로 한 폐쇄적인 환경
> ▲ 감소하고 있는 페이지뷰 수
> ▲ 3,000만 명 이상의 회원 보유한 네이트온과의 연동
> ▲ 응용프로그램 환경의 개방

① 네이트온 이용자들을 활용하여 폐쇄적인 환경의 제약을 극복한다.

② 일촌의 인맥을 네이트온 이용자와 연계하여 시장을 더욱 넓힌다.

③ 응용프로그램 개방으로 신규 서비스를 도입한다.

④ C로그 출시와 함께 모바일 환경에 근접하는 서비스를 제공한다.

 주어진 분석 요인들을 S, W, O, T로 구분하면 다음과 같다.
• Strength : 막강한 인맥구조(일촌), 국산 SNS라는 친근함, C로그(새로운 SNS) 출시
• Weakness : 일촌을 기반으로 한 폐쇄적인 환경, 감소하고 있는 페이지뷰 수, 모바일 환경에 부적합한 서비스
• Opportunity : 3,000만 명 이상의 회원 보유한 네이트온과의 연동, 응용프로그램 환경의 개방
• Threat : 트위터, 페이스북 등 외산 SNS의 강세, 개방형 소셜 네트워크 시대의 부상
따라서 회사의 내부 강점인 일촌의 인맥(S)을 외부의 기회요인인 네이트온 이용자와의 연계(O)를 통하여 보이지 않는 시너지 효과를 유발하고, 시장점유율을 높여 폭발적으로 늘어나는 고객층을 확보하는 전략을 SO 전략으로 생각해 볼 수 있다.

Answer ↱ 15.③ 16.②

17 다음은 근로장려금 신청자격 요건에 대한 정부제출안과 국회통과안의 내용이다. 이에 근거하여 옳은 내용은?

요건	정부제출안	국회통과안
총소득	부부의 연간 총소득이 1,700만 원 미만일 것(총소득은 근로소득과 사업소득 등 다른 소득을 합산한 소득)	좌동
부양자녀	다음 항목을 모두 갖춘 자녀를 2인 이상 부양할 것 (1) 거주자의 자녀이거나 동거하는 입양자일 것 (2) 18세 미만일 것(단, 중증장애인은 연령제한을 받지 않음) (3) 연간 소득금액의 합계액이 100만 원 이하일 것	다음 항목을 모두 갖춘 자녀를 1인 이상 부양할 것 (1)~(3) 좌동
주택	세대원 전원이 무주택자일 것	세대원 전원이 무주택자이거나 기준시가 5천만 원 이하의 주택을 한 채 소유할 것
재산	세대원 전원이 소유하고 있는 재산 합계액이 1억 원 미만일 것	좌동
신청 제외자	(1) 3개월 이상 국민기초생활보장급여 수급자 (2) 외국인(단, 내국인과 혼인한 외국인은 신청 가능)	좌동

① 정부제출안보다 국회통과안에 의할 때 근로장려금 신청자격을 갖춘 대상자의 수가 더 줄어들 것이다.

② 두 안의 총소득요건과 부양자녀요건을 충족하고, 소유 재산이 주택(5천만 원), 토지(3천만 원), 자동차(2천만 원)인 A는 정부제출안에 따르면 근로장려금을 신청할 수 없지만 국회통과안에 따르면 신청할 수 있다.

③ 소득이 없는 20세 중증장애인 자녀 한 명만을 부양하는 B가 국회통과안에서의 다른 요건들을 모두 충족하고 있다면 B는 국회통과안에 의해 근로장려금을 신청할 수 있다.

④ 총소득, 부양자녀, 주택, 재산 요건을 모두 갖춘 한국인과 혼인한 외국인은 정부제출안에 따르면 근로장려금을 신청할 수 없지만 국회통과안에 따르면 신청할 수 있다.

⑤ 총소득, 부양자녀, 주택, 재산 요건을 모두 갖추었다면, 국민기초생활보장급여 수급 여부와 관계없이 근로장려금을 신청할 수 있다.

③ 중증장애인은 연령제한을 받지 않고, 국회통과안의 경우 부양자녀가 1인 이상이면 근로장려금을 신청할 수 있으므로, 다른 요건들을 모두 충족하고 있다면 B는 근로장려금을 신청할 수 있다.
① 정부제출안보다 국회통과안에 의할 때 근로장려금 신청자격을 갖춘 대상자의 수가 더 늘어날 것이다.
② 정부제출안과 국회통과안 모두 세대원 전원이 소유하고 있는 재산 합계액이 1억 원 미만이어야 한다. A는 소유 재산이 1억 원으로 두 안에 따라 근로장려금을 신청할 수 없다.
④ 정부제출안과 국회통과안 모두 내국인과 혼인한 외국인은 근로장려금 신청이 가능하다.
⑤ 3개월 이상 국민기초생활보장급여 수급자는 근로장려금 신청이 제외된다.

18 다음은 K은행의 외화송금 수수료에 대한 규정이다. 수수료 규정을 참고할 때, 외국에 있는 친척과 〈보기〉와 같이 3회에 걸쳐 거래를 한 A씨가 지불한 총 수수료 금액은 얼마인가?

		국내 간 외화송금	실시간 국내송금
외화자금국내이체 수수료(당 · 타발)		U$5,000 이하 : 5,000원 U$10,000 이하 : 7,000원 U$10,000 초과 : 10,000원	U$10,000 이하 : 5,000원 U$10,000 초과 : 10,000원
		인터넷 뱅킹 : 5,000원 실시간 이체 : 타발 수수료는 없음	
해외로 외화송금	송금 수수료	U$500 이하 : 5,000원 U$2,000 이하 : 10,000원 U$5,000 이하 : 15,000원 U$20,000 이하 : 20,000원 U$20,000 초과 : 25,000원 ※ 인터넷 뱅킹 이용 시 건당 3,000~5,000원	
		해외 및 중계은행 수수료를 신청인이 부담하는 경우 국외 현지 및 중계은행의 통화별 수수료를 추가로 징구	
	전신료	8,000원 인터넷 뱅킹 및 자동이체 5,000원	
	조건변경 전신료	8,000원	
해외/타행에서 받은 송금		건당 10,000원	

〈보기〉
㉠ 외국으로 U$3,500 송금 / 인터넷 뱅킹 최저 수수료 적용
㉡ 외국으로 U$600 송금 / 은행 창구
㉢ 외국에서 U$2,500 입금

① 32,000원 ② 34,000원
③ 36,000원 ④ 38,000원

 ㉠ 인터넷 뱅킹을 통한 해외 외화 송금이므로 금액에 상관없이 건당 최저수수료 3,000원과 전신료 5,000원 발생→합 8,000원
㉡ 은행 창구를 통한 해외 외화 송금이므로 송금 수수료 10,000원과 전신료 8,000원 발생 →합 18,000원
㉢ 금액에 상관없이 건당 수수료가 발생하므로→10,000원
따라서 총 지불한 수수료는 8,000 + 18,000 + 10,000 = 36,000원이다.

Answer → 17.③ 18.③

19 다음은 A사에 근무하는 김 대리가 작성한 '보금자리주택 특별공급 사전예약 안내문'이다. 자료에 대한 내용으로 옳은 것은?

> 보금자리주택 특별공급 사전예약이 진행된다. 신청자격은 사전예약 입주자 모집 공고일 현재 미성년(만 20세 미만)인 자녀를 3명 이상 둔 서울, 인천, 경기도 등 수도권 지역에 거주하는 무주택 가구주에게 있다. 청약저축통장이 필요 없고, 당첨자는 배점기준표에 의한 점수 순에 따라 선정된다. 특히 자녀가 만 6세 미만 영유아일 경우, 2명 이상은 10점, 1명은 5점을 추가로 받게 된다.
> 총점은 가산점을 포함하여 90점 만점이며 배점기준은 다음 〈표〉와 같다.
>
> | 배점요소 | 배점기준 | 점수 |
> |---|---|---|
> | 미성년 자녀수 | 4명 이상 | 40 |
> | | 3명 | 35 |
> | 가구주 연령, 무주택 기간 | 가구주 연령이 만 40세 이상이고, 무주택 기간 5년 이상 | 20 |
> | | 가구주 연령이 만 40세 미만이고, 무주택 기간 5년 이상 | 15 |
> | | 무주택 기간 5년 미만 | 10 |
> | 당해 시·도 거주기간 | 10년 이상 | 20 |
> | | 5년 이상~10년 미만 | 15 |
> | | 1년 이상~5년 미만 | 10 |
> | | 1년 미만 | 5 |
>
> ※ 다만 동점자인 경우 ① 미성년 자녀수가 많은 자, ② 미성년 자녀수가 같을 경우, 가구주의 연령이 많은 자 순으로 선정한다.

① 가장 높은 점수를 받을 수 있는 배점요소는 '가구주 연령, 무주택 기간'이다.
② 사전예약 입주자 모집 공고일 현재 22세, 19세, 16세, 5세의 자녀를 둔 서울 거주 무주택 가구주 甲은 신청자격이 있다.
③ 보금자리주택 특별공급 사전예약에는 청약저축통장이 필요하다.
④ 배점기준에 따른 총점이 동일하고 미성년 자녀수가 같다면, 미성년 자녀의 평균 연령이 더 많은 자 순으로 선정한다.
⑤ 사전예약 입주자 모집 공고일 현재 9세 자녀 1명과 5세 자녀 쌍둥이를 둔 乙은 추가로 5점을 받을 수 있다.

 ② 미성년인 자녀가 3명 이상이므로 신청자격이 있다.
① 가장 높은 점수를 받을 수 있는 배점요소는 '미성년 자녀수'이다.
③ 보금자리주택 특별공급 사전예약에는 청약저축통장이 필요 없다.
④ 배점기준에 따른 총점이 동일하고 미성년 자녀수가 같다면, 가구주의 연령이 많은 자 순으로 선정한다.
⑤ 만 6세 미만 영유아가 2명 이상이므로 추가로 10점을 받을 수 있다.

20 다음은 SK그룹 직원의 출장 횟수에 관한 자료이다. 이에 대한 설명 중 옳지 않은 것을 고르면? (단, 회당 출장 인원은 동일하며 제시된 자료에 포함되지 않은 해외 출장은 없다)

• 최근 9년간 SK 본사 직원의 해외 법인으로의 출장 횟수

(단위 : 회)

구분	2009	2010	2011	2012	2013	2014	2015	2016	2017
유럽사무소	61	9	36	21	13	20	12	8	11
두바이사무소	9	0	5	6	2	3	9	1	8
아르헨티나 사무소	7	2	24	15	0	2	4	0	6

• 최근 5년간 해외 법인 직원의 SK 본사로의 출장 횟수

(단위 : 회)

기간 지역	2013년	2014년	2015년	2016년	2017년
UAE	11	5	7	12	7
호주	2	30	43	9	12
브라질	9	11	17	18	32
아르헨티나	15	13	9	35	29
독일	11	2	7	5	6

① 최근 9년간 두바이사무소로 출장을 간 본사 직원은 아르헨티나사무소로 출장을 간 본사 직원 수보다 적다.

② 2013년 이후 브라질 지역의 해외 법인 직원이 본사로 출장을 온 횟수는 지속적으로 증가하였다.

③ SK 본사에서 유럽사무소로의 출장 횟수가 많은 해부터 나열하면 09년, 11년, 14년, 12년, 13년, 15년, 17년, 10년, 16년 순이다.

④ 2014~2015년에 UAE 지역의 해외 법인 직원이 본사로 출장을 온 횟수는 2015년 본사 직원이 유럽사무소로 출장을 간 횟수와 같다.

⑤ 2014년 해외 법인 직원이 본사로 출장을 온 총 횟수는 2010년 이후 본사 직원이 아르헨티나사무소로 출장을 간 총 횟수보다 많다.

> (Tip) ③ SK 본사에서 유럽사무소로의 출장 횟수가 많은 해부터 나열하면 09년, 11년, 12년, 14년, 13년, 15년, 17년, 10년, 16년 순이다.

Answer → 19.② 20.③

21 다음 ( ) 안에 들어갈 문장으로 가장 적절한 것은?

> • 국어시간은 점심시간 앞에 있고, 영어시간 뒤에 있다.
> • 체육시간은 점심시간 뒤에 있다.
> • (   )

① 맨 앞에 국어시간이 있다.
② 점심시간이 맨 뒤에 있다.
③ 국어시간이 체육시간 뒤에 있다.
④ 점심시간은 국어시간과 체육시간 사이에 있다.
⑤ 영어시간은 체육시간보다 뒤에 있다.

(Tip) 명제를 종합해보면 영어시간→국어시간→점심시간→체육시간 순이다.

22 다음 ( ) 안에 들어갈 문장으로 가장 적절한 것은?

> • 영희는 보배보다 크고, 숙자는 영수보다 크다.
> • 형우는 숙자보다 크고, 보배보다 작다.
> • 그러므로 (   )

① 영희는 형우보다 작다.
② 형우는 영수보다 크거나 같다.
③ 영희, 숙자, 영수 중에서 가장 큰 것은 숙자이다.
④ 보배와 영수는 숙자보다 크다.
⑤ 형우, 영수, 보배 중에서 가장 큰 것은 보배이다.

(Tip) 명제를 종합해보면 영희>보배>형우>숙자>영수의 순으로 크다.

23 A, B, C, D 네 학생은 모두 축구, 배구, 농구, 야구동아리 4개 중 2개에 가입하고 있다. 축구동아리에 가입하지 않은 학생은 한 명 뿐이고 배구, 농구동아리에 가입한 학생은 각각 2명이다. B는 야구, C는 농구, D는 축구, 배구에 가입한 것을 알았을 때 다음 중 항상 옳은 것은?

① A는 축구동아리에 가입하였다.

② A는 농구동아리에 가입하였다.

③ C는 축구동아리에 가입하였다.

④ B는 배구동아리에 가입하지 않았다.

⑤ C는 야구동아리에 가입하지 않았다.

 네 명의 학생이 각각 2개씩의 동아리에 가입했으므로 각 동아리의 가입자를 전부 더하면 8명이다. 축구동아리에 가입한 학생이 3명, 배구, 농구동아리가 각 2명씩이므로 야구동아리에 가입한 사람은 1명이다. B가 야구에 가입했으므로, A, C, D는 야구에 가입하지 않았다.

24 영희의 집 앞에 쓰레기가 무단투기 되었다. 범인으로 A~E의 이웃들이 의심을 받게 되었다. 경찰은 다음과 같은 답변을 들었다. 다음 중 2명이 거짓을 말하고 있다면, 범인은 누구인가?

> A : 누군지 몰라도 쓰레기를 버리는 것을 목격한 것은 저와 E뿐입니다. B가 한 이야기는 전부 사실입니다.
> B : D가 쓰레기를 버렸습니다. D가 그렇게 하는 걸 E가 직접 목격했어요.
> C : D는 범인이 아닙니다. E가 한 이야기는 전부 사실입니다.
> D : 쓰레기를 버리는 걸 목격한 사람은 3명이에요. B는 범인이 아닙니다.
> E : 전 범인이 아니에요. 물론 A도 범인이 아니죠. 전 쓰레기를 버리는 걸 목격한 적도 없습니다.

① A   ② B

③ C   ④ D

⑤ E

 A, B의 증언과 C, E의 증언이 서로 상반된다. 따라서 D는 진실을 말하는 사람이다. D에 따르면 목격자는 3명이다. 이는 A의 증언과 모순되므로 A는 거짓말이다. 따라서 거짓말을 하고 있는 것은 A, B이다. B와 D는 범인이 아니다. E의 증언에 따르면 E와 A도 범인이 아니므로 범인은 C이다.

Answer → 21.④ 22.⑤ 23.⑤ 24.③

25 '모든 기술자는 무능하지 않다'라는 명제가 진실일 때, 다음 중 진실인 명제는 무엇인가?

① 모든 무능한 사람은 기술자이다.

② 어떤 기술자는 무능하다.

③ 모든 무능한 사람은 기술자가 아니다.

④ 어떤 무능한 사람은 기술자이다.

⑤ 모든 기술자는 무능하다.

> **Tip** '모든 기술자는 무능하지 않다'의 대우는 '모든 무능한 사람은 기술자가 아니다'가 된다.

26 다음 보기에서 괄호 안 결론 부분에 올 적당한 명제는?

> • 생명의 존엄성을 아는 모든 사람은 비도덕적인 사람이 아니다.
> • 모든 납치범은 비도덕적인 사람이다.
> • (   )

① 그러므로 모든 납치범은 생명의 존엄성을 아는 사람이 아니다.

② 그러므로 어떤 납치범은 생명의 존엄성을 아는 사람이다.

③ 그러므로 어떤 납치범은 생명의 존엄성을 아는 사람이 아니다.

④ 그러므로 생명의 존엄성을 알지 못하는 사람은 납치범이다.

⑤ 그러므로 비도덕적인 사람은 납치범이다.

> **Tip** 첫 번째 명제의 대우는 '모든 비도덕적인 사람은 생명의 존엄성을 아는 사람이 아니다'이고 두 번째 명제를 적용하면, '모든 납치범은 생명의 존엄성을 아는 사람이 아니다'가 된다.

27 다음 중 ( ) 안에 들어갈 전제로 옳은 것은?

> • 어떤 사원은 발표를 잘한다.
> • (   )
> • 그러므로 해외연수를 받은 어떤 사원은 발표를 잘한다.

① 어떤 사원은 해외연수를 받지 않는다.

② 모든 사원은 발표를 잘한다.

③ 모든 사원은 해외연수를 받는다.

④ 어떤 사원은 발표를 잘 못한다.

⑤ 모든 사원은 해외연수를 받지 않는다.

 결론이 '해외연수를 받은 어떤 사원은 발표를 잘한다'이므로 첫 번째 명제 '어떤 사원은 발표를 잘한다'에서 부족한 점은 '사원은 해외연수를 받는다'가 되어야 한다.

28 다음 전제로 도출되는 결론으로 타당한 것은?

> • 어떤 모험가는 선생님이다.
> • 모든 모험가는 여자이다.

① 모든 선생님은 모험가이다.

② 모든 여자는 선생님이다.

③ 어떤 모험가는 여자가 아니다.

④ 어떤 여자는 선생님이다.

⑤ 모든 선생님은 여자다.

 ④ 모든 모험가는 여자고, 어떤 모험가는 선생님이므로 어떤 여자는 선생님이다.

Answer ↱ 25.③ 26.① 27.③ 28.④

29 S그룹 기획팀의 직원이 모두 A, B, C, D, E, F 6명이다. 주말 당직을 정하는 조건이 다음과 같을 때, 당직을 맡을 수 있는 사람끼리 짝지어진 것은?

> • A와 B가 당직을 하면 C도 당직을 한다.
> • C와 D 중 한 명이라도 당직을 하면 E도 당직을 한다.
> • E가 당직을 하면 A와 F도 당직을 한다.
> • F가 당직을 하면 E는 당직을 하지 않는다.
> • A가 당직을 하면 E도 당직을 한다.

① A, B   ② A, E

③ B, F   ④ C, E

⑤ D, F

 ① 첫 번째 조건에 의해 C도 당직에 포함되어야 한다.
②④ 세 번째 조건에 의해 A, E, F가 함께 당직을 해야 한다.
⑤ 두 번째 조건에 의해 E도 당직에 포함되어야 한다.

30 모두 진실을 말한다고 할 때, 다음 중 네 번째로 출근한 사람은 누구인가?

> • 재석 : 나는 세형, 명수보다 늦게 출근했다.
> • 명수 : 나는 세형보다 늦게, 준하보다 빨리 왔다.
> • 준하 : 나는 재석보다 빨리 출근했다.
> • 하하 : 내 앞으로 준하가 들어오고 내 뒤로 재석이 뒤따라 출근하는 걸 봤다.
> • 세형 : 내가 오고 얼마 후에 준하가 들어왔다.

① 세형   ② 명수

③ 준하   ④ 하하

⑤ 재석

 주어진 명제를 종합해볼 때 세형, 명수, 준하, 하하, 재석 순으로 출근했다.

31 A, B, C 세 사람은 셋 중 한 명의 발표자를 뽑기로 했다. 세 사람은 각각 두 가지씩의 주장을 했는데, 세 사람 모두 하나는 진실을, 또 다른 하나는 거짓을 말했다. 다음 중 진실은 무엇인가?

> • A : 나는 찬성했다.
>   B와 C 중 적어도 하나는 찬성했다.
> • B : A는 찬성했고, C는 기권하지 않았다.
>   나는 기권했다.
> • C : A는 기권했다.
>   나는 기권했다.

① A와 B는 모두 찬성했다.　　　　② A와 B는 모두 기권했다.
③ A와 C는 모두 찬성했다.　　　　④ B와 C는 모두 반대했다.
⑤ B와 C는 모두 기권했다.

 A의 '나는 찬성했다'가 진실이라면, B의 'A는 찬성했고, C는 기권하지 않았다'가 진실이어야 한다. 그러나 이는 C의 주장과 모순된다. 따라서 A의 두 번째 주장이 진실이다. 그러므로 B의 두 번째 주장이 진실이고, C의 첫 번째 주장이 진실이다. 따라서 A와 B는 기권했고, C는 찬성했다.

32 오디오, 비디오, 이미지 등의 디지털 콘텐츠에 사람의 육안으로는 구별할 수 없도록 저작원의 정보를 삽입하여 불법 복제를 막는 기술을 무엇이라 하는가?

① 카피라잇　　　　　　　　　　② 카피레프트
③ 워터마킹　　　　　　　　　　④ 스패밍
⑤ 벤치마킹

 ① 카피라잇 : 카피레프트의 반대되는 개념으로 저작권의 권리를 가지는 것
② 카피레프트 : 소프트웨어의 상업성에 반대하여 지적 창작물을 다른 사람과 공유할 수 있게 하는 행위나 운동을 일컫는 말
④ 스패밍 : 메시지를 송신하거나 기사를 거재하는 행위
⑤ 벤치마킹 : 경영전략기법 중의 하나로 기업이 다른 기업이나 경쟁 기업의 제품이나 조직의 강점을 분석해서 보고 배우는 행위

Answer ⇥ 29.③　30.④　31.②　32.③

33 2진수 10111001010를 16진수로 올바르게 표현한 것은?

① 5CA ② B92

③ 2712 ④ 1482

⑤ C29

 2진수를 16진수로 바꾸는 방법은 2진수를 뒤에서부터 네 개씩 구분하여 10진수로 바꾸어주면 된다.

101	1100	1010
5	C	A

34 다음은 무엇에 대한 설명인가?

> 비자, 마스터 카드, 아메리칸 익스프레스에 의해 정의된 전자 상거래 분야의 보안 프로토콜로 안전한 지불을 위해 정보의 기밀성 유지와 메시지의 무결성 보장, 트랜잭션에 관련된 당사자 간의 인증에 초점을 맞추고 있다.

① SET(Secure Electronic Transaction)

② SSL(Secure Socket Layer)

③ SHTTP(Secure HTTP)

④ PEM(Privacy Enhanced Mail)

⑤ PGP(Pretty Good Privacy)

 ② SSL : 인터넷을 통해 전달되는 정보의 보안을 위해 네스케이프사가 개발한 프로토콜
③ SHTTP : 기존의 HTTP에 보안 요소를 첨가한 프로토콜
④ PEM : IETF가 만들었으며 인터넷의 표준으로 제안된 메일 보안
⑤ PGP : 전자우편 사용시 자료 파일을 보호하기 위하여 사용하는 암호화 프로그램

35 다음 ( ) 안에 들어갈 말로 적절한 것은?

> 황와 미세먼지는 입자 크기가 머리카락 굵기의 10분의 1 정도로 무척 작기 때문에 일반 마스크로는 호흡기를 보호할 수 없다. 따라서 식품의약품 안전처에서 인증한 황사마스크를 써야 하는데, 이 마스크를 고를 때에는 ( )지수가 표기된 제품을 구입하는 것이 좋다. 지수가 높을수록 차단율이 높지만 필터가 너무 촘촘해서 호흡하는 데 불편함을 느낄 수도 있다. 따라서 개인의 호흡량에 따라 황사마스크를 선택하는 것이 가장 좋다.

① SPF
② KF
③ PA
④ DMF
⑤ BMI

Tip ② 미세먼지 등 유해물질 입자 차단 성능을 나타내는 지수로, 지수가 높을수록 작은 입자에 대한 차단율이 높다는 것을 뜻한다.

36 다음 중 2019년 최저임금으로 옳은 것은?

① 7,550원
② 7,750원
③ 8,350원
④ 8,530원
⑤ 9,200원

Tip 최저임금위원회는 2019년 최저임금을 시간당 8,350원(2018년 대비 10.9% 인상)으로 책정했다.

37 다음에서 설명하고 있는 현상은 무엇인가?

> 미국 워싱턴대학교 정보대학원 데이비드 레비 교수가 만든 용어로 컴퓨터와 스마트폰 등 전자기기를 지나치게 쓰거나 여러 기기로 멀티태스킹을 반복할 때 심해지는 것으로 알려졌다. 스마트폰 중독은 인터넷 속의 자극적인 콘텐츠 과잉 주입을 유도할 가능성이 크다. 뇌에 큰 자극이 지속적으로 가해져 사람들은 단순하고 평범한 일상생활에 흥미를 잃게 된다.

① 틴들 현상
② 델린저 현상
③ 팝콘 브레인
④ 레이놀즈 효과
⑤ 베일 보터

 ③ 팝콘이 터지듯 크고 강렬한 자극에만 우리의 뇌가 반응하는 현상을 '팝콘 브레인 (Popcorn Brain)'이라 한다.

38 다음에서 설명하고 있는 현상은 무엇인가?

> 본래 '이 현상'은 중간 계급이 도심 주변 낙후된 지역의 주택으로 이주해옴으로써 땅 값 및 임대료의 상승으로 기존의 저소득층을 대체하는 현상이다. 홍익대학교 앞, 서촌, 가로수길 등 우리나라에서는 중심으로 일어나고 있다.

① 리제너레이션(Regeneration)
② 글로컬리제이션(Glocalization)
③ 젠트리피케이션(Gentrification)
④ 어반 리제너레이션(Urban Regeneration)
⑤ 어시더피케이션(Acidification)

 ③ 낙후된 구도심의 상권이 활발해지면서 임대료가 오르고, 이를 감당하기 어려운 기존 상인들이 쫓겨 가는 현상을 일컬어 젠트리피케이션이라고 한다. 이로 인한 지역 변화의 속도가 과거에 비해 가속화되기 때문에 젠트리피케이션이 사회 문제로 급부상하고 있다.

39 다음 순서도에서 인쇄되는 S의 값은?

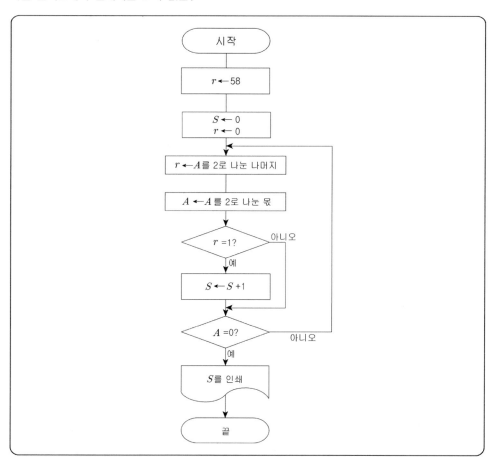

① 1
② 2
③ 3
④ 4
⑤ 5

A	r	S
58	0	0
29	0	0
14	1	1
7	0	1
3	1	2
1	1	3
0	1	4

40 다음 순서도에서 인쇄되는 a의 값은?

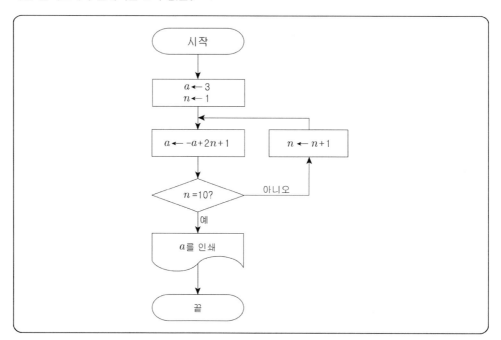

① 9 ② 11

③ 13 ④ 15

⑤ 17

n	a
1	$-3+3=0$
2	$0+5=5$
3	$-5+7=2$
4	$-2+9=7$
5	$-7+11=4$
6	$-4+13=9$
7	$-9+15=6$
8	$-6+17=11$
9	$-11+19=8$
10	$-8+21=13$

Answer ↪ 40.③

심층역량

※ 심층역량은 응시자의 심층적사고력을 파악하기 위한 영역이므로 정답이 존재하지 않습니다.

샘플문항

※ SK그룹 홈페이지에서 공개한 샘플문항입니다. 심층역량은 SK의 '일 잘하는 인재'가 직무를 원활히 수행하기 위해 필요한 성격, 가치관, 태도를 측정합니다.

Q 각 문제에 대해 자신이 동의하는 정도에 따라 '전혀 그렇지 않다'면 ①, '그렇지 않다'면 ②, '그렇다'면 ③, '매우 그렇다'면 ④로 응답하시오.

---

1. 공적인 의사결정을 할 때 사적인 이해관계에 얽매이지 않는다.
2. 같은 팀으로 일하는 사람끼리는 각자 자신의 일에 집중하면 된다.

전혀 그렇지 않다	그렇지 않다	그렇다	매우 그렇다
①	②	③	④
①	②	③	④

Q (가)에 가까울수록 ①에 가깝게, (나)에 가까울수록 ④에 가깝게 응답하시오.

(가)에 가까울수록			(나)에 가까울수록
①	②	③	④

(가) 팀원들의 의사와 결정을 존중한다.

(나) 풀기 어려운 문제에 대해 오랜 시간 생각하기를 좋아한다.

〉〉 유형 1

▮1~50▮ 다음 주어진 문장을 보고 자신이 동의하는 정도에 따라 ① 전혀 그렇지 않다, ② 그렇지 않다, ③ 그렇다, ④ 매우 그렇다를 선택하시오.

1

문항예시	전혀 그렇지 않다	그렇지 않다	그렇다	매우 그렇다
① 작은 일이라도 쉽게 결정하는 것은 어리석다.	①	②	③	④
② 타인의 의견에서 중요한 힌트를 자주 얻는다.	①	②	③	④

2

문항예시	전혀 그렇지 않다	그렇지 않다	그렇다	매우 그렇다
① 자신의 생각과 행동을 신뢰하는 편이다.	①	②	③	④
② 반대의견은 참고의 대상일 뿐이다.	①	②	③	④

3

문항예시	전혀 그렇지 않다	그렇지 않다	그렇다	매우 그렇다
① 운동을 즐기는 편이다.	①	②	③	④
② 땀 흘리는 것을 싫어한다.	①	②	③	④

4

문항예시	전혀 그렇지 않다	그렇지 않다	그렇다	매우 그렇다
① 순간 떠오르는 아이디어를 자주 활용한다.	①	②	③	④
② 객관적 분석없이 일을 진행하는 것은 어리석다.	①	②	③	④

5

문항예시	전혀 그렇지 않다	그렇지 않다	그렇다	매우 그렇다
① 상상력과 호기심이 많은 편이다.	①	②	③	④
② 판타지 영화, 가상의 세계가 매우 흥미롭다.	①	②	③	④

6

문항예시	전혀 그렇지 않다	그렇지 않다	그렇다	매우 그렇다
① 논쟁할 때 자신보다 타인의 주장에 신경쓴다.	①	②	③	④
② 논쟁할 때 상대방의 입장을 이해하려고 애쓴다.	①	②	③	④

7

문항예시	전혀 그렇지 않다	그렇지 않다	그렇다	매우 그렇다
① 지저분한 책상에서는 공부가 안 된다.	①	②	③	④
② 자신의 방의 물건은 항상 제자리에 있어야 한다.	①	②	③	④

8

문항예시	전혀 그렇지 않다	그렇지 않다	그렇다	매우 그렇다
① 자신이 하찮게 느껴질 때가 많다.	①	②	③	④
② 자신이 자랑스러운 적이 많다.	①	②	③	④

9

문항예시	전혀 그렇지 않다	그렇지 않다	그렇다	매우 그렇다
① 입사시험을 제대로 치를 수 있을 지 걱정된다.	①	②	③	④
② 입사 후에 제대로 적응할 수 있을지 걱정된다.	①	②	③	④

10

문항예시	전혀 그렇지 않다	그렇지 않다	그렇다	매우 그렇다
① 창의적인 분야에 도전해 보고 싶다.	①	②	③	④
② 창조성이 떨어지는 편이다.	①	②	③	④

11

문항예시	전혀 그렇지 않다	그렇지 않다	그렇다	매우 그렇다
① 정형화된 업무방식을 선호한다.	①	②	③	④
② 창의와 혁신은 위험이 많이 따른다고 생각한다.	①	②	③	④

12

문항예시	전혀 그렇지 않다	그렇지 않다	그렇다	매우 그렇다
① 친구들에게 모욕을 당하면 화가 난다.	①	②	③	④
② 남이 자신에게 화를 낼 수도 있다고 생각한다.	①	②	③	④

13

문항예시	전혀 그렇지 않다	그렇지 않다	그렇다	매우 그렇다
① 나에게 꼭 필요한 사람들만 만나고 싶다.	①	②	③	④
② 모든 사람에게 잘할 필요는 없다.	①	②	③	④

14

문항예시	전혀 그렇지 않다	그렇지 않다	그렇다	매우 그렇다
① 절제력이 약한 편이다.	①	②	③	④
② 자기 컨트롤에 능한 편이다.	①	②	③	④

15

문항예시	전혀 그렇지 않다	그렇지 않다	그렇다	매우 그렇다
① 인정받기 위해 애쓴다.	①	②	③	④
② 자신의 능력을 타인에게 보여주고 싶다.	①	②	③	④

16

문항예시	전혀 그렇지 않다	그렇지 않다	그렇다	매우 그렇다
① 공부든, 일이든 노력한 만큼 보상받지 못했다.	①	②	③	④
② 노력한 만큼 그 결과가 반드시 따라왔다.	①	②	③	④

17

문항예시	전혀 그렇지 않다	그렇지 않다	그렇다	매우 그렇다
① 이성 교제 경험이 많은 편이다.	①	②	③	④
② 한 이성을 오랫동안 사귀는 편이다.	①	②	③	④

18

문항예시	전혀 그렇지 않다	그렇지 않다	그렇다	매우 그렇다
① 자신이 혼자라서 외롭다고 느낄 때가 있다.	①	②	③	④
② 죽음을 생각한 적이 있다.	①	②	③	④

19

문항예시	전혀 그렇지 않다	그렇지 않다	그렇다	매우 그렇다
① 기분이 가라앉을 때가 많다.	①	②	③	④
② 현실은 죽음과 고통이 많은 슬픈 곳이다.	①	②	③	④

20

문항예시	전혀 그렇지 않다	그렇지 않다	그렇다	매우 그렇다
① 강요당하는 것을 싫어한다.	①	②	③	④
② 관습을 타파해야 발전할 수 있다.	①	②	③	④

21

문항예시	전혀 그렇지 않다	그렇지 않다	그렇다	매우 그렇다
① 우연은 없다고 생각한다.	①	②	③	④
② 보이지 않는 힘이 자신의 인생을 좌우한다.	①	②	③	④

22

문항예시	전혀 그렇지 않다	그렇지 않다	그렇다	매우 그렇다
① 자신의 종교사상이 진리라고 생각한다.	①	②	③	④
② 타인의 종교에 대해서 배타적인 편이다.	①	②	③	④

23

문항예시	전혀 그렇지 않다	그렇지 않다	그렇다	매우 그렇다
① 보이지 않는 것은 믿을 수 없다.	①	②	③	④
② 합리적인 이성에 의해 세상은 모두 설명된다.	①	②	③	④

24

문항예시	전혀 그렇지 않다	그렇지 않다	그렇다	매우 그렇다
① 이유없이 자신을 때린다면 즉시 반격할 것이다.	①	②	③	④
② 자신이 타인에게 공격당해도 참는다.	①	②	③	④

25

문항예시	전혀 그렇지 않다	그렇지 않다	그렇다	매우 그렇다
① 주위의 모든 학생이 경쟁자였다.	①	②	③	④
② 자기 자신과의 싸움을 즐긴다.	①	②	③	④

26

문항예시	전혀 그렇지 않다	그렇지 않다	그렇다	매우 그렇다
① 성공하고 싶다.	①	②	③	④
② 발전하지 않으면 실패할 것이다.	①	②	③	④

27

문항예시	전혀 그렇지 않다	그렇지 않다	그렇다	매우 그렇다
① 세상은 아름다운 곳이다.	①	②	③	④
② 삶의 즐거움을 느낄 때가 많다.	①	②	③	④

28

문항예시	전혀 그렇지 않다	그렇지 않다	그렇다	매우 그렇다
① 작은 일도 많이 고심한 후에 결정한다.	①	②	③	④
② 쉽게 결정해버리면 실패할 것이다.	①	②	③	④

29

문항예시	전혀 그렇지 않다	그렇지 않다	그렇다	매우 그렇다
① 계획적인 삶이야말로 이상적인 삶이다.	①	②	③	④
② 계획하지 않은 일이 일어나면 당황스럽다.	①	②	③	④

30

문항예시	전혀 그렇지 않다	그렇지 않다	그렇다	매우 그렇다
① 보고서 작성 시 하나의 오타도 용납할 수 없다.	①	②	③	④
② 완벽한 일처리를 위해 노력한다.	①	②	③	④

31

문항예시	전혀 그렇지 않다	그렇지 않다	그렇다	매우 그렇다
① 더러운 사람이 매우 싫다.	①	②	③	④
② 너무 깔끔하게 할 필요는 없다.	①	②	③	④

32

문항예시	전혀 그렇지 않다	그렇지 않다	그렇다	매우 그렇다
① 친구들이 자신을 싫어하는 편이다.	①	②	③	④
② 사람들이 자신을 싫어하지만 내색하지 않는다.	①	②	③	④

33

문항예시	전혀 그렇지 않다	그렇지 않다	그렇다	매우 그렇다
① 팀워크보다 개개인의 능력 발휘가 더 중요하다.	①	②	③	④
② 팀프로젝트에서 가장 중요한 것은 팀워크다.	①	②	③	④

34

문항예시	전혀 그렇지 않다	그렇지 않다	그렇다	매우 그렇다
① 낯선 사람과 대화할 때 부끄러움을 느낀다.	①	②	③	④
② 낯선 사람에게 길을 물어보기가 꺼려진다.	①	②	③	④

35

문항예시	전혀 그렇지 않다	그렇지 않다	그렇다	매우 그렇다
① 자신이 가진 조건이 실망스럽다.	①	②	③	④
② 더 나은 삶을 살고 싶다.	①	②	③	④

36

문항예시	전혀 그렇지 않다	그렇지 않다	그렇다	매우 그렇다
① 입사시험에서 합격할 것 같다.	①	②	③	④
② 입사시험에 합격하기 어려울 것 같다.	①	②	③	④

37

문항예시	전혀 그렇지 않다	그렇지 않다	그렇다	매우 그렇다
① 자신의 감정을 잘 표현하지 않는 편이다.	①	②	③	④
② 감정을 무조건 절제만 하는 것은 좋지 않다.	①	②	③	④

38

문항예시	전혀 그렇지 않다	그렇지 않다	그렇다	매우 그렇다
① 말수가 적은 편이다.	①	②	③	④
② 지인들과 대화를 많이 하는 편이다.	①	②	③	④

39

문항예시	전혀 그렇지 않다	그렇지 않다	그렇다	매우 그렇다
① 다수의 의견을 존중해야 한다.	①	②	③	④
② 모두 찬성해도 자신만 반대의견을 낼 수 있다.	①	②	③	④

40

문항예시	전혀 그렇지 않다	그렇지 않다	그렇다	매우 그렇다
① 승부근성이 강한 편이다.	①	②	③	④
② 타인과의 경쟁에 크게 관심이 없다.	①	②	③	④

41

문항예시	전혀 그렇지 않다	그렇지 않다	그렇다	매우 그렇다
① 악의를 가지고 거짓말 한 적이 없다.	①	②	③	④
② 잘못을 감추기 위해 거짓말을 할 수 있다.	①	②	③	④

42

문항예시	전혀 그렇지 않다	그렇지 않다	그렇다	매우 그렇다
① 정직한 사람은 어디서든 성공할 것이다.	①	②	③	④
② 상황에 따라서 적당한 거짓말도 필요하다.	①	②	③	④

43

문항예시	전혀 그렇지 않다	그렇지 않다	그렇다	매우 그렇다
① 결혼식 때 친구들이 많이 올 것이다.	①	②	③	④
② 평소에 친구들을 많이 만나는 편이다.	①	②	③	④

44

문항예시	전혀 그렇지 않다	그렇지 않다	그렇다	매우 그렇다
① 싫어하는 사람이 없다.	①	②	③	④
② 특별히 싫은 유형의 사람이 있다.	①	②	③	④

45

문항예시	전혀 그렇지 않다	그렇지 않다	그렇다	매우 그렇다
① 지인의 사소한 충고도 신경 쓰인다.	①	②	③	④
② 타인의 말이 마음에 남을 때가 많다.	①	②	③	④

46

문항예시	전혀 그렇지 않다	그렇지 않다	그렇다	매우 그렇다
① 흐린 날에는 반드시 우산을 가지고 간다.	①	②	③	④
② 중요한 일은 밤을 새워서 준비한다.	①	②	③	④

47

문항예시	전혀 그렇지 않다	그렇지 않다	그렇다	매우 그렇다
① 타인의 생명을 위해 목숨을 내놓을 수 있다.	①	②	③	④
② 뉴스의 대형사고 소식을 접하면 안타깝다.	①	②	③	④

48

문항예시	전혀 그렇지 않다	그렇지 않다	그렇다	매우 그렇다
① 불합리한 일을 당해도 참는 것이 좋다.	①	②	③	④
② 상사가 사적인 일을 지시해도 수행한다.	①	②	③	④

49

문항예시	전혀 그렇지 않다	그렇지 않다	그렇다	매우 그렇다
① 특별히 열정을 가지고 하는 일이 있다.	①	②	③	④
② 가끔 자신의 삶이 무미건조하게 느껴진다.	①	②	③	④

50

문항예시	전혀 그렇지 않다	그렇지 않다	그렇다	매우 그렇다
① 특별한 취미가 없다.	①	②	③	④
② 일을 하느라고 취미생활을 할 여유가 없다.	①	②	③	④

>> 유형 2

▌1~50 ▌ (가)에 가까울수록 ①에 가깝게, (나)에 가까울수록 ④에 가깝게 응답하시오.

1

(가)에 가까울수록　　　　　　　　　　　　　　　　　　　　(나)에 가까울수록

①	②	③	④

(가) 다른 사람을 욕한 적이 한 번도 없다.　　　(나) 다른 사람에게 어떻게 보일지 신경을 쓴다.

2

(가)에 가까울수록　　　　　　　　　　　　　　　　　　　　(나)에 가까울수록

①	②	③	④

(가) 그다지 융통성이 있는 편이 아니다　　　(나) 다른 사람이 내 의견에 간섭하는 것이 싫다.

3

(가)에 가까울수록　　　　　　　　　　　　　　　　　　　　(나)에 가까울수록

①	②	③	④

(가) 기회가 있으면 꼭 얻는 편이다.　　　(나) 단념하는 것은 있을 수 없다.

4

(가)에 가까울수록　　　　　　　　　　　　　　　　　　　　(나)에 가까울수록

①	②	③	④

(가) 더 높은 능력이 요구되는 일을 하고 싶다.　　　(나) 새로운 사람을 만날 때는 두근거린다.

5

(가)에 가까울수록   (나)에 가까울수록

①	②	③	④

(가) 한 우물만 파고 싶다.   (나) 스트레스를 해소하기 위해 몸을 움직인다.

6

(가)에 가까울수록   (나)에 가까울수록

①	②	③	④

(가) 사교성이 있는 편이라고 생각한다.   (나) 모르는 것이 있어도 행동하면서 생각한다.

7

(가)에 가까울수록   (나)에 가까울수록

①	②	③	④

(가) 이론만 내세우는 사람과 대화하면 짜증이   (나) 상처를 주는 것도, 받는 것도 싫다.
      난다.

8

(가)에 가까울수록   (나)에 가까울수록

①	②	③	④

(가) 친구를 재미있게 하는 것을 좋아한다.   (나) 아침부터 아무것도 하고 싶지 않을 때가 있다.

9

(가)에 가까울수록   (나)에 가까울수록

①	②	③	④

(가) 활동력이 있는 편이다. (나) 많은 사람들과 왁자지껄하게 식사하는 것을 좋아하지 않는다.

10

(가)에 가까울수록   (나)에 가까울수록

①	②	③	④

(가) 하나의 취미에 열중하는 타입이다. (나) 모임에서 회장에 어울린다고 생각한다.

11

(가)에 가까울수록   (나)에 가까울수록

①	②	③	④

(가) 학급에서는 존재가 희미했다. (나) 항상 무언가를 생각하고 있다.

12

(가)에 가까울수록   (나)에 가까울수록

①	②	③	④

(가) 흐린 날은 반드시 우산을 가지고 간다. (나) 주연상을 받을 수 있는 배우를 좋아한다.

13

(가)에 가까울수록			(나)에 가까울수록
①	②	③	④

(가) 밤길에는 발소리가 들리기만 해도 불안하다.   (나) 상냥하다는 말을 들은 적이 있다.

14

(가)에 가까울수록			(나)에 가까울수록
①	②	③	④

(가) 나는 영업에 적합한 타입이라고 생각한다.   (나) 술자리에서 술을 마시지 않아도 흥을 돋울 수 있다.

15

(가)에 가까울수록			(나)에 가까울수록
①	②	③	④

(가) 자기 주장이 강한 편이다.   (나) 뒤숭숭하다는 말을 들은 적이 있다.

16

(가)에 가까울수록			(나)에 가까울수록
①	②	③	④

(가) 사려 깊은 편이다.   (나) 몸을 움직이는 것을 좋아한다.

17

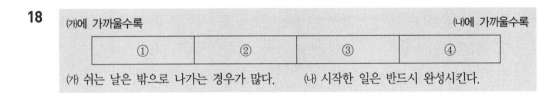

(가)에 가까울수록			(나)에 가까울수록
①	②	③	④

(가) 인생의 목표는 큰 것이 좋다.　　　　　(나) 어떤 일이라도 바로 시작하는 타입이다.

18

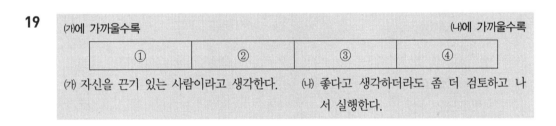

(가)에 가까울수록			(나)에 가까울수록
①	②	③	④

(가) 쉬는 날은 밖으로 나가는 경우가 많다.　　(나) 시작한 일은 반드시 완성시킨다.

19

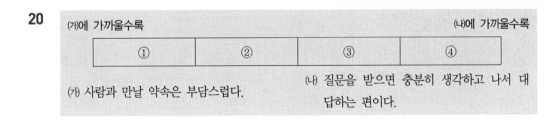

(가)에 가까울수록			(나)에 가까울수록
①	②	③	④

(가) 자신을 끈기 있는 사람이라고 생각한다.　(나) 좋다고 생각하더라도 좀 더 검토하고 나서 실행한다.

20

(가)에 가까울수록			(나)에 가까울수록
①	②	③	④

(가) 사람과 만날 약속은 부담스럽다.　　　　(나) 질문을 받으면 충분히 생각하고 나서 대답하는 편이다.

21

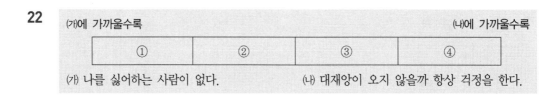

(가)에 가까울수록   (나)에 가까울수록

①	②	③	④

(가) 감정적인 사람이라고 생각한다.   (나) 자신만의 신념을 가지고 있다.

22

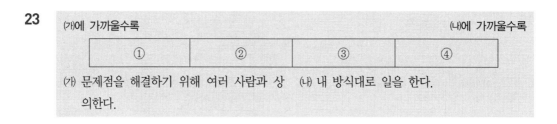

(가)에 가까울수록   (나)에 가까울수록

①	②	③	④

(가) 나를 싫어하는 사람이 없다.   (나) 대재앙이 오지 않을까 항상 걱정을 한다.

23

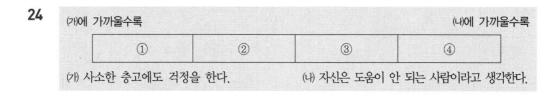

(가)에 가까울수록   (나)에 가까울수록

①	②	③	④

(가) 문제점을 해결하기 위해 여러 사람과 상   (나) 내 방식대로 일을 한다.
의한다.

24

(가)에 가까울수록   (나)에 가까울수록

①	②	③	④

(가) 사소한 충고에도 걱정을 한다.   (나) 자신은 도움이 안 되는 사람이라고 생각한다.

25

(가)에 가까울수록			(나)에 가까울수록
①	②	③	④

(가) 금세 무기력해지는 편이다.　　　　　　(나) 비교적 고분고분한 편이라고 생각한다.

26

(가)에 가까울수록			(나)에 가까울수록
①	②	③	④

(가) 금방 감격하는 편이다.　　　　　　(나) 어떤 것에 대해서는 불만을 가진 적이 없다.

27

(가)에 가까울수록			(나)에 가까울수록
①	②	③	④

(가) 조금이라도 나쁜 소식은 절망의 시작이라　(나) 언제나 실패가 걱정이 되어 어쩔 줄 모른다.
고 생각해 버린다.

28

(가)에 가까울수록			(나)에 가까울수록
①	②	③	④

(가) 승부근성이 강하다.　　　　　　(나) 자주 흥분해서 침착하지 못한다.

29

(가)에 가까울수록   (나)에 가까울수록

①	②	③	④

(가) 무엇이든지 자기가 나쁘다고 생각하는 편이다.   (나) 자신을 변덕스러운 사람이라고 생각한다.

30

(가)에 가까울수록   (나)에 가까울수록

①	②	③	④

(가) 금방 흥분하는 성격이다.   (나) 거짓말을 한 적이 없다.

31

(가)에 가까울수록   (나)에 가까울수록

①	②	③	④

(가) 외출시 문을 잠갔는지 몇 번을 확인한다.   (나) 이왕 할 거라면 일등이 되고 싶다.

32

(가)에 가까울수록   (나)에 가까울수록

①	②	③	④

(가) 무심코 도리에 대해서 말하고 싶어진다.   (나) '항상 건강하네요.'라는 말을 듣는다.

33

(가)에 가까울수록			(나)에 가까울수록
①	②	③	④

(가) 체험을 중요하게 여기는 편이다. (나) 도리를 판별하는 사람을 좋아한다.

34

(가)에 가까울수록			(나)에 가까울수록
①	②	③	④

(가) 현실적인 편이다. (나) 생각날 때 물건을 산다.

35

(가)에 가까울수록			(나)에 가까울수록
①	②	③	④

(가) 재미있는 것을 추구하는 경향이 있다. (나) 어려움에 처해 있는 사람을 보면 원인을 생각한다.

36

(가)에 가까울수록			(나)에 가까울수록
①	②	③	④

(가) 연구는 이론체계를 만들어 내는 데 의의가 있다. (나) 규칙을 벗어나서까지 사람을 돕고 싶지 않다.

37

(개)에 가까울수록			(내)에 가까울수록
①	②	③	④

(개) 뜨거워지기 쉽고 식기 쉽다.   (내) 자신만의 세계를 가지고 있다.

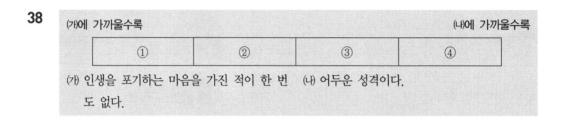

38

(개)에 가까울수록			(내)에 가까울수록
①	②	③	④

(개) 인생을 포기하는 마음을 가진 적이 한 번   (내) 어두운 성격이다.
도 없다.

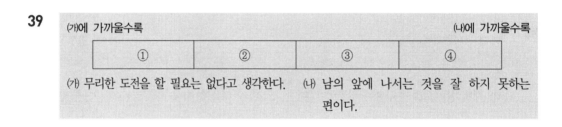

39

(개)에 가까울수록			(내)에 가까울수록
①	②	③	④

(개) 무리한 도전을 할 필요는 없다고 생각한다.   (내) 남의 앞에 나서는 것을 잘 하지 못하는
편이다.

40

(개)에 가까울수록			(내)에 가까울수록
①	②	③	④

(개) 유연히 대응하는 편이다.   (내) 휴일에는 집 안에서 편안하게 있을 때가 많다.

41

(가)에 가까울수록   (나)에 가까울수록

①	②	③	④

(가) 친구가 적은 편이다.   (나) 결론이 나도 여러 번 생각을 하는 편이다.

42

(가)에 가까울수록   (나)에 가까울수록

①	②	③	④

(가) 움직이지 않고 많은 생각을 하는 것이 즐겁다.   (나) 현실적이다.

43

(가)에 가까울수록   (나)에 가까울수록

①	②	③	④

(가) 파란만장하더라도 성공하는 인생을 걷고 싶다.   (나) 활기찬 편이라고 생각한다.

44

(가)에 가까울수록   (나)에 가까울수록

①	②	③	④

(가) 자신은 성급하다고 생각한다.   (나) 꾸준히 노력하는 타입이라고 생각한다.

45

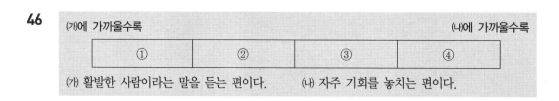

(가)에 가까울수록			(나)에 가까울수록
①	②	③	④

(가) 생각했다고 해서 꼭 행동으로 옮기는 것 은 아니다.　(나) 목표 달성에 별로 구애받지 않는다.

46

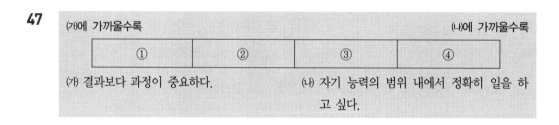

(가)에 가까울수록			(나)에 가까울수록
①	②	③	④

(가) 활발한 사람이라는 말을 듣는 편이다.　(나) 자주 기회를 놓치는 편이다.

47

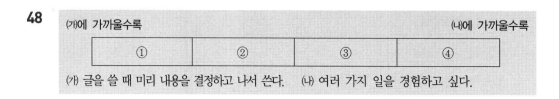

(가)에 가까울수록			(나)에 가까울수록
①	②	③	④

(가) 결과보다 과정이 중요하다.　(나) 자기 능력의 범위 내에서 정확히 일을 하 고 싶다.

48

(가)에 가까울수록			(나)에 가까울수록
①	②	③	④

(가) 글을 쓸 때 미리 내용을 결정하고 나서 쓴다.　(나) 여러 가지 일을 경험하고 싶다.

49

(가)에 가까울수록   (나)에 가까울수록

①	②	③	④

(가) 하기 싫은 것을 하고 있으면 무심코 불만   (나) 투지를 드러내는 경향이 있다.
을 말한다.

50

(가)에 가까울수록   (나)에 가까울수록

①	②	③	④

(가) 착한 사람이라는 말을 들을 때가 많다.   (나) 자신을 다른 사람보다 뛰어나다고 생각한다.

PART

III

면접

01 면접의 기본
02 계열사별 면접기출

01 면접의 기본

1 면접준비

(1) 면접의 기본 원칙

① **면접의 의미** ··· 면접이란 다양한 면접기법을 활용하여 지원한 직무에 필요한 능력을 지원자가 보유하고 있는지를 확인하는 절차라고 할 수 있다. 즉, 지원자의 입장에서는 채용 직무 수행에 필요한 요건들과 관련하여 자신의 환경, 경험, 관심사, 성취 등에 대해 기업에 직접 어필할 수 있는 기회를 제공받는 것이며, 기업의 입장에서는 서류전형만으로 알 수 없는 지원자에 대한 정보를 직접적으로 수집하고 평가하는 것이다.

② **면접의 특징** ··· 면접은 기업의 입장에서 서류전형이나 필기전형에서 드러나지 않는 지원자의 능력이나 성향을 볼 수 있는 기회로, 면대면으로 이루어지며 즉흥적인 질문들이 포함될 수 있기 때문에 지원자가 완벽하게 준비하기 어려운 부분이 있다. 하지만 지원자 입장에서도 서류전형이나 필기전형에서 모두 보여주지 못한 자신의 능력 등을 기업의 인사담당자에게 어필할 수 있는 추가적인 기회가 될 수도 있다.

[서류·필기전형과 차별화되는 면접의 특징]

- 직무수행과 관련된 다양한 지원자 행동에 대한 관찰이 가능하다.
- 면접관이 알고자 하는 정보를 심층적으로 파악할 수 있다.
- 서류상의 미비한 사항과 의심스러운 부분을 확인할 수 있다.
- 커뮤니케이션 능력, 대인관계 능력 등 행동·언어적 정보도 얻을 수 있다.

③ **면접의 유형**

㉠ **구조화 면접** : 구조화 면접은 사전에 계획을 세워 질문의 내용과 방법, 지원자의 답변 유형에 따른 추가 질문과 그에 대한 평가 역량이 정해져 있는 면접 방식으로 표준화 면접이라고도 한다.
- 표준화된 질문이나 평가요소가 면접 전 확정되며, 지원자는 편성된 조나 면접관에 영향을 받지 않고 동일한 질문과 시간을 부여받을 수 있다.

- 조직 또는 직무별로 주요하게 도출된 역량을 기반으로 평가요소가 구성되어, 조직 또는 직무에서 필요한 역량을 가진 지원자를 선발할 수 있다.
- 표준화된 형식을 사용하는 특성 때문에 비구조화 면접에 비해 신뢰성과 타당성, 객관성이 높다.

ⓛ 비구조화 면접 : 비구조화 면접은 면접 계획을 세울 때 면접 목적만을 명시하고 내용이나 방법은 면접관에게 전적으로 일임하는 방식으로 비표준화 면접이라고도 한다.
- 표준화된 질문이나 평가요소 없이 면접이 진행되며, 편성된 조나 면접관에 따라 지원자에게 주어지는 질문이나 시간이 다르다.
- 면접관의 주관적인 판단에 따라 평가가 이루어져 평가 오류가 빈번히 일어난다.
- 상황 대처나 언변이 뛰어난 지원자에게 유리한 면접이 될 수 있다.

④ 경쟁력 있는 면접 요령

㉠ 면접 전에 준비하고 유념할 사항
- 예상 질문과 답변을 미리 작성한다.
- 작성한 내용을 문장으로 외우지 않고 키워드로 기억한다.
- 지원한 회사의 최근 기사를 검색하여 기억한다.
- 지원한 회사가 속한 산업군의 최근 기사를 검색하여 기억한다.
- 면접 전 1주일간 이슈가 되는 뉴스를 기억하고 자신의 생각을 반영하여 정리한다.
- 찬반토론에 대비한 주제를 목록으로 정리하여 자신의 논리를 내세운 예상답변을 작성한다.

㉡ 면접장에서 유념할 사항
- 질문의 의도 파악 : 답변을 할 때에는 질문 의도를 파악하고 그에 충실한 답변이 될 수 있도록 질문사항을 유념해야 한다. 많은 지원자가 하는 실수 중 하나로 답변을 하는 도중 자기 말에 심취되어 질문의 의도와 다른 답변을 하거나 자신이 알고 있는 지식만을 나열하는 경우가 있는데, 이럴 경우 의사소통능력이 부족한 사람으로 인식될 수 있으므로 주의하도록 한다.
- 답변은 두괄식 : 답변을 할 때에는 두괄식으로 결론을 먼저 말하고 그 이유를 설명하는 것이 좋다. 미괄식으로 답변을 할 경우 용두사미의 답변이 될 가능성이 높으며, 결론을 이끌어 내는 과정에서 논리성이 결여될 우려가 있다. 또한 면접관이 결론을 듣기 전에 말을 끊고 다른 질문을 추가하는 예상치 못한 상황이 발생될 수 있으므로 답변은 자신이 전달하고자 하는 바를 먼저 밝히고 그에 대한 설명을 하는 것이 좋다.

- 지원한 회사의 기업정신과 인재상을 기억 : 답변을 할 때에는 회사가 원하는 인재라는 인상을 심어주기 위해 지원한 회사의 기업정신과 인재상 등을 염두에 두고 답변을 하는 것이 좋다. 모든 회사에 해당되는 두루뭉술한 답변보다는 지원한 회사에 맞는 맞춤형 답변을 하는 것이 좋다.
- 나보다는 회사와 사회적 관점에서 답변 : 답변을 할 때에는 자기중심적인 관점을 피하고 좀 더 넓은 시각으로 회사와 국가, 사회적 입장까지 고려하는 인재임을 어필하는 것이 좋다. 자기중심적 시각을 바탕으로 자신의 출세만을 위해 회사에 입사하려는 인상을 심어줄 경우 면접에서 불이익을 받을 가능성이 높다.
- 난처한 질문은 정직한 답변 : 난처한 질문에 답변을 해야 할 때에는 피하기보다는 정면 돌파로 정직하고 솔직하게 답변하는 것이 좋다. 난처한 부분을 감추고 드러내지 않으려 회피하려는 지원자의 모습은 인사담당자에게 입사 후에도 비슷한 상황에 처했을 때 회피할 수도 있다는 우려를 심어줄 수 있다. 따라서 직장생활에 있어 중요한 덕목 중 하나인 정직을 바탕으로 솔직하게 답변을 하도록 한다.

(2) 면접의 종류 및 준비 전략

① 인성면접

　㉠ 면접 방식 및 판단기준
- 면접 방식 : 인성면접은 면접관이 가지고 있는 개인적 면접 노하우나 관심사에 의해 질문을 실시한다. 주로 입사지원서나 자기소개서의 내용을 토대로 지원동기, 과거의 경험, 미래 포부 등을 이야기하도록 하는 방식이다.
- 판단기준 : 면접관의 개인적 가치관과 경험, 해당 역량의 수준, 경험의 구체성·진실성 등

　㉡ 특징 : 인성면접은 그 방식으로 인해 역량과 무관한 질문들이 많고 지원자에게 주어지는 면접질문, 시간 등이 다를 수 있다. 또한 입사지원서나 자기소개서의 내용을 토대로 하기 때문에 지원자별 질문이 달라질 수 있다.

ⓒ 예시 문항 및 준비전략

• 예시 문항

> • 3분 동안 자기소개를 해 보십시오.
> • 자신의 장점과 단점을 말해 보십시오.
> • 학점이 좋지 않은데 그 이유가 무엇입니까?
> • 최근에 인상 깊게 읽은 책은 무엇입니까?
> • 회사를 선택할 때 중요시하는 것은 무엇입니까?
> • 일과 개인생활 중 어느 쪽을 중시합니까?
> • 10년 후 자신은 어떤 모습일 것이라고 생각합니까?
> • 휴학 기간 동안에는 무엇을 했습니까?

• 준비전략 : 인성면접은 입사지원서나 자기소개서의 내용을 바탕으로 하는 경우가 많으므로 자신이 작성한 입사지원서와 자기소개서의 내용을 충분히 숙지하도록 한다. 또한 최근 사회적으로 이슈가 되고 있는 뉴스에 대한 견해를 묻거나 시사상식 등에 대한 질문을 받을 수 있으므로 이에 대한 대비도 필요하다. 자칫 부담스러워 보이지 않는 질문으로 가볍게 대답하지 않도록 주의하고 모든 질문에 입사 의지를 담아 성실하게 답변하는 것이 중요하다.

② 발표면접

㉠ 면접 방식 및 판단기준

• 면접 방식 : 지원자가 특정 주제와 관련된 자료를 검토하고 그에 대한 자신의 생각을 면접관 앞에서 주어진 시간 동안 발표하고 추가 질의를 받는 방식으로 진행된다.

• 판단기준 : 지원자의 사고력, 논리력, 문제해결력 등

㉡ 특징 : 발표면접은 지원자에게 과제를 부여한 후, 과제를 수행하는 과정과 결과를 관찰·평가한다. 따라서 과제수행 결과뿐 아니라 수행과정에서의 행동을 모두 평가할 수 있다.

ⓒ 예시 문항 및 준비전략

• 예시 문항

[신입사원 조기 이직 문제]

※ 지원자는 아래에 제시된 자료를 검토한 뒤, 신입사원 조기 이직의 원인을 크게 3가지로 정리하고 이에 대한 구체적인 개선안을 도출하여 발표해 주시기 바랍니다.

※ 본 과제에 정해진 정답은 없으나 논리적 근거를 들어 개선안을 작성해 주십시오.

- A기업은 동종업계 유사기업들과 비교해 볼 때, 비교적 높은 재무안정성을 유지하고 있으며 업무강도가 그리 높지 않은 것으로 외부에 알려져 있음.
- 최근 조사결과, 동종업계 유사기업들과 연봉을 비교해 보았을 때 연봉 수준도 그리 나쁘지 않은 편이라는 것이 확인되었음.
- 그러나 지난 3년간 1~2년차 직원들의 이직률이 계속해서 증가하고 있는 추세이며, 경영진 회의에서 최우선 해결과제 중 하나로 거론되었음.
- 이에 따라 인사팀에서 현재 1~2년차 사원들을 대상으로 개선되어야 하는 A기업의 조직문화에 대한 설문조사를 실시한 결과, '상명하복식의 의사소통'이 36.7%로 1위를 차지했음.
- 이러한 설문조사와 함께, 신입사원 조기 이직에 대한 원인을 분석한 결과 파랑새 증후군, 셀프홀릭 증후군, 피터팬 증후군 등 3가지로 분류할 수 있었음.

〈동종업계 유사기업들과의 연봉 비교〉 〈우리 회사 조직문화 중 개선되었으면 하는 것〉

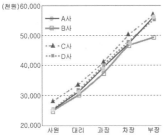
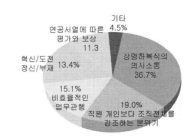

〈신입사원 조기 이직의 원인〉

- 파랑새 증후군
  - 현재의 직장보다 더 좋은 직장이 있을 것이라는 막연한 기대감으로 끊임없이 새로운 직장을 탐색함.
  - 학력 수준과 맞지 않는 '하향지원', 전공과 적성을 고려하지 않고 일단 취업하고 보자는 '묻지마 지원'이 파랑새 증후군을 초래함.
- 셀프홀릭 증후군
  - 본인의 역량에 비해 가치가 낮은 일을 주로 하면서 갈등을 느낌.
- 피터팬 증후군
  - 기성세대의 문화를 무조건 수용하기보다는 자유로움과 변화를 추구함.
  - 상명하복, 엄격한 규율 등 기성세대가 당연시하는 관행에 거부감을 가지며 직장에 답답함을 느낌.

- 준비전략 : 발표면접의 시작은 과제 안내문과 과제 상황, 과제 자료 등을 정확하게 이해하는 것에서 출발한다. 과제 안내문을 침착하게 읽고 제시된 주제 및 문제와 관련된 상황의 맥락을 파악한 후 과제를 검토한다. 제시된 기사나 그래프 등을 충분히 활용하여 주어진 문제를 해결할 수 있는 해결책이나 대안을 제시하며, 발표를 할 때에는 명확하고 자신 있는 태도로 전달할 수 있도록 한다.

③ 토론면접

㉠ 면접 방식 및 판단기준
- 면접 방식 : 상호갈등적 요소를 가진 과제 또는 공통의 과제를 해결하는 내용의 토론 과제를 제시하고, 그 과정에서 개인 간의 상호작용 행동을 관찰하는 방식으로 면접이 진행된다.
- 판단기준 : 팀워크, 적극성, 갈등 조정, 의사소통능력, 문제해결능력 등

㉡ 특징 : 토론을 통해 도출해 낸 최종안의 타당성도 중요하지만, 결론을 도출해 내는 과정에서의 의사소통능력이나 갈등상황에서 의견을 조정하는 능력 등이 중요하게 평가되는 특징이 있다.

㉢ 예시 문항 및 준비전략
- 예시 문항

  - 군 가산점제 부활에 대한 찬반토론
  - 담뱃값 인상에 대한 찬반토론
  - 비정규직 철폐에 대한 찬반토론
  - 대학의 영어 강의 확대 찬반토론
  - 워크숍 장소 선정을 위한 토론

- 준비전략 : 토론면접은 무엇보다 팀워크와 적극성이 강조된다. 따라서 토론과정에 적극적으로 참여하며 자신의 의사를 분명하게 전달하며, 갈등상황에서 자신의 의견만 내세울 것이 아니라 다른 지원자의 의견을 경청하고 배려하는 모습도 중요하다. 갈등상황을 일목요연하게 정리하여 조정하는 등의 의사소통능력을 발휘하는 것도 좋은 전략이 될 수 있다.

④ 상황면접

㉠ 면접 방식 및 판단기준
- 면접 방식 : 상황면접은 직무 수행 시 접할 수 있는 상황들을 제시하고, 그러한 상황에서 어떻게 행동할 것인지를 이야기하는 방식으로 진행된다.
- 판단기준 : 해당 상황에 적절한 역량의 구현과 구체적 행동지표

ⓛ 특징 : 실제 직무 수행 시 접할 수 있는 상황들을 제시하므로 입사 이후 지원자의 업무 수행능력을 평가하는 데 적절한 면접 방식이다. 또한 지원자의 가치관, 태도, 사고방식 등의 요소를 통합적으로 평가하는 데 용이하다.

ⓒ 예시 문항 및 준비전략

• 예시 문항

> 당신은 생산관리팀의 팀원으로, 생산팀이 기한에 맞춰 효율적으로 제품을 생산할 수 있도록 관리하는 역할을 맡고 있습니다. 3개월 뒤에 제품A를 정상적으로 출시하기 위해 생산팀의 생산 계획을 수립한 상황입니다. 그러나 원가가 곧 실적으로 이어지는 구매팀에서는 최대한 원가를 줄여 전반적 단가를 낮추려고 원가절감을 위한 제안을 하였으나, 연구개발팀에서는 구매팀이 제안한 방식으로 제품을 생산할 경우 대부분이 구매팀의 실적으로 산정될 것이므로 제대로 확인도 해보지 않은 채 적합하지 않은 방식이라고 판단하고 있습니다. 당신은 어떻게 하겠습니까?

• 준비전략 : 상황면접은 먼저 주어진 상황에서 핵심이 되는 문제가 무엇인지를 파악하는 것에서 시작한다. 주질문과 세부질문을 통하여 질문의 의도를 파악하였다면, 그에 대한 구체적인 행동이나 생각 등에 대해 응답할수록 높은 점수를 얻을 수 있다.

⑤ 역할면접

㉠ 면접 방식 및 판단기준

• 면접 방식 : 역할면접 또는 역할연기 면접은 기업 내 발생 가능한 상황에서 부딪히게 되는 문제와 역할을 가상적으로 설정하여 특정 역할을 맡은 사람과 상호작용하고 문제를 해결해 나가도록 하는 방식으로 진행된다. 역할연기 면접에서는 면접관이 직접 역할연기를 하면서 지원자를 관찰하기도 하지만, 역할연기 수행만 전문적으로 하는 사람을 투입할 수도 있다.

• 판단기준 : 대처능력, 대인관계능력, 의사소통능력 등

ⓛ 특징 : 역할면접은 실제 상황과 유사한 가상 상황에서의 행동을 관찰함으로서 지원자의 성격이나 대처 행동 등을 관찰할 수 있다.

ⓒ 예시 문항 및 준비전략

• 예시 문항

> [금융권 역할면접의 예]
> 당신은 ○○은행의 신입 텔러이다. 사람이 많은 월말 오전 한 할아버지(면접관 또는 역할담당자)께서 ○○은행을 사칭한 보이스피싱으로 500만 원을 피해 보았다며 소란을 일으키고 있다. 실제 업무상황이라고 생각하고 상황에 대처해 보시오.

• 준비전략 : 역할연기 면접에서 측정하는 역량은 주로 갈등의 원인이 되는 문제를 해결하고 제시된 해결방안을 상대방에게 설득하는 것이다. 따라서 갈등해결, 문제해결, 조정·통합, 설득력과 같은 역량이 중요시된다. 또한 갈등을 해결하기 위해서 상대방에 대한 이해도 필수적인 요소이므로 고객 지향을 염두에 두고 상황에 맞게 대처해야 한다. 역할면접에서는 변별력을 높이기 위해 면접관이 압박적인 분위기를 조성하는 경우가 많기 때문에 스트레스 상황에서 불안해하지 않고 유연하게 대처할 수 있도록 시간과 노력을 들여 충분히 연습하는 것이 좋다.

2 면접 이미지 메이킹

(1) 성공적인 이미지 메이킹 포인트

① 복장 및 스타일

㉠ 남성

- 양복 : 양복은 단색으로 하며 넥타이나 셔츠로 포인트를 주는 것이 효과적이다. 짙은 회색이나 감청색이 가장 단정하고 품위 있는 인상을 준다.
- 셔츠 : 흰색이 가장 선호되나 자신의 피부색에 맞추는 것이 좋다. 푸른색이나 베이지색은 산뜻한 느낌을 줄 수 있다. 양복과의 배색도 고려하도록 한다.
- 넥타이 : 의상에 포인트를 줄 수 있는 아이템이지만 너무 화려한 것은 피한다. 지원자의 피부색은 물론, 정장과 셔츠의 색을 고려하며, 체격에 따라 넥타이 폭을 조절하는 것이 좋다.
- 구두 & 양말 : 구두는 검정색이나 짙은 갈색이 어느 양복에나 무난하게 어울리며 깔끔하게 닦아 준비한다. 양말은 정장과 동일한 색상이나 검정색을 착용한다.
- 헤어스타일 : 머리스타일은 단정한 느낌을 주는 짧은 헤어스타일이 좋으며 앞머리가 있다면 이마나 눈썹을 가리지 않는 선에서 정리하는 것이 좋다.

ⓛ 여성

- 의상 : 단정한 스커트 투피스 정장이나 슬랙스 슈트가 무난하다. 블랙이나 그레이, 네이비, 브라운 등 차분해 보이는 색상을 선택하는 것이 좋다.
- 소품 : 구두, 핸드백 등은 같은 계열로 코디하는 것이 좋으며 구두는 너무 화려한 디자인이나 굽이 높은 것을 피한다. 스타킹은 의상과 구두에 맞춰 단정한 것으로 선택한다.
- 액세서리 : 액세서리는 너무 크거나 화려한 것은 좋지 않으며 과하게 많이 하는 것도 좋은 인상을 주지 못한다. 착용하지 않거나 작고 깔끔한 디자인으로 포인트를 주는 정도가 적당하다.
- 메이크업 : 화장은 자연스럽고 밝은 이미지를 표현하는 것이 좋으며 진한 색조는 인상이 강해 보일 수 있으므로 피한다.
- 헤어스타일 : 커트나 단발처럼 짧은 머리는 활동적이면서도 단정한 이미지를 줄 수 있도록 정리한다. 긴 머리의 경우 하나로 묶거나 단정한 머리망으로 정리하는 것이 좋으며, 짙은 염색이나 화려한 웨이브는 피한다.

② 인사

ⓐ 인사의 의미 : 인사는 예의범절의 기본이며 상대방의 마음을 여는 기본적인 행동이라고 할 수 있다. 인사는 처음 만나는 면접관에게 호감을 살 수 있는 가장 쉬운 방법이 될 수 있기도 하지만 제대로 예의를 지키지 않으면 지원자의 인성 전반에 대한 평가로 이어질 수 있으므로 각별히 주의해야 한다.

ⓑ 인사의 핵심 포인트

- 인사말 : 인사말을 할 때에는 밝고 친근감 있는 목소리로 하며, 자신의 이름과 수험번호 등을 간략하게 소개한다.
- 시선 : 인사는 상대방의 눈을 보며 하는 것이 중요하며 너무 빤히 쳐다본다는 느낌이 들지 않도록 주의한다.
- 표정 : 인사는 마음에서 우러나오는 존경이나 반가움을 표현하고 예의를 차리는 것이므로 살짝 미소를 지으며 하는 것이 좋다.
- 자세 : 인사를 할 때에는 가볍게 목만 숙인다거나 흐트러진 상태에서 인사를 하지 않도록 주의하며 절도 있고 확실하게 하는 것이 좋다.

③ 시선처리와 표정, 목소리

    ㉠ **시선처리와 표정** : 표정은 면접에서 지원자의 첫인상을 결정하는 중요한 요소이다. 얼굴 표정은 사람의 감정을 가장 잘 표현할 수 있는 의사소통 도구로 표정 하나로 상대방에게 호감을 주거나, 비호감을 사기도 한다. 호감이 가는 인상의 특징은 부드러운 눈썹, 자연스러운 미간, 적당히 볼록한 광대, 올라간 입 꼬리 등으로 가볍게 미소를 지을 때의 표정과 일치한다. 따라서 면접 중에는 밝은 표정으로 미소를 지어 호감을 형성할 수 있도록 한다. 시선은 면접관과 고르게 맞추되 생기 있는 눈빛을 띄도록 하며, 너무 빤히 쳐다본다는 인상을 주지 않도록 한다.

    ㉡ **목소리** : 면접은 주로 면접관과 지원자의 대화로 이루어지므로 목소리가 미치는 영향이 상당하다. 답변을 할 때에는 부드러우면서도 활기차고 생동감 있는 목소리로 하는 것이 면접관에게 호감을 줄 수 있으며 적당한 제스처가 더해진다면 상승효과를 얻을 수 있다. 그러나 적절한 답변을 하였음에도 불구하고 콧소리나 날카로운 목소리, 자신감 없는 작은 목소리는 답변의 신뢰성을 떨어뜨릴 수 있으므로 주의하도록 한다.

④ 자세

    ㉠ 걷는 자세
- 면접장에 입실할 때에는 상체를 곧게 유지하고 발끝은 평행이 되게 하며 무릎을 스치듯 11자로 걷는다.
- 시선은 정면을 향하고 턱은 가볍게 당기며 어깨나 엉덩이가 흔들리지 않도록 주의한다.
- 발바닥 전체가 닿는 느낌으로 안정감 있게 걸으며 발소리가 나지 않도록 주의한다.
- 보폭은 어깨넓이만큼이 적당하지만, 스커트를 착용했을 경우 보폭을 줄인다.
- 걸을 때도 미소를 유지한다.

    ㉡ 서있는 자세
- 몸 전체를 곧게 펴고 가슴을 자연스럽게 내민 후 등과 어깨에 힘을 주지 않는다.
- 정면을 바라본 상태에서 턱을 약간 당기고 아랫배에 힘을 주어 당기며 바르게 선다.
- 양 무릎과 발뒤꿈치는 붙이고 발끝은 11자 또는 V형을 취한다.
- 남성의 경우 팔을 자연스럽게 내리고 양손을 가볍게 쥐어 바지 옆선에 붙이고, 여성의 경우 공수자세를 유지한다.

ⓒ 앉은 자세

• 남성

> • 의자 깊숙이 앉고 등받이와 등 사이에 주먹 1개 정도의 간격을 두며 기대듯 앉지 않도록 주의한다. (남녀 공통 사항)
> • 무릎 사이에 주먹 2개 정도의 간격을 유지하고 발끝은 11자를 취한다.
> • 시선은 정면을 바라보며 턱은 가볍게 당기고 미소를 짓는다. (남녀 공통 사항)
> • 양손은 가볍게 주먹을 쥐고 무릎 위에 올려놓는다.
> • 앉고 일어날 때에는 자세가 흐트러지지 않도록 주의한다. (남녀 공통 사항)

• 여성

> • 스커트를 입었을 경우 왼손으로 뒤쪽 스커트 자락을 누르고 오른손으로 앞쪽 자락을 누르며 의자에 앉는다.
> • 무릎은 붙이고 발끝을 가지런히 하며, 다리를 왼쪽으로 비스듬히 기울이면 여성스러워 보이는 효과가 있다.
> • 양손을 모아 무릎 위에 모아 놓으며 스커트를 입었을 경우 스커트 위를 가볍게 누르듯이 올려놓는다.

(2) 면접 예절

① 행동 관련 예절

ㄱ 지각은 절대금물 : 시간을 지키는 것은 예절의 기본이다. 지각을 할 경우 면접에 응시할수 없거나, 면접 기회가 주어지더라도 불이익을 받을 가능성이 높아진다. 따라서 면접장소가 결정되면 교통편과 소요시간을 확인하고 가능하다면 사전에 미리 방문해 보는것도 좋다. 면접 당일에는 서둘러 출발하여 면접 시간 20~30분 전에 도착하여 회사를둘러보고 환경에 익숙해지는 것도 성공적인 면접을 위한 요령이 될 수 있다.

ㄴ 면접 대기 시간 : 지원자들은 대부분 면접장에서의 행동과 답변 등으로만 평가를 받는다고 생각하지만 그렇지 않다. 면접관이 아닌 면접진행자 역시 대부분 인사실무자이며 면접관이 면접 후 지원자에 대한 평가에 있어 확신을 위해 면접진행자의 의견을 구한다면 면접진행자의 의견이 당락에 영향을 줄 수 있다. 따라서 면접 대기 시간에도 행동과말을 조심해야 하며, 면접을 마치고 돌아가는 순간까지도 긴장을 늦춰서는 안 된다. 면접 중 압박적인 질문에 답변을 잘 했지만, 면접장을 나와 흐트러진 모습을 보이거나 욕설을 한다면 면접 탈락의 요인이 될 수 있으므로 주의해야 한다.

ⓒ 입실 후 태도 : 본인의 차례가 되어 호명되면 또렷하게 대답하고 들어간다. 만약 면접장 문이 닫혀 있다면 상대에게 소리가 들릴 수 있을 정도로 노크를 두세 번 한 후 대답을 듣고 나서 들어가야 한다. 문을 여닫을 때에는 소리가 나지 않게 조용히 하며 공손한 자세로 인사한 후 성명과 수험번호를 말하고 면접관의 지시에 따라 자리에 앉는다. 이 경우 착석하라는 말이 없는데 먼저 의자에 앉으면 무례한 사람으로 보일 수 있으므로 주의한다. 의자에 앉을 때에는 끝에 앉지 말고 무릎 위에 양손을 가지런히 얹는 것이 예절이라고 할 수 있다.

ⓔ 옷매무새를 자주 고치지 마라. : 일부 지원자의 경우 옷매무새 또는 헤어스타일을 자주 고치거나 확인하기도 하는데 이러한 모습은 과도하게 긴장한 것 같아 보이거나 면접에 집중하지 못하는 것으로 보일 수 있다. 남성 지원자의 경우 넥타이를 자꾸 고쳐 맨다거 나 정장 상의 끝을 너무 자주 만지작거리지 않는다. 여성 지원자는 머리를 계속 쓸어 올리지 않고, 특히 짧은 치마를 입고서 신경이 쓰여 치마를 끌어 내리는 행동은 좋지 않다.

ⓜ 다리를 떨거나 산만한 시선은 면접 탈락의 지름길 : 자신도 모르게 다리를 떨거나 손가락 을 만지는 등의 행동을 하는 지원자가 있는데, 이는 면접관의 주의를 끌 뿐만 아니라 불안하고 산만한 사람이라는 느낌을 주게 된다. 따라서 가능한 한 바른 자세로 앉아 있 는 것이 좋다. 또한 면접관과 시선을 맞추지 못하고 여기저기 둘러보는 듯한 산만한 시 선은 지원자가 거짓말을 하고 있다고 여겨지거나 신뢰할 수 없는 사람이라고 생각될 수 있다.

② 답변 관련 예절

ⓐ 면접관이나 다른 지원자와 가치 논쟁을 하지 않는다. : 질문을 받고 답변하는 과정에서 면 접관 또는 다른 지원자의 의견과 다른 의견이 있을 수 있다. 특히 평소 지원자가 관심 이 많은 문제이거나 잘 알고 있는 문제인 경우 자신과 다른 의견에 대해 이의가 있을 수 있다. 하지만 주의할 것은 면접에서 면접관이나 다른 지원자와 가치 논쟁을 할 필요 는 없다는 것이며 오히려 불이익을 당할 수도 있다. 정답이 정해져 있지 않은 경우에는 가치관이나 성장배경에 따라 문제를 받아들이는 태도에서 답변까지 충분히 차이가 있을 수 있으므로 굳이 면접관이나 다른 지원자의 가치관을 지적하고 고치려 드는 것은 좋 지 않다.

ⓛ **답변은 항상 정직해야 한다.** : 면접이라는 것이 아무리 지원자의 장점을 부각시키고 단점을 축소시키는 것이라고 해도 절대로 거짓말을 해서는 안 된다. 거짓말을 하게 되면 지원자는 불안하거나 꺼림칙한 마음이 들게 되어 면접에 집중을 하지 못하게 되고 수많은 지원자를 상대하는 면접관은 그것을 놓치지 않는다. 거짓말은 그 지원자에 대한 신뢰성을 떨어뜨리며 이로 인해 다른 스펙이 아무리 훌륭하다고 해도 채용에서 탈락하게 될 수 있음을 명심하도록 한다.

ⓒ **경력직을 경우 전 직장에 대해 험담하지 않는다.** : 지원자가 전 직장에서 무슨 업무를 담당했고 어떤 성과를 올렸는지는 면접관이 관심을 둘 사항일 수 있지만, 이전 직장의 기업문화나 상사들이 어땠는지는 그다지 궁금해 하는 사항이 아니다. 전 직장에 대해 험담을 늘어놓는다든가, 동료와 상사에 대한 악담을 하게 된다면 오히려 지원자에 대한 부정적인 이미지만 심어줄 수 있다. 만약 전 직장에 대한 말을 해야 할 경우가 생긴다면 가능한 한 객관적으로 이야기하는 것이 좋다.

ⓔ **자기 자신이나 배경에 대해 자랑하지 않는다.** : 자신의 성취나 부모 형제 등 집안사람들이 사회 · 경제적으로 어떠한 위치에 있는지에 대한 자랑은 면접관으로 하여금 지원자에 대해 오만한 사람이거나 배경에 의존하려는 나약한 사람이라는 이미지를 갖게 할 수 있다. 따라서 자기 자신이나 배경에 대해 자랑하지 않도록 하고, 자신이 한 일에 대해서 너무 자세하게 얘기하지 않도록 주의해야 한다.

---

3 **면접 질문 및 답변 포인트**

(1) 가족 및 대인관계에 관한 질문

① 당신의 가정은 어떤 가정입니까?
면접관들은 지원자의 가정환경과 성장과정을 통해 지원자의 성향을 알고 싶어 이와 같은 질문을 한다. 비록 가정 일과 사회의 일이 완전히 일치하는 것은 아니지만 '가화만사성'이라는 말이 있듯이 가정이 화목해야 사회에서도 화목하게 지낼 수 있기 때문이다. 그러므로 답변 시에는 가족사항을 정확하게 설명하고 집안의 분위기와 특징에 대해 이야기하는 것이 좋다.

② 아버지의 직업은 무엇입니까?

아주 기본적인 질문이지만 지원자는 아버지의 직업과 내가 무슨 관련성이 있을까 생각하기 쉬워 포괄적인 답변을 하는 경우가 많다. 그러나 이는 바람직하지 않은 것으로 단답형으로 답변하면 세부적인 직종 및 근무연한 등을 물을 수 있으므로 모든 걸 한 번에 대답하는 것이 좋다.

③ 친구 관계에 대해 말해 보십시오.

지원자의 인간성을 판단하는 질문으로 교우관계를 통해 답변자의 성격과 대인관계능력을 파악할 수 있다. 새로운 환경에 적응을 잘하여 새로운 친구들이 많은 것도 좋지만, 깊고 오래 지속되어온 인간관계를 말하는 것이 더욱 바람직하다.

(2) 성격 및 가치관에 관한 질문

① 당신의 PR포인트를 말해 주십시오.

PR포인트를 말할 때에는 지나치게 겸손한 태도는 좋지 않으며 적극적으로 자기를 주장하는 것이 좋다. 앞으로 입사 후 하게 될 업무와 관련된 자기의 특성을 구체적인 일화를 더하여 이야기하도록 한다.

② 당신의 장 · 단점을 말해 보십시오.

지원자의 구체적인 장 · 단점을 알고자 하기 보다는 지원자가 자기 자신에 대해 얼마나 알고 있으며 어느 정도의 객관적인 분석을 하고 있나, 그리고 개선의 노력 등을 시도하는지를 파악하고자 하는 것이다. 따라서 장점을 말할 때는 업무와 관련된 장점을 뒷받침할 수 있는 근거와 함께 제시하며, 단점을 이야기할 때에는 극복을 위한 노력을 반드시 포함해야 한다.

③ 가장 존경하는 사람은 누구입니까?

존경하는 사람을 말하기 위해서는 우선 그 인물에 대해 알아야 한다. 잘 모르는 인물에 대해 존경한다고 말하는 것은 면접관에게 바로 지적당할 수 있으므로, 추상적이라도 좋으니 평소에 존경스럽다고 생각했던 사람에 대해 그 사람의 어떤 점이 좋고 존경스러운지 대답하도록 한다. 또한 자신에게 어떤 영향을 미쳤는지도 언급하면 좋다.

(3) 학교생활에 관한 질문

① 지금까지의 학교생활 중 가장 기억에 남는 일은 무엇입니까?

가급적 직장생활에 도움이 되는 경험을 이야기하는 것이 좋다. 또한 경험만을 간단하게 말하지 말고 그 경험을 통해서 얻을 수 있었던 교훈 등을 예시와 함께 이야기하는 것이 좋으나 너무 상투적인 답변이 되지 않도록 주의해야 한다.

② 성적은 좋은 편이었습니까?

면접관은 이미 서류심사를 통해 지원자의 성적을 알고 있다. 그럼에도 불구하고 이 질문을 하는 것은 지원자가 성적에 대해서 어떻게 인식하느냐를 알고자 하는 것이다. 성적이 나빴던 이유에 대해서 변명하려 하지 말고 담백하게 받아드리고 그것에 대한 개선노력을 했음을 밝히는 것이 적절하다.

③ 학창시절에 시위나 집회 등에 참여한 경험이 있습니까?

기업에서는 노사분규를 기업의 사활이 걸린 중대한 문제로 인식하고 거시적인 차원에서 접근한다. 이러한 기업문화를 제대로 인식하지 못하여 학창시절의 시위나 집회 참여 경험을 자랑스럽게 답변할 경우 감점요인이 되거나 심지어는 탈락할 수 있다는 사실에 주의한다. 시위나 집회에 참가한 경험을 말할 때에는 타당성과 정도에 유의하여 답변해야 한다.

(4) 지원동기 및 직업의식에 관한 질문

① 왜 우리 회사를 지원했습니까?

이 질문은 어느 회사나 가장 먼저 물어보고 싶은 것으로 지원자들은 기업의 이념, 대표의 경영능력, 재무구조, 복리후생 등 외적인 부분을 설명하는 경우가 많다. 이러한 답변도 적절하지만 지원 회사의 주력 상품에 관한 소비자의 인지도, 경쟁사 제품과의 시장점유율을 비교하면서 입사동기를 설명한다면 상당히 주목 받을 수 있을 것이다.

② 만약 이번 채용에 불합격하면 어떻게 하겠습니까?

불합격할 것을 가정하고 회사에 응시하는 지원자는 거의 없을 것이다. 이는 지원자를 궁지로 몰아넣고 어떻게 대응하는지를 살펴보며 입사 의지를 알아보려고 하는 것이다. 이 질문은 너무 깊이 들어가지 말고 침착하게 답변하는 것이 좋다.

③ 당신이 생각하는 바람직한 사원상은 무엇입니까?

직장인으로서 또는 조직의 일원으로서의 자세를 묻는 질문으로 지원하는 회사에서 어떤 인재상을 요구하는 가를 알아두는 것이 좋으며, 평소에 자신의 생각을 미리 정리해 두어 당황하지 않도록 한다.

④ 직무상의 적성과 보수의 많음 중 어느 것을 택하겠습니까?

이런 질문에서 회사 측에서 원하는 답변은 당연히 직무상의 적성에 비중을 둔다는 것이다. 그러나 적성만을 너무 강조하다 보면 오히려 솔직하지 못하다는 인상을 줄 수 있으므로 어느 한 쪽을 너무 강조하거나 경시하는 태도는 바람직하지 못하다.

⑤ 상사와 의견이 다를 때 어떻게 하겠습니까?

과거와 다르게 최근에는 상사의 명령에 무조건 따르겠다는 수동적인 자세는 바람직하지 않다. 회사에서는 때에 따라 자신이 판단하고 행동할 수 있는 직원을 원하기 때문이다. 그러나 지나치게 자신의 의견만을 고집한다면 이는 팀원 간의 불화를 야기할 수 있으며 팀 체제에 악영향을 미칠 수 있으므로 선호하지 않는다는 것에 유념하여 답해야 한다.

⑥ 근무지가 지방인데 근무가 가능합니까?

근무지가 지방 중에서도 특정 지역은 되고 다른 지역은 안 된다는 답변은 바람직하지 않다. 직장에서는 순환 근무라는 것이 있으므로 처음에 지방에서 근무를 시작했다고 해서 계속 지방에만 있는 것은 아님을 유의하고 답변하도록 한다.

(5) 여가 활용에 관한 질문

① 취미가 무엇입니까?

기초적인 질문이지만 특별한 취미가 없는 지원자의 경우 대답이 애매할 수밖에 없다. 그래서 가장 많이 대답하게 되는 것이 독서, 영화감상, 혹은 음악감상 등과 같은 흔한 취미를 말하게 되는데 이런 취미는 면접관의 주의를 끌기 어려우며 설사 정말 위와 같은 취미를 가지고 있다하더라도 제대로 답변하기는 힘든 것이 사실이다. 가능하면 독특한 취미를 말하는 것이 좋으며 이제 막 시작한 것이라도 열의를 가지고 있음을 설명할 수 있으면 그것을 취미로 답변하는 것도 좋다.

② 술자리를 좋아합니까?

이 질문은 정말로 술자리를 좋아하는 정도를 묻는 것이 아니다. 우리나라에서는 대부분 술자리가 친교의 자리로 인식되기 때문에 그것에 얼마나 적극적으로 참여할 수 있는 가를 우회적으로 묻는 것이다. 술자리를 싫어한다고 대답하게 되면 원만한 대인관계에 문제가 있을 수 있다고 평가될 수 있으므로 술을 잘 마시지 못하더라도 술자리의 분위기는 즐긴다고 답변하는 것이 좋으며 주량에 대해서는 정확하게 말하는 것이 좋다.

(6) 여성 지원자들을 겨냥한 질문

① 결혼은 언제 할 생각입니까?

지원자가 결혼예정자일 경우 기업은 채용을 꺼리게 되는 경향이 있다. 업무를 어느 정도 인식하고 수행할 정도가 되면 퇴사하는 일이 흔하기 때문이다. 가능하면 향후 몇 년간은 결혼 계획이 없다고 답변하는 것이 현실적인 대처 요령이며, 덧붙여 결혼 후에도 일하고자 하는 의지를 강하게 내보인다면 더욱 도움이 된다.

② 만약 결혼 후 남편이나 시댁에서 직장생활을 그만두라고 강요한다면 어떻게 하겠습니까?

결혼적령기의 여성 지원자들에게 빈번하게 묻는 질문으로 의견 대립이 생겼을 때 상대방을 설득하고 타협하는 능력을 알아보고자 하는 것이다. 따라서 남편이나 시댁과 충분한 대화를 통해 설득하고 계속 근무하겠다는 의지를 밝히는 것이 좋다.

③ 여성의 취업을 어떻게 생각합니까?

여성 지원자들의 일에 대한 열의와 포부를 알고자 하는 질문이다. 많은 기업들이 여성들의 섬세하고 꼼꼼한 업무능력과 감각을 높이 평가하고 있으며, 사회 전반적인 분위기 역시 맞벌이를 이해하고 있으므로 자신의 의지를 당당하고 자신감 있게 밝히는 것이 좋다.

④ 커피나 복사 같은 잔심부름이 주어진다면 어떻게 하겠습니까?

여성 지원자들에게 가장 난감하고 자존심상하는 질문일 수 있다. 이 질문은 여성 지원자에게 잔심부름을 시키겠다는 요구가 아니라 직장생활 중에서의 협동심이나 봉사정신, 직업관을 알아보고자 하는 것이다. 또한 이 과정에서 압박기법을 사용해 비꼬는 투로 말하는 수 있는데 이는 자존심이 상하거나 불쾌해질 때의 행동을 알아보려는 것이다. 이럴 경우 흥분하여 과격하게 답변하면 탈락하게 되며, 무조건 열심히 하겠다는 대답도 신뢰성이 없는 답변이다. 직장생활을 위해 필요한 일이면 할 수 있다는 정도의 긍정적인 답변을 하되, 한 사람의 사원으로서 당당함을 유지하는 것이 좋다.

(7) 지원자를 당황하게 하는 질문

① 성적이 좋지 않은데 이 정도의 성적으로 우리 회사에 입사할 수 있다고 생각합니까?

비록 자신의 성적이 좋지 않더라도 이미 서류심사에 통과하여 면접에 참여하였다면 기업에서는 지원자의 성적보다 성적 이외의 요소, 즉 성격·열정 등을 높이 평가했다는 것이라고 할 수 있다. 그러나 이런 질문을 받게 되면 지원자는 당황할 수 있으나 주눅 들지 말고 침착하게 대처하는 면모를 보인다면 더 좋은 인상을 남길 수 있다.

② 우리 회사 회장님 함자를 알고 있습니까?

회장이나 사장의 이름을 조사하는 것은 면접일을 통고받았을 때 이미 사전 조사되었어야 하는 사항이다. 단답형으로 이름만 말하기보다는 그 기업에 입사를 희망하는 지원자의 입장에서 답변하는 것이 좋다.

③ 당신은 이 회사에 적합하지 않은 것 같군요.

이 질문은 지원자의 입장에서 상당히 곤혹스러울 수밖에 없다. 질문을 듣는 순간 그렇다면 면접은 왜 참가시킨 것인가 하는 생각이 들 수도 있다. 하지만 당황하거나 흥분하지 말고 침착하게 자신의 어떤 면이 회사에 적당하지 않는지 겸손하게 물어보고 지적당한 부분에 대해서 고치겠다는 의지를 보인다면 오히려 자신의 능력을 어필할 수 있는 기회로 사용할 수도 있다.

④ 다시 공부할 계획이 있습니까?

이 질문은 지원자가 합격하여 직장을 다니다가 공부를 더 하기 위해 회사를 그만 두거나 학습에 더 관심을 두어 일에 대한 능률이 저하될 것을 우려하여 묻는 것이다. 이때에는 당연히 학습보다는 일을 강조해야 하며, 업무 수행에 필요한 학습이라면 업무에 지장이 없는 범위에서 야간학교를 다니거나 회사에서 제공하는 연수 프로그램 등을 활용하겠다고 답변하는 것이 적당하다.

⑤ 지원한 분야가 전공한 분야와 다른데 여기 일을 할 수 있겠습니까?

수험생의 입장에서 본다면 지원한 분야와 전공이 다르지만 서류전형과 필기전형에 합격하여 면접을 보게 된 경우라고 할 수 있다. 이는 결국 해당 회사의 채용 방침상 전공에 크게 영향을 받지 않는다는 것이므로 무엇보다 자신이 전공하지는 않았지만 어떤 업무도 적극적으로 임할 수 있다는 자신감과 능동적인 자세를 보여주도록 노력하는 것이 좋다.

02 계열사별 면접기출

1 SK씨앤씨 기출유형

① 인성 면접

    ㉠ 상사에게 꾸지람을 받으면 어떻게 하겠는가?

    ㉡ 상사가 불가능한 일을 시킨다면?

    ㉢ 일과 삶을 100분위로 나눈다면?

    ㉣ 분당의 가구당 평균 TV시청 시간은?

    ㉤ 여성 핸드백에 들어있는 화장품의 평균 수는?

② 직무 면접

    ㉠ 자신의 전공을 모르는 사람에게 설명해보시오.

    ㉡ 프로젝트 경험은?

    ㉢ 우리 회사에 대해 궁금한 점은?

    ㉣ 인기 많아 보이는데 사람과 친해지는데 얼마나 걸리는가?

    ㉤ ITS에 대한 구체적인 경험을 말해보시오.

    ㉥ SK 씨앤씨 솔루션에 대해 아는 점을 말해보시오.

    ㉦ 영업분야 일을 할 수 있는가?

    ㉧ 친구와 약속이 있는데 급한 일이 생긴다면 어떻게 하겠는가?

③ 토론 · 영어 면접

    ㉠ 신장이식 수술을 받아야 할 21명의 각기 다른 유명인이 있다(만델라대통령, 유명 영화배우, 스포츠스타, 의사, 변호사, 국회의원 등). 이 중에서 신장이 6개 밖에 없을 때 신장이식 수술을 받아야 할 6명의 우선 순위를 매기고 2명의 대기자를 선택하라. 그 이유는?

    ㉡ 타이타닉 호가 곧 침몰할 위기에 놓여있다. 18명 중에서 6명만이 구명보트에 탈 수 있다. 어떤 사람을 살릴 것인가?

    ㉢ (영어토론) 아침형 인간이 좋은가? 저녁형 인간이 좋은가?

    ㉣ (영어토론) 신입사원이 갖추어야 하는 것은?

① 역량 면접

    ㉠ 조직 내에서 팀원으로서의 자세는?

    ㉡ 지방근무가 가능한가?

    ㉢ 회사에서 무엇을 할 수 있는가?

② PT 면접

    ㉠ 기존 석유화학 사업과 새로운 신재생에너지 사업에 대해서 투자비중을 앞으로 어떻게 가져가야 하는지 설명해보시오.

    ㉡ 서부텍사스유가 100달러에 육박하고 있는데, SK에너지가 보유한 시설과 앞으로의 대체에너지 등을 고려해서 고유가시대의 대처방안을 도출해내시오.

    ㉢ 베르누이방정식에 대히 설명해보시오.

    ㉣ 아로마틱 공정에서 촉매를 사용하는데 고려할 점을 설명해보시오.

    ㉤ 원유에 따라 품질이 다른데 어떻게 하면 더 효율적으로 정제할 것인가?

③ 토론 면접

    ㉠ 쌀직불금문제에 대한 해결책을 도출하시오.

    ㉡ 저출산고령화 문제에 대한 해결책을 도출하시오.

    ㉡ 18세부터 선거권을 부여하는 것에 대한 찬반 토론을 하시오.

    ㉢ 과도한 성형 수술에 따른 문제점에 대해 토론하시오.

    ㉣ 직장여성, 전업주부, 취업주부 세 타깃 중 커뮤니케이션 전략 타깃으로 누구를 설정해야 하는가? 설정한 타깃을 대상으로 한 포인트 카드 전략은?

④ 영어 면접

    ㉠ 당신은 팀워크와 혼자 일하는 것 중 무엇이 좋은지 이유를 말해보시오.

    ㉡ SK에 대해 얼마나 알고 있는가?

    ㉢ 창의력과 성실성에서 중요한 것을 고르고 이유를 말해보시오.

3 　SK케미칼 기출유형

① 집단토론 / PT. 역량면접

　　㉠ SK케미칼의 Total healthcare의 방향에 대해 말해보시오.

　　㉡ 서울시내 미장원의 개수와 그 이유에 대해 말해보시오.

　　㉢ 지리산을 통째로 서울로 옮기려고 할 때 필요한 덤프트럭의 개수는?

② 임원 면접

　　㉠ 본인이 생각하는 좋은 리더와 나쁜 리더에 대해 말해보시오.

　　㉡ 영업직 중에 3D 업종인 제약영업을 지원한 이유는?

　　㉢ SK 케미칼 면접을 보면서 불만이나 개선할 사항이 있으면 의견을 제시해보시오.

　　㉣ 까다로운 의사를 만나면 어떻게 할 것인가?

　　㉤ 제약영업을 하는데 뭐가 가장 필요한가?

4 　SK텔레콤 기출유형

① 합숙 면접

　　㉠ 개인과제(PT)

　　　• 통신시장에 정부개입이 바람직한가?

　　　• T스토어 운영 성공전략은?

　　　• 이동통신 요금제 개선방안?

　　㉡ 10인 과제(2개 해결)

　　　• 트위터와 같은 SNS를 어떻게 이동통신에 활용할 것인가?

　　　• T-tower 1층에 지역 주민들을 위한 카페를 개설한다면 어떤 서비스를 제공할 것인가?

　　　• 이웃사랑, 사회공헌에 이바지하는 이미지 제고를 위한 SKT 전략은 무엇인가?

② 팀장 면접

　　㉠ 왜 SKT에 입사하고 싶은가?

　　㉡ 오해가 생겼을 때 자기가 잘못했다는 것을 인정한 경험은?

　　㉢ 어떤 타입의 사람을 싫어하는가?

　　㉣ 원칙 중시와 융통성 발휘를 놓고 갈등했던 경험은?

③ 임원 면접

　　㉠ 대학시절에 대해 이야기해보시오.

　　㉡ 기업의 입장에서 인적자원에 투자하는 것이 왜 바람직한가?

5 SK커뮤니케이션즈 기출유형

① 토론, 역량면접

　　㉠ 네이트 오픈정책이 어떤 것 같은가?

　　㉡ 네이버나 다음의 서비스 핵심 가치는 무엇인가?

　　㉢ 플랫폼이 무엇인지 알고 있는가?

　　㉣ 프로세스와 쓰레드의 차이점(리눅스와 윈도우)은?

　　㉤ 어떤 검색엔진을 만들고 싶은가?

　　㉥ 서비스 기획자로서 필요한 자질 및 소양은 무엇인가?

　　㉦ 한국 시장에서 검색 엔진 시장의 구도 변화를 예상한다면?

② 임원 면접

　　㉠ 자신의 적성과 맞는다고 생각하는 이유는?

　　㉡ 자신의 장·단점을 말하시오.

　　㉢ 대학시절 전공에 대한 공부 및 자기개발을 위해 무슨 노력을 했는지 말해보시오.

6 SK하이닉스 기출유형

① 직무(PT)면접 … 학사는 과제제시형으로 현장에서 주어진 과제(2문제 중 택1)를 대상으로 대기실에서 준비한 후 발표하고, 석/박사는 본인의 연구주제를 발표하게 된다. PT면접은 발표 10분, 질의응답 15분으로 약 25분 정도 이루어진다.

② 인성면접 … 개별 면접(면접관 多)으로 진행

　　㉠ 인생의 목표가 무엇인가?

　　㉡ 이 회사에서 본인을 꼭 뽑아야 하는 이유가 무엇인가?

　　㉢ 면접관에게 하고 싶은 질문을 해보시오.

　　㉣ 당신의 성격이 직무에 어떤 기여를 하겠는가?

　　㉤ 주변사람들은 본인을 어떻게 생각하는가?

　　㉥ 삼성과 SK 하이닉스의 차이는 무엇인가?

　　㉦ 본인이 창의성이 있는 편이라고 생각하는가?

　　㉧ 자신의 가치관을 영어로 말해보시오.

　　㉨ 메르스 사태에 대해 자신이 대통령이라면 어떻게 대처하겠는가?

　　㉩ 자신의 학교에 대해 자랑해보시오.

　　㉪ 이 회사에 입사하기 위한 본인의 노력을 말해보시오.

PART

IV

부록 – 한국사

한국사 상식용어

한국사 상식용어

※ 18년 하반기부터 한국역사 영역을 필기시험에서 제외하고, 면접 등을 통해 역사의식이나 역사관 검증을 강화하고 있으니 참고하시기 바랍니다.

〉〉 한민족(韓民族)의 형성

농경생활을 바탕으로 동방문화권(東方文化圈)을 성립하고 독특한 문화를 이룩한 우리 민족은 인종학상으로는 황인종 중 퉁구스족(Tungus族)의 한 갈래이며, 언어학상 알타이어계(Altai語系)에 속한다. 한반도에는 구석기시대부터 사람이 살기 시작하였고 신석기시대에서 청동기시대를 거치는 동안 민족의 기틀이 이루어졌다.

〉〉 소도(蘇塗)

삼한시대에 제사를 지냈던 신성지역을 말한다. 정치적 지배자 이외의 제사장인 천군이 다스리는 지역으로 이곳에서 농경과 종교에 대한 의례를 주관하였다. 소도는 매우 신성한 곳으로서 군장의 세력이 미치지 못하였으며 죄인이 들어와도 잡지 못하였다.

〉〉 단군신화(檀君神話)

우리민족의 시조 신화로 이를 통해 청동기시대를 배경으로 고조선의 성립이라는 역사적 사실과 함께 당시 사회모습을 유추할 수 있다.

• 천제의 아들 환웅이 천부인 3개와 풍백·운사·우사 등의 무리를 거느리고 태백산 신시에 세력을 이루었다. → 천신사상, 선민사상, 농경사회, 계급사회, 사유재산제 사회

• 곰과 호랑이가 와서 인간이 되게 해달라고 하였으며, 곰만이 인간여자가 되어 후에 환웅과 결합하여 아들 단군왕검을 낳았다. → 토테미즘, 샤머니즘, 제정일치

• 널리 인간을 이롭게 한다(홍익인간). → 민본주의, 지배층의 권위(통치이념)

〉〉 책화(責禍)

동예에서 공동체지역의 경계를 침범한 측에게 과하였던 벌칙으로, 읍락을 침범하였을 경우에 노예와 우마로써 배상하여야 했다.

〉〉 영고(迎鼓)

부여의 제천행사이다. 12월 음식과 가무를 즐기고 국사를 의논하며 죄수를 풀어 주기도 한 행사로, 추수감사제의 성격을 띠었다.

8조법(八條法)

고조선사회의 기본법으로, 한서지리지에 기록되어 있다. 살인·상해·절도죄를 기본으로 하는 이 관습법은 족장들의 사회질서유지 수단이었으며, 동시에 가부장 중심의 계급사회로서 사유재산을 중히 여긴 당시의 사회상을 반영하고 있다. 그 내용 중 전하는 것은 '사람을 죽인 자는 사형에 처한다, 남에게 상해를 입힌 자는 곡물로 배상한다, 남의 물건을 훔친 자는 노비로 삼고 배상하려는 자는 50만전을 내야 한다' 등 3조이다.

살수대첩(薩水大捷)

고구려 영양왕 23년(1612) 중국을 통일한 수의 양제가 100만대군을 이끌고 침공해 온 것을 을지문덕장군이 살수(청천강)에서 크게 이긴 싸움이다. 그 후 몇 차례 더 침공해 왔으나 실패했으며, 결국 수는 멸망하게 되었다.

을파소(乙巴素)

고구려의 명재상으로, 고국천왕 13년에 안류가 추천하여 국상이 되었다. 그의 건의로 진대법이 실시되었다.

골품제도(骨品制度)

신라의 신분제로, 성골·진골·6두품 등이 있었다. 성골은 양친 모두 왕족인 자로서 28대 진덕여왕까지 왕위를 독점 세습하였으며, 진골은 양친 중 한편이 왕족인 자로서 태종무열왕 때부터 왕위를 세습하였다. 골품은 가계의 존비를 나타내고 골품 등급에 따라 복장·가옥·수레 등에 여러가지 제한을 두었다.

마립간(麻立干)

신라시대의 왕호이다. 신라 건국초기에는 박·석·김의 3성(姓) 부족이 연맹하여 연맹장을 세 부족이 교대로 선출했으며, 이들이 주체가 되어 신라 6촌이라는 연맹체를 조직하기에 이르렀다. 이것이 내물왕 때부터는 김씨의 왕위세습권이 확립되었고 대수장(大首長)이란 뜻을 가진 마립간을 사용하게 되었다.

> Point 》 신라의 왕호
> ㉠ 거서간 : 1대 박혁거세, 군장·대인·제사장의 의미 내포
> ㉡ 차차웅 : 2대 남해왕, 무당·사제의 의미로 샤먼적 칭호
> ㉢ 이사금 : 3대 유리왕~16대 흘해왕, 계승자·연장자의 의미
> ㉣ 마립간 : 17대 내물왕~21대 소지왕, 대수장을 의미하는 정치적 칭호
> ㉤ 왕 : 22대 지증왕 이후, 중국식 왕명 사용
> • 불교식 왕명 : 23대 법흥왕 이후
> • 중국식 시호 : 29대 무열왕 이후

≫ 향(鄕)·소(巢)·부곡(部曲)

신라시대 특수천민집단으로, 향과 부곡에는 농업에 종사하는 천민이, 소에는 수공업에 종사하는 천민이 거주하였다. 이는 고려시대까지 계속되었으나 조선초기에 이르러 소멸되었다.

≫ 진대법(賑貸法)

고구려 고국천왕 16년(194) 을파소의 건의로 실시한 빈민구제법이다. 춘궁기에 가난한 백성에게 관곡을 빌려주었다가 추수기인 10월에 관에 환납하게 하는 제도이다. 귀족의 고리대금업으로 인한 폐단을 막고 양민들의 노비화를 막으려는 목적으로 실시한 제도였으며, 고려의 의창제도, 조선의 환곡제도의 선구가 되었다.

≫ 지리도참설(地理圖讖說)

신라 말 도선(道詵)이 중국에서 받아들인 인문지리학이다. 인문지리적인 인식과 예언적인 도참신앙이 결부된 학설로 우리나라의 수도를 중앙권으로 끌어올리는데 기여하고 신라정부의 권위를 약화시키는 역할을 하였다.

≫ 광개토대왕비(廣開土大王碑)

만주 집안현 통구(通溝)에 있는 고구려 19대 광개토대왕의 비석으로, 왕이 죽은 후인 장수왕 2년(414)에 세워졌다. 비문은 고구려·신라·가야의 3국이 연합하여 왜군과 싸운 일과 왕의 일생 사업을 기록한 것으로, 우리나라 최대의 비석이다. 일본은 '辛卯年來渡海破百殘□□□羅'라는 비문을 확대·왜곡 해석하여 임나일본부설의 근거로 삼고 있다.

> Point ≫ 임나일본부설(任那日本府說) … 일본의 '니혼쇼기(日本書紀)'의 임나일본부, 임나관가라는 기록을 근거로 고대 낙동강유역의 변한지방을 일본의 야마토[大和]정권이 지배하던 관부(官府)라고 주장하는 설이다.

≫ 태학(太學)

고구려의 국립교육기관으로, 우리나라 최초의 교육기관이다. 소수림왕 2년(372)에 설립되어 중앙귀족의 자제에게 유학을 가르쳤다.

> Point ≫ 경당(慶堂) … 지방의 사립교육기관으로 한학과 무술을 가르쳤다.

≫ 다라니경(陀羅尼經)

국보 제126호로 지정되었다. 불국사 3층 석탑(석가탑)의 보수공사 때(1966) 발견된 것으로, 현존하는 세계 최고(最古)의 목판인쇄물이다. 다라니경의 출간연대는 통일신라 때인 700년대 초에서 751년 사이로 추정되며 정식 명칭은 무구정광 대다라니경이다.

》 신라방(新羅坊)

중국 당나라의 산둥반도로부터 장쑤성[江蘇省]에 걸쳐 산재해 있던 신라인의 집단거주지로, 삼국통일 후 당과의 해상무역이 많은 신라인이 이주함으로써 형성되었다. 여기에 자치적으로 치안을 유지한 신라소, 신라인의 사원인 신라원도 세워졌다.

》 독서출신과(讀書出身科)

신라 때의 관리등용방법으로, 원성왕 4년(788) 시험본위로 인재를 뽑기 위하여 태학감에 설치한 제도이다. 좌전·예기·문선을 읽어 그 뜻에 능통하고 아울러 논어·효경에 밝은 자를 상품(上品), 곡례·논어·효경을 읽을 줄 아는 자를 중품(中品), 곡례와 논어를 읽을 줄 아는 자를 하품(下品)이라 구별하였으며, 이 때문에 독서삼품과(讀書三品科)라고도 하였다. 그러나 골품제도 때문에 제기능을 발휘하지는 못하였다.

》 신라장적(新羅帳籍)

1933년 일본 도오다이사[東大寺] 쇼소인[正倉院]에서 발견된 것으로, 서원경(淸州)지방 4개 촌의 민정문서이다. 남녀별·연령별의 정확한 인구와 소·말·뽕나무·호도나무·잣나무 등을 집계하여 3년마다 촌주가 작성하였다. 호(戶)는 인정(人丁)수에 의해 9등급, 인구는 연령에 따라 6등급으로 나뉘었고, 여자도 노동력수취의 대상이 되었다. 촌주는 3~4개의 자연촌락을 다스리고 정부는 촌주에게 촌주위답을, 촌민에게는 연수유답을 지급하였다. 이 문서는 조세수취와 노동력징발의 기준을 정하기 위해 작성되었다.

》 진흥왕순수비(眞興王巡狩碑)

신라 제24대 진흥왕이 국토를 확장하고 국위를 선양하기 위하여 여러 신하를 이끌고 변경을 순수하면서 기념으로 세운 비로, 현재까지 알려진 것은 창녕비·북한산비·황초령비·마운령비 등이다.

》 화백제도(和白制度)

신라 때 진골 출신의 고관인 대등(大等)들이 모여 국가의 중대사를 결정하는 회의이다. 만장일치로 의결하고, 한 사람이라도 반대하면 결렬되는 회의제도였다.

》 도병마사(都兵馬使)

고려시대 중서문하성의 고관인 재신과 중추원의 고관인 추밀이 합좌하여 국가 중대사를 논의하던 최고기관(도당)이다. 충렬왕 때 도평의사사로 바뀌었다.

》 교정도감(敎定都監)

고려시대 최충헌이 무단정치를 할 때 설치한 최고행정집행기관(인사권·징세권·감찰권)으로, 국왕보다 세도가 강했으며 우두머리인 교정별감은 최씨에 의해 대대로 계승되었다.

》 묘청의 난

고려 인종 13년(1135)에 묘청이 풍수지리의 이상을 표방하고, 서경으로 천도할 것을 주장하였으나 유학자 김부식 등의 반대로 실패하자 일으킨 난이다. 관군에 토벌되어 1년만에 평정되었다. 신채호는 '조선역사상 1천년 내의 제1의 사건'이라 하여 자주성을 높이 평가하였다.

》 별무반(別武班)

고려 숙종 9년(1104) 윤관의 건의에 따라 여진정벌을 위해 편성된 특수부대이다. 귀족 중심의 신기군(기병부대), 농민을 주축으로 한 신보군(보병부대), 승려들로 조직된 항마군으로 편성되었다.

》 사심관제도(事審官制度)

고려 태조의 민족융합정책의 하나로, 귀순한 왕족에게 그 지방정치의 자문관으로서 정치에 참여시킨 제도이다. 신라 경순왕을 경주의 사심관으로 임명한 것이 최초이다. 사심관은 부호장 이하의 향리를 임명할 수 있으며, 그 지방의 치안에 대해 연대책임을 져야 했다. 지방세력가들을 견제하기 위한 제도였다.

》 훈요 10조(訓要十條)

고려 태조 26년(943)에 대광 박술희를 통해 후손에게 훈계한 정치지침서로, 신서와 훈계 10조로 이루어져 있다. 불교·풍수지리설 숭상, 적자적손에 의한 왕위계승, 당풍의 흡수와 거란에 대한 강경책 등의 내용으로 고려정치의 기본방향을 제시하였다.

》 삼별초(三別抄)

고려 최씨집권시대의 사병집단이다. 처음에 도둑을 막기 위하여 조직한 야별초가 확장되어 좌별초·우별초로 나뉘고, 몽고군의 포로가 되었다가 도망쳐 온 자들로 조직된 신의군을 합하여 삼별초라 한다. 원종의 친몽정책에 반대하여 항쟁을 계속하였으나, 관군과 몽고군에 의해 평정되었다.

》 상정고금예문(詳定古今禮文)

고려 인종 때 최윤의가 지은 것으로, 고금의 예문을 모아 편찬한 책이나 현존하지 않는다. 이규보의 동국이상국집에 이 책을 1234년(고종 21)에 활자로 찍었다고 한 것으로 보아 우리나라 최초의 금속활자본으로 추정된다.

》 노비안검법(奴婢按檢法)

고려 광종 7년(956) 원래 양인이었다가 노비가 된 자들을 조사하여 해방시켜 주고자 했던 법으로, 귀족세력을 꺾고 왕권을 강화하기 위한 정책적 목적으로 실시되었다. 그러나 후에 귀족들의 불평이 많아지고 혼란이 가중되어 노비환천법이 실시되게 되었다.

> Point 》 노비환천법(奴婢還賤法) … 노비안검법의 실시로 해방된 노비 중 본주인에게 불손한 자를 다시 노비로 환원시키기 위해 고려 성종 때 취해진 정책이다.

》 상평창(常平倉)

고려 성종 12년(993)에 설치한 물가조절기관으로, 곡식과 포목 등 생활필수품을 값쌀 때 사두었다가 흉년이 들면 파는 기관이다. 이는 개경과 서경을 비롯한 전국 주요 12목에 큰 창고를 두었으며, 사회구제책과 권농책으로 오래 활용되었다.

》 백두산정계비(白頭山定界碑)

숙종 38년(1712) 백두산에 세운 조선과 청 사이의 경계비를 말한다. 백두산 산정 동남쪽 4㎞, 해발 2,200m 지점에 세워져 있으며 '西爲鴨錄 東爲土門 故於分水嶺'이라고 쓰여 있다.

> Point 》 '土門'의 해석을 두고 우리는 송화강으로, 중국은 두만강으로 보아 양국 사이에 간도 귀속에 대한 분쟁을 불러 일으켰다.

》 음서제도(蔭書制度)

고려·조선시대에 공신이나 고위관리의 자제들이 과거에 응하지 않고도 관직에 등용되던 제도를 말한다. 조선시대에는 음관벼슬을 여러 대에 걸친 자손들에게까지 혜택을 주었다.

》 벽란도(碧瀾渡)

예성강 하류에 위치한 고려시대 최대의 무역항으로, 송·왜는 물론 아리비아 상인들까지 쉴새없이 드나들던 곳이다. 이때 우리나라의 이름이 서양에 알려지게 되어 고려, 즉 Korea라고 부르게 되었다.

》 위화도회군(威化島回軍)

고려 우왕 때 명을 쳐부수고자 출병한 이성계가 4대불가론을 내세워 위화도에서 회군하여 개경을 반격함으로써 군사적 정변을 일으킨 것을 말한다. 이성계는 최영과 우왕을 내쫓고 우왕의 아들 창왕을 옹립하였는데, 이로써 이성계를 비롯한 신진사대부계급들의 정치적 실권장악의 계기가 되었다.

》 의창(義倉)

고려 성종 5년(986)에 태조가 만든 흑창을 개칭한 빈민구제기관으로, 전국 각 주에 설치하였다. 춘궁기에 관곡에 빌려주고 추수 후에 받아들이는 제도로, 고구려 진대법과 조선의 사창·환곡과 성격이 같다.

》 쌍성총관부(雙城摠管府)

고려 말 원이 화주(지금의 영흥)에 둔 관청으로, 1258년 조휘·탁청 등이 동북병마사를 죽이고 몽고에 항거하자 몽고가 그 지역을 통치하기 위해 설치하였다.

》 직지심경(直指心經)

고려 우왕 3년(1377)에 백운이라는 승려가 만든 불서로 직지심체요절(直指心體要節)이라고도 한다. 1972년 파리의 국립도서관에서 유네스코 주최로 개최된 '책의 역사' 전시회에서 발견되어 현존하는 세계 최고(最古)의 금속활자본으로 판명되었다.

》 균역법(均役法)

영조 26년(1750) 백성의 부담을 덜기 위하여 실시한 납세제도로, 종래 1년에 2필씩 내던 포를 1필로 반감하여 주고 그 재정상의 부족액을 어업세·염세·선박세와 결작의 징수로 보충하였다. 역을 균등히 하기 위해 제정하고 균역청을 설치하여 이를 관할하였으나, 관리의 부패로 농촌생활이 피폐해졌으며 19세기에는 삼정문란의 하나가 되었다.

》 중방정치(重房政治)

중방은 2군 6위의 상장군·대장군 16명이 모여 군사에 관한 일을 논의하던 무신의 최고회의기관으로, 정중부가 무신의 난 이후 중방에서 국정전반을 통치하던 때의 정치를 의미한다.

》 도방정치(都房政治)

도방은 경대승이 정중부를 제거한 후 정권을 잡고 신변보호를 위해 처음 설치하여 정치를 하던 기구로, 그 뒤 최충헌이 더욱 강화하여 국가의 모든 정무를 이 곳에서 보았다. 이를 도방정치라 하며, 일종의 사병집단을 중심으로 행한 정치이다.

》 도첩제(度牒制)

조선 태조 때 실시된 억불책의 하나로, 승려에게 신분증명서에 해당하는 도첩을 지니게 한 제도이다. 승려가 되려는 자에게 국가에 대해 일정한 의무를 지게 한 다음 도첩을 주어 함부로 승려가 되는 것을 억제한 제도인데, 이로 말미암아 승려들의 세력이 크게 약화되고 불교도 쇠퇴하였다.

〉〉 삼정(三政)

조선시대 국가재정의 근원인 전정(田政)·군정(軍政)·환곡(還穀)을 말한다. 전정이란 토지에 따라 세를 받는 것이고, 군정은 균역 대신 베 한필씩을 받는 것이며, 환곡은 빈민의 구제책으로 봄에 곡식을 빌려 주었다가 가을에 10분의 1의 이자를 합쳐 받는 것이다.

〉〉 계유정란(癸酉靖亂)

문종이 일찍 죽고 단종이 즉위하자, 수양대군(세조)이 단종과 그를 보좌하던 김종서·황보인 등을 살해하고 안평대군을 축출한 후 권력을 장악한 사건이다.

〉〉 동의보감(東醫寶鑑)

광해군 때 허준이 중국과 한국의 의서를 더욱 발전시켜 펴낸 의서로, 뒤에 일본과 중국에서도 간행되는 등 동양의학 발달에 크게 기여하였다. 이 책은 내과·외과·소아과·침구 등 각 방면의 처방을 우리 실정에 맞게 풀이하고 있다.

〉〉 4대 사화(四大士禍)

조선시대 중앙관료들 간의 알력과 권력쟁탈로 인하여 많은 선비들이 화를 입었던 사건을 말한다. 4대 사화는 연산군 4년(1498)의 무오사화, 연산군 10년(1504)의 갑자사화, 중종 14년(1519)의 기묘사화, 명종 원년(1545)의 을사사화를 말한다.

> Point 〉〉 조의제문(弔義帝文) … 조선 김종직이 초나라의 항우가 의제(義帝)를 죽여 폐위시킨 것을 조위하여 쓴 글이다. 이는 세조가 어린 단종을 죽이고 즉위한 것을 풍자한 글로서, 후에 무오사화(戊午士禍)의 원인이 되었다.

〉〉 신사유람단(紳士遊覽團)

고종 18년(1881) 일본에 파견하여 새로운 문물제도를 시찰케 한 사절단을 말한다. 강화도조약이 체결된 뒤 수신사 김기수와 김홍집은 일본에 다녀와서 서양의 근대문명과 일본의 문물제도를 배워야 한다고 주장하였다. 이에 조선정부는 박정양·조준영·어윤중·홍영식 등과 이들을 보조하는 수원·통사·종인으로 신사유람단을 편성하여 일본에 체류하면서 문교·내무·농상·의무·군부 등 각 성(省)의 시설과 세관·조례 등의 주요 부분 및 제사(製絲)·잠업 등에 이르기까지 고루 시찰하고 돌아왔다.

〉〉 조선경국전(朝鮮經國典)

조선왕조의 건국이념과 정치·경제·사회·문화에 대한 기본방향을 설정한 헌장법전으로, 정도전·하윤 등에 의해 편찬되었다. 경국대전을 비롯한 조선왕조 법전편찬의 기초가 되었다.

〉〉 규장각(奎章閣)

정조 원년(1776)에 궁중에 설치된 왕립도서관 및 학문연구소로, 역대 국왕의 시문 · 친필 · 서화 · 유교 등을 관리하던 곳이다. 이는 학문을 연구하고 정사를 토론케 하여 정치의 득실을 살피는 한편, 외척 · 환관의 세력을 눌러 왕권을 신장시키고 문예 · 풍속을 진흥시키기 위한 것이었다.

〉〉 탕평책(蕩平策)

영조가 당쟁의 뿌리를 뽑아 일당전제의 폐단을 없애고, 양반의 세력균형을 취하여 왕권의 신장과 탕탕평평을 꾀한 정책이다. 이 정책은 정조 때까지 계승되어 당쟁의 피해를 막는데 큰 성과를 거두었으나, 당쟁을 근절시키지는 못하였다.

〉〉 하멜표류기

조선 효종 4년(1653) 제주도에 표착한 네덜란드인 하멜(Hamel)의 14년간(1653~1668)에 걸친 억류 기록으로, '난선 제주도 난파기' 및 그 부록 '조선국기'를 통칭한 것이다. 부록인 '조선국기'는 조선의 지리 · 풍토 · 산물 · 정치 · 법속 등에 대하여 실제로 보고 들은 바를 기록한 것이다. 이 기록은 유럽인들에게 한국을 소개한 최초의 문헌이다.

〉〉 조선의 3대 화가

조선시대 안견, 김홍도, 장승업을 말한다. 안견은 산수화, 김홍도는 풍속화, 장승업은 산수화 · 인물화를 잘 그렸다.

〉〉 만인소(萬人疏)

정치의 잘못을 시정할 것을 내용으로 하는 유생들의 집단적인 상소를 말한다. 그 대표적인 것으로는 순조 23년(1823)에 서자손 차별반대 상소, 철종 6년(1845)에 사도세자 추존의 상소, 그리고 고종 18년(1881)에 김홍집이 소개한 황쭌셴의 조선책략에 의한 정치개혁반대 상소를 들 수 있다.

〉〉 상평통보(常平通寶)

인조 11년(1663) 이덕형의 건의로 만들어진 화폐이다. 만들어진 후 곧 폐지되었으나, 효종 2년 김육에 의하여 새로 만들어져 서울과 서북지방에서 잠시 사용되다가 다시 폐지되었다. 그후 숙종 4년(1678)에 허적에 의하여 새로이 주조되어 전국적으로 통용되었다.

》 육의전(六矣廛)

조선 때 운종가(종로)에 설치되어 왕실·국가의식의 수요를 도맡아 공급하던 어용상점을 말한다. 비단·무명·명주·모시·종이·어물 등 여섯 종류였고, 이들은 고율의 세금과 국역을 물고 납품을 독점하였으며, 금난전권을 행사하며 자유로운 거래를 제한하였다.

> Point 》 금난전권 … 난전을 금압하는 시전상인들의 독점판매권이다. 18세기 말 정조 때 신해통공정책으로 육의전을 제외한 모든 시전상인들의 금난전권이 철폐되었다.

》 갑신정변(甲申政變)

고종 21년(1884) 개화당의 김옥균, 박영효 등이 중심이 되어 우정국 낙성식에서 민씨일파를 제거하고 개화정부를 세우려 했던 정변이다. 갑신정변은 청의 지나친 내정간섭과 민씨세력의 사대적 경향을 저지하고 자주독립국가를 세우려는 의도에서 일어났으나, 청의 개입과 일본의 배신으로 3일천하로 끝났다. 근대적 정치개혁에 대한 최초의 시도였다는 점에 큰 의의가 있다.

》 동학농민운동

고종 31년(1894) 전라도 고부에서 동학교도 전봉준 등이 일으킨 민란에서 비롯된 농민운동을 말한다. 교조신원운동의 묵살, 전라도 고부군수 조병갑의 착취와 동학교도 탄압에 대한 불만이 도화선이 된 이 운동은 조선 봉건사회의 억압적인 구조에 대한 농민운동으로 확대되어 전라도·충청도 일대의 농민이 참가하였으나, 청·일 양군의 간섭으로 실패했다. 이 운동의 결과 대외적으로는 청일전쟁이 일어났고, 대내적으로는 갑오개혁이 추진되었다. 또한 유교적 전통사회가 붕괴되고 근대사회로 전진하는 중요한 계기가 되었다.

》 갑오개혁(甲午改革)

고종 31년(1894) 일본의 강압에 의해 김홍집을 총재관으로 하는 군국기무처를 설치하여 실시한 근대적 개혁이다. 내용은 청의 종주권 부인, 개국연호 사용, 관제개혁, 사법권 독립, 재정의 일원화, 은본위제 채택, 사민평등, 과부개가 허용, 과거제 폐지, 조혼금지 등이다. 이 개혁은 보수적인 봉건잔재가 사회 하층부에 남아 있어 근대화의 기형적인 발달을 이루게 되었다.

> Point 》 군국기무처 … 청일전쟁 당시 관제를 개혁하기 위해 임시로 설치했던 관청으로 갑오개혁의 중추적 역할을 하였다. 모든 관제와 행정·사법·교육·재정·군사 및 상업에 이르기까지 모든 사무를 총괄하였으며 모든 정무를 심의하였다. 문벌과 노비를 철폐하고 조혼을 금지하였으며 과거제와 연좌제 등을 폐지하였다.

〉〉 거문도사건

고종 22년(1885) 영국이 전라남도에 있는 거문도를 불법 점거한 사건이다. 당시 영국은 러시아의 남하를 막는다는 이유로 러시아함대의 길목인 대한해협을 차단하고자 거문도를 점령하였다. 그리하여 조선정부는 청국정부를 통해서 영국에 항의를 하게 되고 청국정부도 중간 알선에 나서게 되었다. 그 후 러시아도 조선의 영토를 점거할 의사가 없다고 약속함으로써 영국함대는 고종 24년(1887) 거문도에서 철수했다.

〉〉 강화도조약

운요호사건을 빌미로 고종 13년(1876) 일본과 맺은 최초의 근대적 조약으로, 일명 병자수호조약이라고도 한다. 부산·인천·원산 등 3항의 개항과 치외법권의 인정 등을 내용으로 하는 불평등한 조약이나, 이를 계기로 개국과 개화가 비롯되었다는데 큰 의의가 있다.

> Point 〉〉 운요호사건… 고종 12년(1875) 수차에 걸쳐 통상요구를 거절당한 일본이 수호조약의 체결을 목적으로 군함 운요호를 출동시켜 한강으로 들어오자 강화수병이 이에 발포, 충돌한 사건이다.

〉〉 단발령(斷髮令)

고종 32년(1895) 친일 김홍집내각이 백성들에게 머리를 깎게 한 명령이다. 그러나 을미사변으로 인하여 일본에 대한 감정이 좋지 않았던 차에 단발령이 내리자, 이에 반대한 전국의 유생들이 각지에서 의병을 일으키게 되었다.

> Point 〉〉 을미사변(乙未事變) … 조선 고종 32년(1895) 일본공사 미우라가 친러세력을 제거하기 위하여 명성황후를 시해한 사건이다. 을미사변은 민족감정을 크게 자극하여 의병을 일으키는 계기가 되었다.

〉〉 홍범 14조

고종 31년(1894)에 국문·국한문·한문의 세 가지로 반포한 14개조의 강령으로, 우리나라 최초의 헌법이다. 갑오개혁 이후 내정개혁과 자주독립의 기초를 확고히 하려는 목적으로 발표되었다.

〉〉 조선어학회(朝鮮語學會)

1921년 1월 우리말과 글의 연구·통일·발전을 목적으로 창립된 민간학술단체이다. 장지영, 이윤재, 최현배, 김윤경 등이 조선어연구회로 조직한 후 1931년 조선어학회로 개칭하였다. 주요 활동으로 한글날과 맞춤법 통일안 제정, 잡지 '한글'의 발행 등이 있다.

〉〉 광혜원

우리나라 최초의 근대식 병원이다. 조선 고종 22년(1885)에 통리교섭아문의 관리하에 지금의 서울 재동에 설립되어 미국인 알렌(H.N. Allen)이 주관, 일반사람들의 병을 치료하였다.

>> 여수 · 순천사건

제주도 4 · 3사건을 진압하기 위하여 여수와 순천지방의 국방경비대에게 진압명령을 내렸으나, 일부 좌익계열 군장교들이 동족을 죽일 수 없다는 선동으로 항명한 사건이다. 여수에 주둔하고 있던 14연대는 제주도 상륙을 거부하고 단독 정부를 저지하고자 하였으나 실패하여 지리산으로 숨어 들어 빨치산이 되었다. 이로 인해 정부는 국가보안법을 제정하여 강력한 반공정책을 추진하였다. 이 사건은 '여 · 순반란사건'이라고 하였으나 반란의 주체를 주민들로 오인할 수 있다고 하여 1995년부터 '여수 · 순천사건', '여수 · 순천 10 · 19사건'이라고 명명하였다.

>> 관민공동회(官民共同會)

열강의 이권침탈에 대항하여 자주독립의 수호와 자유민권의 신장을 위하여 독립협회 주최로 열린 민중대회이다. 1898년 3월 서울 종로 네거리에서 러시아인 탁지부 고문과 군부 교련사관의 해고를 요구하고 이승만 · 홍정하 등 청년 연사가 열렬한 연설을 하여 대중의 여론을 일으켰다. 이 대회는 계속 개최되어 그 해 10월에는 윤치호를 회장으로 선출, 정부의 매국적 행위를 공격하고 시국에 대한 개혁안인 헌의 6조를 결의하였다. 이 개혁안은 국왕에게 제출되어 왕도 처음에는 그 정당성을 인정하고 그 실시를 확약하였으나 보수적 관료들의 반대로 이에 관계한 대신들만 파면되고 실현을 보지 못하였다. 독립협회의 해산 후 얼마 동안은 만민공동회라는 이름으로 활약하였다.

> Point >> 헌의 6조의 내용
> ㉠ 외국인에게 의지하지 말 것
> ㉡ 외국과의 이권에 관한 계약과 조약은 각 대신과 중추원 의장이 합동 날인하여 시행할 것
> ㉢ 국가재정은 탁지부에서 전관하고, 예산과 결산을 국민에게 공포할 것
> ㉣ 중대 범죄를 공판하되, 피고의 인권을 존중할 것
> ㉤ 칙임관을 임명할 때에는 정부에 그 뜻을 물어서 중의에 따를 것
> ㉥ 정해진 규정을 실천할 것

>> 물산장려운동(物産獎勵運動)

1922년 평양에 설립된 조선물산장려회가 계기가 되어 조만식을 중심으로 일어난 민족운동이다. 서울의 조선청년연합회가 주동이 되어 전국적 규모의 조선물산장려회를 조직, 국산품 애용 · 민족기업의 육성 등의 구호를 내걸고 강연회와 시위선전을 벌였으나, 일제의 탄압으로 유명무실해지고 1940년에는 총독부 명령으로 조선물산장려회가 강제 해산되었다.

》 국권수호운동(國權守護運動)

1905년 체결된 한일협약에 반대하여 일어난 국민적 운동이다. 고종은 만국평화회의에 밀사를 파견하여 을사조약이 무효임을 호소하였으나 결국 일제에 의해 고종이 강제 퇴위당하고 정미 7조약이 맺어지면서 일본이 내정을 장악하게 되었다. 이에 일본의 식민지화를 반대하고 주권회복과 자주독립을 위해 근대문물을 받아들여 실력을 양성하자는 애국계몽운동과 무력으로 일제를 물리치자는 항일의병운동이 일어났다. 이와 같은 국권회복운동은 관원·양반·상인·농민·천민에 이르기까지 전 계층의 호응을 얻어 전국적으로 전개되었다. 이러한 운동들은 일제강점기 동안 점차 실력양성론과 무장투쟁론으로 자리잡아갔다.

》 신간회(新幹會)

1927년 민족주의자와 사회주의자가 통합하여 조직한 최대 항일민족운동단체이다. 주요 활동으로는 아동의 수업료 면제·조선어교육 요구·착취기관 철폐·이민정책 반대 등을 제창하였고, 광주학생운동을 지원하기도 했다. 자매단체로는 여성단체인 근우회가 있었다.

》 6·10만세운동

1926년 6월 10일 순종의 인산일을 기해 일어난 독립만세운동이다. 황제의 상여가 종로를 통과할 때 '자주교육, 타도 일본제국주의, 토지는 농민에게, 8시간 노동제' 등을 주장한 전단을 뿌리면서 만세시위를 했다. 이 사건으로 이병립·박하균이 주모자로 체포되었으며 공모자 또는 관련자로 전국에서 1천명이 체포, 투옥되었다.

》 방곡령(防穀令)

고종 26년(1889) 함경감사 조병식이 식량난을 막기 위해 곡물의 일본수출을 금지한 것이다. 함경도와 황해도지방에 방곡령을 선포하였으나 조일통상장정에 위배된다는 일본의 항의로 배상금만 물고 실효를 거두지 못하였다.

》 태극기(太極旗)

박영효가 수신사로 일본에 갈 때(고종 19) 배 안에서 만들어 1883년(고종 20)에 반포한 것으로, 음양과 사괘의 배치안을 결정하여 오늘에 이르렀다.

》 별기군(別技軍)

고종 18년(1881)에 설치한 신식군대로, 일본의 육군공병 소위 호리모도를 초빙하여 교관으로 삼고 100명으로 편성된 별기군을 훈련시켰다. 별기군은 임오군란 때 폐지되었다.

>> 독립협회(獨立協會)

조선 고종 33년(1896)에 서재필·안창호·이승만·윤치호 등이 정부의 외세의존, 외국의 침략, 이권의 박탈 등을 계기로 독립정신을 고취시키기 위하여 만든 정치적 색채를 띤 사회단체이다. 종래의 인습타파 및 독립정신 고취 등 국민계몽에 힘썼으며, 독립문을 건립하고 독립신문을 발간하였으나 황국협회의 방해 등으로 1898년에 해산되었다.

> Point >> 황국협회 … 광무 2년(1898)에 홍종우·길영수·이기동·박유진 등이 조직한 정치·사회단체로, 보부상과 연결되어 독립협회의 활동을 견제하였다.

>> 임오군란(壬午軍亂)

고종 19년(1882) 개화파와 보수파의 대립으로 일어난 사건으로, 신·구식 군대차별이 발단이 되었다. 이 결과 대원군이 재집권하게 되었으나, 민씨일파의 책동으로 청의 내정간섭이 시작되고 이로 인해 제물포조약이 체결되어 일본의 조선침략의 발판이 되었다.

> Point >> 제물포조약 … 배상금 지급과 일본 공사관의 경비병 주둔을 인정하는 내용이다.

>> 병인양요(丙寅洋擾)

고종 66) 대원군이 천주교도를 탄압하자 리델(Ridel)신부가 탈출하여 천진에 와 있던 프랑스함대에 보고함으로써 일어난 사건이다. 그해에 프랑스 로즈(Rose)제독은 함선을 이끌고 강화도를 공격·점령했는데, 대원군이 이경하 등으로 하여금 싸우게 하여 40여일만에 프랑스군을 격퇴시켰다. 이로 인해 대원군은 천주교 탄압과 통상·수교요구 거부는 더욱 강화하게 되었다.

>> 105인사건

1910년 안명근의 데라우치총독 암살기도사건을 계기로 양기탁·윤치호 등 600여명을 검거하여 그중 신민회 간부 105명을 투옥한 사건이다. 이 사건이 특히 평안·황해지방에서 일어난 것은 기독교의 보급으로 민족운동이 성하였기 때문이다.

>> 정미 7조약(丁未七條約)

정식명칭은 한일신협약이다. 1907년 일본이 대한제국을 병합하기 위한 예비조처로 헤이그밀사 사건을 구실삼아 고종을 퇴위시키고 강제적으로 맺은 조약이다. 이로 인해 통감의 권한이 확대되고 일본인 차관이 행정실무를 담당하는 차관정치가 실시되었다.

〉〉 을사조약(乙巳條約)

광무 9년(1905) 일본이 한국을 보호한다는 명목아래 강제로 체결한 조약으로 제2차 한일협약이라고도 한다. 러일전쟁의 승리와 영일동맹조약 개정 등으로 한국에 대한 우월한 권익과 지위를 국제적으로 인정받은 일본은 이토 히로부미를 파견하여 강압적으로 조약을 체결하였다. 이 결과 우리나라는 주권을 상실하고 외교권을 박탈당했으며, 일본은 서울에 통감부를 두고 보호정치를 실시하였다.

> Point 〉〉 을사 5적(乙巳五賊) ⋯ 을사조약을 체결할 때 찬성 또는 묵인한 5인의 매국노로, 박제순 · 이완용 · 이근택 · 이지용 · 권중현을 말한다.

〉〉 헤이그밀사사건

을사조약에 의하여 일본에게 모든 실권을 빼앗기고 백성들이 극심한 착취와 탄압에 시달리게 되자, 고종은 1907년 6월에 네덜란드 헤이그에서 열리는 만국평화회의에 밀사를 파견하였다. 이준 · 이상설 · 이위종 세 사람의 밀사는 국제정의 앞에 당시 우리나라의 상황을 호소하고자 하였으나, 일본의 방해로 뜻을 이루지 못하였다.

〉〉 3 · 15의거(마산의거)

이승만 자유당 정부는 1960년 3 · 15 정 · 부통령선거에서 장기집권을 위해 선거준비과정에서부터 노골적인 부정행위를 했는데, 이에 대구에서 학생들의 첫 시위인 2 · 28시위가 터지게 된다. 그러다가 3월 15일 선거날 공공연한 부정행위가 목격되자 이에 마산시민들은 '협잡선거 물리치라'는 구호를 외치며 이에 항의하기 시작했다. 항의하는 마산시민에게 경찰이 무차별 발포를 하자 학생과 시민이 중심이 되어 독재타도를 외치게 된다. 경찰들이 최루탄 및 총기를 난사하여 많은 인명이 살상되고 28일 동안 실종되었던 김주열의 시체가 4월 11일 마산 중앙부두에서 떠오르자 이에 분노한 마산시민의 2차 시위와 함께 전국민의 분노가 확산되어 4 · 19혁명의 기폭제가 되었다. 현재 3 · 15의거를 기념하기 위해 3월 15일 전후하여 기념마라톤대회, 전국웅변대회, 백일장 등 문화체육행사를 지속적으로 실시하고 있으며 2003년 3월에는 3 · 15 국립묘지가 준공되었다.

● TO-DO LIST

/ *01*

- ○
- ○
- ○
- ○
- ○
- ○
- ○

/ *02*

- ○
- ○
- ○
- ○
- ○
- ○
- ○

/ *03*

- ○
- ○
- ○
- ○
- ○
- ○
- ○

/ *04*

- ○
- ○
- ○
- ○
- ○
- ○
- ○

/ *05*

- ○
- ○
- ○
- ○
- ○
- ○
- ○

/ *06*

- ○
- ○
- ○
- ○
- ○
- ○
- ○

/ *07*

- ○
- ○
- ○
- ○
- ○
- ○
- ○

/ *08*

- ○
- ○
- ○
- ○
- ○
- ○
- ○

/ *09*

- ○
- ○
- ○
- ○
- ○
- ○
- ○

/ *10*

○
○
○
○
○
○
○

/ *11*

○
○
○
○
○
○
○

/ *12*

○
○
○
○
○
○
○

/ *13*

○
○
○
○
○
○
○

/ *14*

○
○
○
○
○
○
○

/ *15*

○
○
○
○
○
○
○

● MEMO